노래로 배우는
한국어 1

Монгол хэл(몽골어)
улагдсан хувилбар(번역판)

• 노래 (нэр Үг) : **дуу**
аялан дуулахад зориулсан шҮлгэнд аяыг тааруулсан хөгжим. мөн тэр хөгжмийг дуу гаргаж дуулах.

• 로 : **-аар (-ээр, -оор, -өөр)**
ямар нэгэн Үйл хэргийн арга барилыг илэрхийлж буй нөхцөл.

• 배우다 (Үйл Үг) : **сурах, сурч авах**
шинэ мэдлэг олж авах.

• -는 : **Тохирох Үг хэллэг байхгҮй байна**
өмнөх Үгийг тодотгол гишҮҮний ҮҮрэгтэй болгож, хэрэг явдал буюу Үйлдэл нь одоо өрнөж байгааг илэрхийлдэг нөхцөл.

• 한국어 (нэр Үг) : **солонгос хэл**
солонгост хэрэглэдэг хэл.

※ 이 책의 폰트는 '함초롬 바탕체'를 사용하였습니다.

< 저자(зохиогч) >

㈜한글2119연구소

- 연구개발전담부서
- ISO 9001 : 품질경영시스템 인증
- ISO 14001 : 환경경영시스템 인증
- 이메일(и-мэйл) : gjh0675@naver.com

< 동영상(дYрс бичлэг) 자료(тYYхий эд) >

HANPUK_монгол хэл(орчуулга)
https://www.youtube.com/@HANPUK_Mongolian

HANPUK

제 2024153361 호

연구개발전담부서 인정서

1. 전담부서명: 연구개발전담부서

[소속기업명: (주)한글2119연구소]

2. 소 재 지: 인천광역시 부평구 마장로264번길 33 상가동 제지하층 제2호 (산곡동, 뉴서울아파트)

3. 신고 연월일: 2024년 05월 02일

과학기술정보통신부

「기초연구진흥 및 기술개발지원에 관한 법률」 제14조의 2제1항 및 같은 법 시행령 제27조제1항에 따라 위와 같이 기업의 연구개발전담부서로 인정합니다.

2024년 5월 13일

한국산업기술진흥협회장

G-CERTI *certificate*

hereby certifies that

Hangul 2119 Research Institute Co., Ltd.

Rm. 2, Lower level, Sangga-dong, 33, Majang-ro 264beon-gil, Bupyeong-gu, Incheon, Korea

meets the Standard Requirements & Scope as following

ISO 9001:2015
Quality Management Systems

Creation of Media Content, Publication of Korean Paper and Electronic Textbooks, Production and Release of Albums for Korean Language Education

Certificate No:	**GIS-6934-QC**	**Code**	**: 08, 39**
Initial Date	**: 2024-05-21**	**Issue Date**	**: 2024-05-21**
Expiry Date	**: 2027-05-20**	**Valid Period**	**: 2024-05-21 ~ 2027-05-20**

Signed for and on behalf of GCERTI
President I.K.Cho

MSCB-113

G-CERTI *certificate*

hereby certifies that

Hangul 2119 Research Institute Co., Ltd.

Rm. 2, Lower level, Sangga-dong, 33, Majang-ro 264beon-gil, Bupyeong-gu, Incheon, Korea

meets the Standard Requirements & Scope as following

ISO 14001:2015
Environmental Management Systems

Creation of Media Content, Publication of Korean Paper and Electronic Textbooks, Production and Release of Albums for Korean Language Education

Certificate No:	**GIS-6934-EC**	**Code**	**: 08, 39**
Initial Date	**: 2024-05-21**	**Issue Date**	**: 2024-05-21**
Expiry Date	**: 2027-05-20**	**Valid Period**	**: 2024-05-21 ~ 2027-05-20**

Signed for and on behalf of GCERTI
President I.K.Cho

Certificate of Registration Certificate of Registration

< 목차(гарчиг) >

< 1 >

한글송

한글(ханьгөл) 송(дуу)

[발음(дуудлага)]

바 빠 파 다 따 타 가 까 카 자 짜 차 사 싸 하 마 나 아 라
바 빠 파 다 따 타 가 까 카 자 짜 차 사 싸 하 마 나 아 라
ba ppa pa da tta ta ga kka ka ja jja cha sa ssa ha ma na a ra

자음 열아홉 개 소리
자음 여라홉 개 소리
jaeum yeorahop gae sori

아 어 오 우 으 이 애 에 외 위 야 여 요 유 얘 예 와 워 왜 웨 의
아 어 오 우 으 이 애 에 외 위 야 여 요 유 얘 예 와 워 왜 웨 의
a eo o u eu i ae e oe wi ya yeo yo yu yae ye wa wo wae we ui

모음 스물한 개 소리
모음 스물한 개 소리
moeum seumulhan gae sori

< 1 절(бадаг) >

다 같이 말해 봐
다 가치 말해 봐
da gachi malhae bwa

아설순치후
아설순치후
aseolsunchihu

다 함께 불러 봐
다 함께 불러 봐
da hamkke bulleo bwa

아설순치후
아설순치후
aseolsunchihu

우리 모두 느껴 봐
우리 모두 느껴 봐
uri modu neukkyeo bwa

발음 기관을 본뜬
바름 기과늘 본뜬
bareum gigwaneul bontteun

기역, 니은, 미음, 시옷, 이응
기역, 니은, 미음, 시옫, 이응
giyeok, nieun, mieum, siot, ieung

다섯 글자
다섣 글짜
daseot geulja

세상의 모든 소리를 들어 봐
세상에 모든 소리를 드러 봐
sesange modeun sorireul deureo bwa

또 하고 싶은 말을 다 외쳐 봐
또 하고 시픈 마를 다 외처 봐
tto hago sipeun mareul da oecheo bwa

신비로운 사연
신비로운 사연
sinbiroun sayeon

감추었던 비밀
감추얻떤 비밀
gamchueotdeon bimil

진실을 전해 줘
진시를 전해 줘
jinsireul jeonhae jwo

< 후렴(дууны дахилт) >

아 야 어 여 오 요 우 유 으 이
아 야 어 여 오 요 우 유 으 이
a ya eo yeo o yo u yu eu i

가 나 다 라 마 바 사 아 자 차 카 타 파 하
가 나 다 라 마 바 사 아 자 차 카 타 파 하
ga na da ra ma ba sa a ja cha ka ta pa ha

이제부터 들려 줘 너의 마음을
이제부터 들려 줘 너에 마으믈
ijebuteo deullyeo jwo neoe maeumeul

지금부터 전해 줘 너의 사랑을
지금부터 전해 줘 너에 사랑을
jigeumbuteo jeonhae jwo neoe sarangeul

아 야 어 여 오 요 우 유 으 이
아 야 어 여 오 요 우 유 으 이
a ya eo yeo o yo u yu eu i

가 나 다 라 마 바 사 아 자 차 카 타 파 하
가 나 다 라 마 바 사 아 자 차 카 타 파 하
ga na da ra ma ba sa a ja cha ka ta pa ha

모음 스물하나에 자음 열아홉을 더해
모음 스물하나에 자음 여라호블 더해
moeum seumulhanae jaeum yeorahobeul deohae

마흔 가지 소리로 세상을 느껴 봐
마흔 가지 소리로 세상을 느껴 봐
maheun gaji soriro sesangeul neukkyeo bwa

< 2 절(бадаг) >

하늘과 땅이 만나 ㅗ, ㅜ
하늘과 땅이 만나 ㅗ, ㅜ
haneulgwa ttangi manna o, u

사람과 만난다면 ㅏ, ㅓ
사람과 만난다면 ㅏ, ㅓ
saramgwa mannandamyeon a, eo

하루면은 충분해
하루며는 충분해
harumyeoneun chungbunhae

하늘, 땅, 사람을 본뜬
하늘, 땅, 사라믈 본뜬
haneul, ttang, sarameul bontteun

아 어 오 우 야 여 요 유 으 이
아 어 오 우 야 여 요 유 으 이
a eo o u ya yeo yo yu eu i

열 글자
열 글짜
yeol geulja

세상의 모든 소리를 들어 봐
세상에 모든 소리를 드러 봐
sesange modeun sorireul deureo bwa

또 하고 싶은 말을 다 외쳐 봐
또 하고 시픈 마를 다 외처 봐
tto hago sipeun mareul da oecheo bwa

신비로운 사연
신비로운 사연
sinbiroun sayeon

감추었던 비밀
감추얻떤 비밀
gamchueotdeon bimil

진실을 전해 줘
진시를 전해 줘
jinsireul jeonhae jwo

< 후렴(дууны дахилт) >

아 어 오 우 야 여 요 유 으 이
아 어 오 우 야 여 요 유 으 이
a eo o u ya yeo yo yu eu i

가 나 다 라 마 바 사 아 자 차 카 타 파 하
가 나 다 라 마 바 사 아 자 차 카 타 파 하
ga na da ra ma ba sa a ja cha ka ta pa ha

이제부터 들려 줘 너의 마음을
이제부터 들려 줘 너에 마으믈
ijebuteo deullyeo jwo neoe maeumeul

지금부터 전해 줘 너의 사랑을
지금부터 전해 줘 너에 사랑을
jigeumbuteo jeonhae jwo neoe sarangeul

아 어 오 우 야 여 요 유 으 이
아 어 오 우 야 여 요 유 으 이
a eo o u ya yeo yo yu eu i

가 나 다 라 마 바 사 아 자 차 카 타 파 하
가 나 다 라 마 바 사 아 자 차 카 타 파 하
ga na da ra ma ba sa a ja cha ka ta pa ha

모음 스물하나에 자음 열아홉을 더해
모음 스물하나에 자음 여라호블 더해
moeum seumulhanae jaeum yeorahobeul deohae

마흔 가지 소리로 세상을 느껴 봐
마흔 가지 소리로 세상을 느껴 봐
maheun gaji soriro sesangeul neukkyeo bwa

들려 줘요
들려 줘요
deullyeo jwoyo

이 소리 들리나요.
이 소리 들리나요.
i sori deullinayo.

달콤하게, 부드럽게 우리 모두 말해 봐요.
달콤하게, 부드럽께 우리 모두 말해 봐요.
dalkomhage, budeureopge uri modu malhae bwayo.

< 전주 >

전주 (нэр Үг) : 성악이나 기악의 독주에서 반주가 시작되는 부분.
Тохирох Үг хэллэг байхгҮй байна
дуу буюу дуу хөгжмийн гоцлолоос дагалдах хөгжим эхлэх хэсэг.

바 빠 파 다 따 타 가 까 카 자 짜 차 사 싸 하 마 나 아 라

ㅂ : 한글 자모의 여섯째 글자. 이름은 '비읍'으로, 소리를 낼 때의 입술 모양은 'ㅁ'과 같지만 더 세게 발음되므로 'ㅁ'에 획을 더해서 만든 글자이다.
Тохирох Үг хэллэг байхгҮй байна
солонгос цагаан толгойн зургаа дахь Үсэг. 'би-өб' хэмээх нэртэй, авиаг дуудах Үеийн уруулын хэлбэр 'ㅁ'-тэй адил боловч илҮҮ хҮчтэй дуудагддаг тул 'ㅁ' дээр нэг зурлага нэмж, зохиосон Үсэг.

ㅃ : 한글 자모 'ㅂ'을 겹쳐 쓴 글자. 이름은 쌍비읍으로, 'ㅂ'의 된소리이다.
Тохирох Үг хэллэг байхгҮй байна
солонгос цагаан толгойн 'ㅂ'-г хосоор нь бичсэн Үсэг. 'ссанби-өб' хэмээх нэртэй, 'ㅂ'-н чанга авиа.авиа.

ㅍ : 한글 자모의 열셋째 글자. 이름은 '피읖'으로, 'ㅁ, ㅂ'보다 소리가 거세게 나므로 'ㅁ'에 획을 더하여 만든 글자이다.
Тохирох Үг хэллэг байхгҮй байна
солонгос цагаан толгойн арван гурав дахь Үсэг. 'пи-өб' хэмээх нэртэй, 'ㅁ, ㅂ'-с илҮҮ чанга дуудагддаг тул 'ㅁ' дээр нэг зурлага нэмж зохиосон Үсэг.

ㄷ : 한글 자모의 셋째 글자. 이름은 '디귿'으로, 소리를 낼 때 혀의 모습은 'ㄴ'과 같지만 더 세게 발음되므로 한 획을 더해 만든 글자이다.
Тохирох Үг хэллэг байхгҮй байна
солонгос цагаан толгойн гурав дахь Үсэг. 'дигөд' хэмээх нэртэй, авиа дуудах Үеийн хэлний хэлбэр 'ㄴ'-тэй адил боловч илҮҮ чанга дуудагдаг тул нэг зурлага нэмж зохиосон Үсэг.

ㄸ : 한글 자모 'ㄷ'을 겹쳐 쓴 글자. 이름은 쌍디귿으로, 'ㄷ'의 된소리이다.
Тохирох Үг хэллэг байхгҮй байна
солонгос цагаан толгойн 'ㄷ'-г хосоор нь бичсэн Үсэг. ссандигөд хэмээх нэртэй, 'ㄷ'-н чанга авиа.

ㅌ : 한글 자모의 열두째 글자. 이름은 '티읕'으로, 'ㄷ'보다 소리가 거세게 나므로 'ㄷ'에 한 획을 더하여 만든 글자이다.

Тохирох Үг хэллэг байхгҮй байна

солонгос цагаан толгойн арван хоёр дахь Үсэг. 'ти-өд' хэмээх нэртэй, 'ㄷ'-с илҮҮ чанга дуудагддаг тул 'ㄷ' дээр нэг зурлага нэмж зохиосон Үсэг.

ㄱ : 한글 자모의 첫째 글자. 이름은 기역으로 소리를 낼 때 혀뿌리가 목구멍을 막는 모양을 본떠 만든 글자이다.

Тохирох Үг хэллэг байхгҮй байна

солонгос цагаан толгойн эхний Үсэг. ги-ёг хэмээх нэртэй, дуудахад хэлний уг хоолойг тагласан байдлыг дуурайлган зохиосон Үсэг.

ㄲ : 한글 자모 'ㄱ'을 겹쳐 쓴 글자. 이름은 쌍기역으로, 'ㄱ'의 된소리이다.

Тохирох Үг хэллэг байхгҮй байна

солонгос цагаан толгойн 'ㄱ'-г хосоор бичсэн Үсэг. ссанги-ёг хэмээх нэртэй, 'ㄱ'-н чанга авиа.

ㅋ : 한글 자모의 열한째 글자. 이름은 '키읔'으로 'ㄱ'보다 소리가 거세게 나므로 'ㄱ'에 한 획을 더하여 만든 글자이다.

Тохирох Үг хэллэг байхгҮй байна

солонгос цагаан толгойн арван нэг дэх Үсэг. 'ки-өг' хэмээх нэртэй, 'ㄱ'-с илҮҮ чанга дуудагддаг тул 'ㄱ' дээр нэг зурлага нэмж зохиосон Үсэг.

ㅈ : 한글 자모의 아홉째 글자. 이름은 '지읒'으로, 'ㅅ'보다 소리가 더 세게 나므로 'ㅅ'에 한 획을 더해 만든 글자이다.

Тохирох Үг хэллэг байхгҮй байна

солонгос цагаан толгойн ес дэх Үсэг. 'жи-өд' хэмээх нэртэй, 'ㅅ'-с илҮҮ чанга дуудагддаг тул 'ㅅ' дээр нэг зурлага нэмж, зохиосон Үсэг.

ㅉ : 한글 자모 'ㅈ'을 겹쳐 쓴 글자. 이름은 쌍지읒으로, 'ㅈ'의 된소리이다.

Тохирох Үг хэллэг байхгҮй байна

солонгос цагаан толгойн 'ㅈ'-г хосоор нь бичсэн Үсэг. сан жи-өд хэмээх нэртэй, 'ㅈ'-н чанга авиа.

ㅊ : 한글 자모의 열째 글자. 이름은 '치읓'으로 '지읒'보다 소리가 거세게 나므로 '지읒'에 한 획을 더해서 만든 글자이다.

Тохирох Үг хэллэг байхгҮй байна

солонгос цагаан толгойн арав дахь Үсэг. 'чи-өд' хэмээх нэртэй, 'ㅈ'-с илҮҮ чанга дуудагддаг тул 'ㅈ' дээр нэг зурлага нэмж зохиосон Үсэг.

ㅅ : 한글 자모의 일곱째 글자. 이름은 '시옷'으로 이의 모양을 본떠서 만든 글자이다.

Тохирох Үг хэллэг байхгҮй байна

солонгос цагаан толгойн долоо дахь Үсэг. 'ши-уд' хэмээх нэртэй, авиаг дуудах Үеийн шҮдний хэлбэрийг дуурайлган зохиосон Үсэг.

ㅆ : 한글 자모 'ㅅ'을 겹쳐 쓴 글자. 이름은 쌍시옷으로, 'ㅅ'의 된소리이다.
Тохирох Үг хэллэг байхгҮй байна
солонгос цагаан толгойн 'ㅅ'-г хосоор нь бичсэн Үсэг. ссанши-уд хэмээх нэртэй, 'ㅅ'-н чанга авиа.авиа.

ㅎ : 한글 자모의 열넷째 글자. 이름은 '히읗'으로, 이 글자의 소리는 목청에서 나므로 목구멍을 본떠 만든 'ㅇ'의 경우와 같지만 'ㅇ'보다 더 세게 나므로 'ㅇ'에 획을 더하여 만든 글자이다.
Тохирох Үг хэллэг байхгҮй байна
солонгос цагаан толгойн арван дөрөв дэх Үсэг. 'хи-өд' хэмээх нэртэй, авиаг дуудах Үеийн хоолойн хэлбэрийг дуурайлган зохиосон'ㅇ'-тэй адил төстэй боловч 'ㅇ'-с илҮҮ чанга дуудагддаг тул 'ㅇ' дээр зурлага нэмж зохиосон Үсэг.

ㅁ : 한글 자모의 다섯째 글자. 이름은 '미음'으로, 소리를 낼 때 다물어지는 두 입술 모양을 본떠서 만든 글자이다.
Тохирох Үг хэллэг байхгҮй байна
солонгос цагаан толгойн тав дахь Үсэг. 'ми-өм' хэмээх нэртэй, авиаг дуудах Үеийн хоёр уруулны хэлбэрийг дуурайлган зохиосон Үсэг.

ㄴ : 한글 자모의 둘째 글자. 이름은 '니은'으로 소리를 낼 때 혀끝이 윗잇몸에 붙는 모양을 본떠 만든 글자이다.
Тохирох Үг хэллэг байхгҮй байна
солонгос цагаан толгойн хоёр дахь Үсэг. 'ни-өнь' хэмээх нэртэй, авиаг дуудахдаа хэлний ҮзҮҮр дээд буйланд хҮрч буй байдлыг дуурайлган зохиосон Үсэг.

ㅇ : 한글 자모의 여덟째 글자. 이름은 '이응'으로 목구멍의 모양을 본떠서 만든 글자이다. 초성으로 쓰일 때 소리가 없다.
Тохирох Үг хэллэг байхгҮй байна
солонгос цагаан толгойн зургаа дахь Үсэг. 'и-өн' хэмээх нэртэй, авиаг дуудах Үеийн хоолойн хэлбэрийг дуурайлган зохиосон Үсэг. эхний Үеийн гийгҮҮлэгчээр хэрэглэгдэх Үед авиа гарахгҮй.

ㄹ : 한글 자모의 넷째 글자. 이름은 '리을'로 혀끝을 윗잇몸에 가볍게 대었다가 떼면서 내는 소리를 나타낸다.
Тохирох Үг хэллэг байхгҮй байна
солонгос цагаан толгойн дөрөв дэх Үсэг. нэр нь 'ри-өл' бөгөөд хэлний ҮзҮҮрийг тагнайд хөнгөн хҮргэж дууддаг.

자음 열아홉 개 소리

자음 (нэр Үг) : 목, 입, 혀 등의 발음 기관에 의해 장애를 받으며 나는 소리.
гийгҮҮлэгч
хоолой, уруул, хэл зэрэг авиа гаргадаг эрхтний улмаас саадтай гарах авиа.

열아홉 : 19

개 (нэр Үг) : 낱으로 떨어진 물건을 세는 단위.
ширхэг
дангаар тусдаа байгаа зҮйлийг тоолох нэгж.

소리 (нэр Үг) : 물체가 진동하여 생긴 음파가 귀에 들리는 것.
дуу, чимээ
биет чичирхийлснээс ҮҮссэн дууны долгион чихэнд сонсогдох явдал.

아 어 오 우 으 이 애 에 외 위 야 여 요 유 얘 예 와 워 왜 웨 의

ㅏ : 한글 자모의 열다섯째 글자. 이름은 '아'이고 중성으로 쓴다.
Тохирох Үг хэллэг байхгҮй байна
солонгос цагаан толгойн арван тав дахь Үсэг. 'а' гэж дуудагддаг эгшиг.

ㅓ : 한글 자모의 열일곱째 글자. 이름은 '어'이고 중성으로 쓴다.
Тохирох Үг хэллэг байхгҮй байна
солонгос цагаан толгойн арван долоо дахь Үсэг. 'о' гэж дуудагддаг эгшиг Үсэг.

ㅗ : 한글 자모의 열아홉째 글자. 이름은 '오'이고 중성으로 쓴다.
Тохирох Үг хэллэг байхгҮй байна
солонгос цагаан толгойн арван ес дэх Үсэг. 'у' гэж дуудагддаг эгшиг Үсэг.

ㅜ : 한글 자모의 스물한째 글자. 이름은 '우'이고 중성으로 쓴다.
Тохирох Үг хэллэг байхгҮй байна
солонгос цагаан толгойн хорин нэг дэх Үсэг. 'Ү' гэж дуудагддаг эгшиг Үсэг.

ㅡ : 한글 자모의 스물셋째 글자. 이름은 '으'이고 중성으로 쓴다.
Тохирох Үг хэллэг байхгҮй байна
солонгос цагаан толгойн хорин гурав дахь Үсэг. 'ы' гэж дуудагддаг эгшиг Үсэг.

ㅣ : 한글 자모의 스물넷째 글자. 이름은 '이'이고 중성으로 쓴다.
Тохирох Үг хэллэг байхгҮй байна
солонгос цагаан толгойн хорин дөрөв дэх Үсэг. 'и' гэж дуудагддаг саармаг авиа.

ㅐ : 한글 자모 'ㅏ'와 'ㅣ'를 모아 쓴 글자. 이름은 '애'이고 중성으로 쓴다.
Тохирох Үг хэллэг байхгҮй байна
солонгос цагаан толгойн 'а' болон 'и' нийлсэн Үсэг. 'э' гэж дуудагддаг эгшиг Үсэг.

ㅔ : 한글 자모 'ㅓ'와 'ㅣ'를 모아 쓴 글자. 이름은 '에'이고 중성으로 쓴다.
Тохирох Үг хэллэг байхгҮй байна
солонгос цагаан толгойн 'ㅓ'ба 'ㅣ' нийлсэн Үсэг. 'э' гэж дуудагддаг эгшиг Үсэг.

ㅚ : 한글 자모 'ㅗ'와 'ㅣ'를 모아 쓴 글자. 이름은 '외'이고 중성으로 쓴다.

Тохирох Үг хэллэг байхгүй байна

солонгос цагаан толгойн ''ㅗ'ба 'ㅣ нийлсэн Үсэг. 'вэ' гэж дуудагддаг эгшиг Үсэг.

ㅟ : 한글 자모 'ㅜ'와 'ㅣ'를 모아 쓴 글자. 이름은 '위'이고 중성으로 쓴다.

Тохирох Үг хэллэг байхгүй байна

солонгос цагаан толгойн 'ㅜ'ба 'ㅣнийлсэн Үсэг. 'ви' гэж дуудагдах эгшиг Үсэг.

ㅑ : 한글 자모의 열여섯째 글자. 이름은 '야'이고 중성으로 쓴다.

Тохирох Үг хэллэг байхгүй байна

солонгос цагаан толгойн арван зургаа дахь Үсэг. 'я' гэж дуудагддаг эгшиг Үсэг.

ㅕ : 한글 자모의 열여덟째 글자. 이름은 '여'이고 중성으로 쓴다.

Тохирох Үг хэллэг байхгүй байна

солонгос цагаан толгойн арван найм дахь Үсэг. 'ё' гэж дуудагдах эгшиг Үсэг.

ㅛ : 한글 자모의 스무째 글자. 이름은 '요'이고 중성으로 쓴다.

Тохирох Үг хэллэг байхгүй байна

солонгос цагаан толгойн хорь дахь Үсэг. 'юу' хэмээх нэртэй, саармаг Үсэг.

ㅠ : 한글 자모의 스물두째 글자. 이름은 '유'이고 중성으로 쓴다.

Тохирох Үг хэллэг байхгүй байна

солонгос цагаан толгойн хорин хоёр дахь Үсэг. 'юҮ' гэж дуудагддаг эгшиг Үсэг.

ㅒ : 한글 자모 'ㅑ'와 'ㅣ'를 모아 쓴 글자. 이름은 '얘'이고 중성으로 쓴다.

Тохирох Үг хэллэг байхгүй байна

солонгос цагаан толгойн ''ㅑ'ба 'ㅣ' нийлсэн Үсэг. 'е' гэж дуудагддаг эгшиг Үсэг.

ㅖ : 한글 자모 'ㅕ'와 'ㅣ'를 모아 쓴 글자. 이름은 '예'이고 중성으로 쓴다.

Тохирох Үг хэллэг байхгүй байна

солонгос цагаан толгойн 'ㅕ'ба 'ㅣ нийлсэн Үсэг. 'е' гэж дуудагддаг эгшиг Үсэг.

ㅘ : 한글 자모 'ㅗ'와 'ㅏ'를 모아 쓴 글자. 이름은 '와'이고 중성으로 쓴다.

Тохирох Үг хэллэг байхгүй байна

солонгос цагаан толгойн ''ㅗ' ба'ㅏ'нийлсэн Үсэг. 'уа' гэж дуудагддаг эгшиг Үсэг.

ㅝ : 한글 자모 'ㅜ'와 'ㅓ'를 모아 쓴 글자. 이름은 '워'이고 중성으로 쓴다.

Тохирох Үг хэллэг байхгүй байна

солонгос цагаан толгойн 'ㅜ' ба 'ㅓ' нийлсэн Үсэг. 'Үо' гэж дуудагдах эгшиг Үсэг.

ㅙ : 한글 자모 'ㅗ'와 'ㅐ'를 모아 쓴 글자. 이름은 '왜'이고 중성으로 쓴다.

Тохирох Үг хэллэг байхгүй байна

солонгос цагаан толгойн 'ㅗ'ба 'ㅐ' нийлсэн Үсэг. 'уэ' гэж дуудагддаг эгшиг Үсэг.

ㅞ : 한글 자모 'ㅜ'와 'ㅔ'를 모아 쓴 글자. 이름은 '웨'이고 중성으로 쓴다.
Тохирох Үг хэллэг байхгҮй байна
солонгос цагаан толгойн 'ㅜ'ба 'ㅔ'нийлсэн Үсэг. 'Үэ' гэж дуудагдах эгшиг Үсэг.

ㅢ : 한글 자모 'ㅡ'와 'ㅣ'를 모아 쓴 글자. 이름은 '의'이고 중성으로 쓴다.
Тохирох Үг хэллэг байхгҮй байна
солонгос цагаан толгойн 'ㅡ'болон 'ㅣ'нийлсэн Үсэг. 'ыи' гэж дуудагдах эгшиг Үсэг.

모음 스물한 개 소리

모음 (нэр Үг) : 사람이 목청을 울려 내는 소리로, 공기의 흐름이 방해를 받지 않고 나는 소리.
эгшиг Үсэг
амьсгалын урсгал ямар ч саадгҮй гарах авиа.

스물한 : 21

개 (нэр Үг) : 낱으로 떨어진 물건을 세는 단위.
ширхэг
дангаар тусдаа байгаа зҮйлийг тоолох нэгж.

소리 (нэр Үг) : 물체가 진동하여 생긴 음파가 귀에 들리는 것.
дуу, чимээ
биет чичирхийлснээс ҮҮссэн дууны долгион чихэнд сонсогдох явдал.

< 1 절(бадаг) >

다 같이 말하+[여 보]+아.
말해 봐

다 (дайвар Үг) : 남거나 빠진 것이 없이 모두.
бҮгд, цөм, бҮх, булт
Үлдэж гээгдсэн зҮйлгҮй бҮгд.

같이 (дайвар Үг) : 둘 이상이 함께.
хамт
хоёроос дээш зҮйл цугтаа.

말하다 (Үйл Үг) : 어떤 사실이나 자신의 생각 또는 느낌을 말로 나타내다.
ярих, өгҮҮлэх, хэлэх, өчих
ямар нэгэн бодит зҮйлийн талаар болон өөрийн бодол санаа, мэдрэмжийг Үгээр илэрхийлэх.

-여 보다 : 앞의 말이 나타내는 행동을 시험 삼아 함을 나타내는 표현.
Тохирох Үг хэллэг байхгҮй байна
өмнөх Үгийн илэрхийлж буй Үйлдлийг турших Үзэх явдлыг илэрхийлдэг Үг хэллэг.

-아 : (두루낮춤으로) 어떤 사실을 서술하거나 물음, 명령, 권유를 나타내는 종결 어미.
Тохирох Үг хэллэг байхгҮй байна
(хҮндэтгэлийн бус энгийн Үг хэллэг) ямар нэгэн зҮйлийг дҮрслэх буюу асуулт, тушаал, зөвлөмж зэргийг илэрхийлдэг төгсгөх нөхцөл. **<тушаал>**

아설순치후

아 → 어금니 (нэр Үг) : 송곳니의 안쪽에 있는 크고 가운데가 오목한 이.
араа, араа шҮд
соёоны дотор талд байдаг том бөгөөд дундуураа хонхойсон шҮд.

설 → 혀 (нэр Үг) : 사람이나 동물의 입 안 아래쪽에 있는 길고 붉은 살덩어리.
хэл
хҮн ба амьтны аман дотор доод хэсэгт байрладаг урт, улаан бөөн мах.

순 → 입술 (нэр Үг) : 사람의 입 주위를 둘러싸고 있는 붉고 부드러운 살.
уруул
хҮний амыг хҮрээлэн байдаг улаан бөгөөд зөөлөн мах.

치 → 이 (нэр Үг) : 사람이나 동물의 입 안에 있으며 무엇을 물거나 음식물을 씹는 일을 하는 기관.
шҮд
хҮн ба амьтны аман дотор байх ямар нэгэн зҮйлийг хазах, зажлахад зориулагдсан эрхтэн.

후 → 목구멍 (нэр Үг) : 목 안쪽에서 몸속으로 나 있는 깊숙한 구멍.
хоолой, багалзуур
биеийн дотор талаас биеийн дотогш чиглэлтэй байрладаг гҮнзгий нҮх.

다 함께 부르(불ㄹ)+[어 보]+아.

불러 봐

다 (дайвар Үг) : 남거나 빠진 것이 없이 모두.
бҮгд, цөм, бҮх, булт
Үлдэж гээгдсэн зҮйлгҮй бҮгд.

함께 (дайвар Үг) : 여럿이서 한꺼번에 같이.
хамт
олуулаа нэгэн зэрэг хамт.

부르다 (Үйл Үг) : 곡조에 따라 노래하다.
дуулах
нотны дагуу дуу дуулах.

-어 보다 : 앞의 말이 나타내는 행동을 시험 삼아 함을 나타내는 표현.
Тохирох Үг хэллэг байхгҮй байна
өмнөх Үгийн илэрхийлж буй Үйлдлийг туршиж Үзэх явдлыг илэрхийлдэг Үг хэллэг.

-아 : (두루낮춤으로) 어떤 사실을 서술하거나 물음, 명령, 권유를 나타내는 종결 어미.
Тохирох Үг хэллэг байхгҮй байна
(хҮндэтгэлийн бус энгийн Үг хэллэг) ямар нэгэн зҮйлийг дҮрслэх буюу асуулт, тушаал, зөвлөмж зэргийг илэрхийлдэг төгсгөх нөхцөл. **<тушаал>**

아설순치후

아 → 어금니 (нэр Үг) : 송곳니의 안쪽에 있는 크고 가운데가 오목한 이.
араа, араа шҮд
соёоны дотор талд байдаг том бөгөөд дундуураа хонхойсон шҮд.

설 → 혀 (нэр Үг) : 사람이나 동물의 입 안 아래쪽에 있는 길고 붉은 살덩어리.
хэл
хҮн ба амьтны аман дотор доод хэсэгт байрладаг урт, улаан бөөн мах.

순 → 입술 (нэр Үг) : 사람의 입 주위를 둘러싸고 있는 붉고 부드러운 살.
уруул
хҮний амыг хҮрээлэн байдаг улаан бөгөөд зөөлөн мах.

치 → 이 (нэр Үг) : 사람이나 동물의 입 안에 있으며 무엇을 물거나 음식물을 씹는 일을 하는 기관.
шҮд
хҮн ба амьтны аман дотор байх ямар нэгэн зҮйлийг хазах, зажлахад зориулагдсан эрхтэн.

후 → 목구멍 (нэр Үг) : 목 안쪽에서 몸속으로 나 있는 깊숙한 구멍.
хоолой, багалзуур
биеийн дотор талаас биеийн дотогш чиглэлтэй байрладаг гҮнзгий нҮх.

우리 모두 느끼+[어 보]+아.
느껴 봐

우리 (төлөөний Үг) : 말하는 사람이 자기와 듣는 사람 또는 이를 포함한 여러 사람들을 가리키는 말.
бид, манай, хэдҮҮлээ
ярьж байгаа хҮн өөрөө болон тҮҮнийг сонсож байгаа хҮн, мөн энд хамрагдаж байгаа хэд хэдэн хҮнийг заах Үг.

모두 (дайвар Үг) : 빠짐없이 다.
бҮгд, бҮгдээрээ, цөмөөрөө, хамт
юу ч ҮлдэлгҮй бҮгд хамт.

느끼다 (Үйл Үг) : 특정한 대상이나 상황을 어떻다고 생각하거나 인식하다.
мэдрэх
аль нэгэн объект буюу нөхцөл байдлыг тийм хэмээн бодох буюу мэдрэх.

-어 보다 : 앞의 말이 나타내는 행동을 시험 삼아 함을 나타내는 표현.
Тохирох Үг хэллэг байхгҮй байна
өмнөх Үгийн илэрхийлж буй Үйлдлийг турших Үзэх явдлыг илэрхийлдэг Үг хэллэг.

-아 : (두루낮춤으로) 어떤 사실을 서술하거나 물음, 명령, 권유를 나타내는 종결 어미.
Тохирох Үг хэллэг байхгҮй байна
(хҮндэтгэлийн бус энгийн Үг хэллэг) ямар нэгэн зҮйлийг дҮрслэх буюу асуулт, тушаал, зөвлөмж зэргийг илэрхийлдэг төгсгөх нөхцөл. **<тушаал>**

발음 기관+을 본뜨+ㄴ 기역, 니은, 미음, 시옷, 이응
본뜬

발음 기관 (нэр Үг) : 말소리를 내는 데 쓰는 신체의 각 부분.
дуу авианы эрхтэн, хэлэхҮйн эрхтэн
Үг яриа хэлж дуудахад хэрэглэдэг бие махбодын тус хэсэг.

을 : 동작이 직접적으로 영향을 미치는 대상을 나타내는 조사.
-ыг/-ийг/-г
Үйл хөдлөл шууд нөлөөлж буй тусагдахууныг илэрхийлэх нөхцөл.

본뜨다 (Үйл Үг) : 이미 있는 것을 그대로 따라서 만들다.
Үлгэр загвар болгох
угийн байгаа зҮйлийг тэр хэвээр нь дагаж хийх.

-ㄴ : 앞의 말이 관형어의 기능을 하게 만들고 사건이나 동작이 완료되어 그 상태가 유지되고 있음을 나타내는 어미.

Тохирох Үг хэллэг байхгүй байна

өмнөх Үгийг тодотгол гишүүний үүрэгтэй болгож, хэрэг явдал буюу Үйлдэл нь бүрэн төгс болсон, тухайн байдал Үргэлжилж буйг илэрхийлдэг нөхцөл.

기역 (нэр Үг) : 한글 자모 'ㄱ'의 이름.

гиёг Үсэг

солонгос хэлний цагаан толгойн Үсэг "ㄱ"-ын нэр.

니은 (нэр Үг) : 한글 자모 'ㄴ'의 이름.

ниынь Үсэг

солонгос хэлний цагаан толгойн Үсэг "ㄴ"-ийн нэр.

미음 (нэр Үг) : 한글 자모 'ㅁ'의 이름.

Тохирох Үг хэллэг байхгүй байна

солонгос хэлний цагаан толгойн Үсэг "ㅁ"-ын нэр.

시옷 (нэр Үг) : 한글 자모 'ㅅ'의 이름.

Тохирох Үг хэллэг байхгүй байна

солонгос хэлний цагаан толгойн Үсэг "ㅅ"-н нэр.

이응 (нэр Үг) : 한글 자모 'ㅇ'의 이름.

Тохирох Үг хэллэг байхгүй байна

солонгос хэлний цагаан толгойн Үсэг "ㅇ"-н нэр.

다섯 글자

다섯 (тодотгол Үг) : 넷에 하나를 더한 수의.

таван

дөрөв дээр нэгийг нэмсэн тооны.

글자 (нэр Үг) : 말을 적는 기호.

Үсэг

Үг яриаг тэмдэглэдэг дохио тэмдэг.

세상+의 모든 소리+를 듣(들)+[어 보]+아.

들어 봐

세상 (нэр Yг) : 지구 위 전체.
хорвоо дэлхий, хорвоо ертөнц
бөмбөрцөг дэлхий бYхэлдээ.

의 : 앞의 말이 뒤의 말에 대하여 소유, 소속, 소재, 관계, 기원, 주체의 관계를 가짐을 나타내는 조사.
-н/-ийн/-ын/-ий/-ы
өмнөх Yг хойдох Yгтэй эзэмшил, харьяа, хэрэглэгдэхYYн, сэдвийн хамааралтай болохыг илэрхийлсэн нөхцөл.

모든 (тодотгол Yг) : 빠지거나 남는 것 없이 전부인.
бYх, бYгд, нийт
дутааж YлдээлгYйгээр бYгдийг.

소리 (нэр Yг) : 물체가 진동하여 생긴 음파가 귀에 들리는 것.
дуу, чимээ
биет чичирхийлснээс YYссэн дууны долгион чихэнд сонсогдох явдал.

를 : 동작이 직접적으로 영향을 미치는 대상을 나타내는 조사.
-ыг/-ийг/-г
Yйл хөдлөл шууд нөлөөлж буй тусагдахууныг илэрхийлэх нөхцөл.

듣다 (Yйл Yг) : 귀로 소리를 알아차리다.
сонсох
чихээрээ дуу чимээг таньж мэдэх.

-어 보다 : 앞의 말이 나타내는 행동을 시험 삼아 함을 나타내는 표현.
Тохирох Yг хэллэг байхгYй байна
өмнөх Yгийн илэрхийлж буй Yйлдлийг турших Yзэх явдлыг илэрхийлдэг Yг хэллэг.

-아 : (두루낮춤으로) 어떤 사실을 서술하거나 물음, 명령, 권유를 나타내는 종결 어미.
Тохирох Yг хэллэг байхгYй байна
(хYндэтгэлийн бус энгийн Yг хэллэг) ямар нэгэн зYйлийг дYрслэх буюу асуулт, тушаал, зөвлөмж зэргийг илэрхийлдэг төгсгөх нөхцөл. **<тушаал>**

또 하+[고 싶]+은 말+을 다 외치+[어 보]+아.

외쳐 봐

또 (дайвар Yг) : 그 밖에 더.
Тохирох Yг хэллэг байхгYй байна
тYYнээс гадна.

하다 (Үйл Үг) : 어떤 행동이나 동작, 활동 등을 행하다.
Үйлдэх, хийх, гҮйцэтгэх
аливаа Үйл хөдлөл, хөдөлгөөн, ажиллагаа зэргийг гҮйцэтгэх.

-고 싶다 : 앞의 말이 나타내는 행동을 하기를 원함을 나타내는 표현.
Тохирох Үг хэллэг байхгҮй байна
өмнөх Үгийн илэрхийлж буй Үйлдлийг хийхийг хҮсэх явдлыг илэрхийлдэг Үг хэллэг.

-은 : 앞의 말이 관형어의 기능을 하게 만들고 현재의 상태를 나타내는 어미.
Тохирох Үг хэллэг байхгҮй байна
онцолсон утгыг илэрхийлж буй нөхцөл.

말 (нэр Үг) : 생각이나 느낌을 표현하고 전달하는 사람의 소리.
яриа, Үг
бодол санаа, сэтгэлээ илэрхийлэх хҮний дуу хоолой.

을 : 동작이 직접적으로 영향을 미치는 대상을 나타내는 조사.
-ыг/-ийг/-г
Үйл хөдлөл шууд нөлөөлж буй тусагдахууныг илэрхийлэх нөхцөл.

다 (дайвар Үг) : 남거나 빠진 것이 없이 모두.
бҮгд, цөм, бҮх, булт
Үлдэж гээгдсэн зҮйлгҮй бҮгд.

외치다 (Үйл Үг) : 큰 소리를 지르다.
хашгирах, орилох
чанга дуугаар орилох.

-어 보다 : 앞의 말이 나타내는 행동을 시험 삼아 함을 나타내는 표현.
Тохирох Үг хэллэг байхгҮй байна
өмнөх Үгийн илэрхийлж буй Үйлдлийг турших Үзэх явдлыг илэрхийлдэг Үг хэллэг.

-아 : (두루낮춤으로) 어떤 사실을 서술하거나 물음, 명령, 권유를 나타내는 종결 어미.
Тохирох Үг хэллэг байхгҮй байна
(хҮндэтгэлийн бус энгийн Үг хэллэг) ямар нэгэн зҮйлийг дҮрслэх буюу асуулт, тушаал, зөвлөмж зэргийг илэрхийлдэг төгсгөх нөхцөл. **<тушаал>**

신비롭(신비로우)+ㄴ 사연, 감추+었던 비밀
신비로운

신비롭다 (тэмдэг нэр) : 보통의 생각으로는 이해할 수 없을 정도로 놀랍고 신기한 느낌이 있다.
ер бусын, ид шидийн, нууцлаг
ердийн бодол ухаанаар ойлгох боломжгҮй гайхалтай.

-ㄴ : 앞의 말이 관형어의 기능을 하게 만들고 현재의 상태를 나타내는 어미.
Тохирох Үг хэллэг байхгҮй байна
өмнөх Үгийг тодотгол гишҮҮний ҮҮрэгтэй болгож, одоогийн байдлыг илэрхийлдэг нөхцөл.

사연 (нэр Үг) : 일어난 일의 앞뒤 사정과 까닭.
учир явдал, учиртай
болж өрнөсөн ажил Үйлийн урдах хойдох учир байдал, учир шалтгаан.

감추다 (Үйл Үг) : 어떤 사실이나 감정을 남이 모르도록 알리지 않고 비밀로 하다.
нуух, далдлах, нууцлах
ямар нэгэн зҮйл буюу сэтгэл хөдлөлийг бусдад мэдэгдэлгҮй нуун далдлах.

-었던 : 과거의 사건이나 상태를 다시 떠올리거나 그 사건이나 상태가 완료되지 않고 중단되었다는 의미를 나타내는 표현.
Тохирох Үг хэллэг байхгҮй байна
өнгөрсөн явдал ба байдлыг дахин санах буюу уг явдал ба байдал бҮрэн төгсөөгҮй тҮр зогссон гэсэн утгыг илэрхийлдэг Үг хэллэг.

비밀 (нэр Үг) : 숨기고 있어 남이 모르는 일.
нууц
далдалж нууснаас бусад хҮмҮҮс мэдэхгҮй байх явдал.

진실+을 전하+[여 주]+어.
전해 줘

진실 (нэр Үг) : 순수하고 거짓이 없는 마음.
чин сэтгэл, Үнэн сэтгэл
цагаан цайлган, худал хуурмаггҮй сэтгэл.

을 : 동작이 직접적으로 영향을 미치는 대상을 나타내는 조사.
-ыг/-ийг/-г
Үйл хөдлөл шууд нөлөөлж буй тусагдахууныг илэрхийлэх нөхцөл.

전하다 (Үйл Үг) : 어떤 소식, 생각 등을 상대에게 알리다.
дамжуулах, хэлэх, мэдҮҮлэх
ямар нэгэн мэдээ, бодол санаа зэргийг нөгөө хҮндээ дамжуулах.

-여 주다 : 남을 위해 앞의 말이 나타내는 행동을 함을 나타내는 표현.
Тохирох Үг хэллэг байхгҮй байна
бусдад зориулж өмнөх Үгийн илэрхийлж буй Үйлдлийг хийх явдлыг илэрхийлдэг Үг хэллэг.

-어 : (두루낮춤으로) 어떤 사실을 서술하거나 물음, 명령, 권유를 나타내는 종결 어미.
Тохирох Үг хэллэг байхгҮй байна
(хҮндэтгэлийн бус энгийн Үг хэллэг) ямар нэгэн зҮйлийг дҮрслэх буюу асуулт, тушаал, зөвлөмж зэргийг илэрхийлдэг төгсгөх нөхцөл. **<тушаал>**

< 후렴(дууны дахилт) >

아 야 어 여 오 요 우 유 으 이

가 나 다 라 마 바 사 아 자 차 카 타 파 하

이제+부터 들리+[어 주]+어 너+의 마음+을.
들려 줘

이제 (нэр Үг) : 말하고 있는 바로 이때.
одоо
ярьж буй яг энэ Үеэ.

부터 : 어떤 일의 시작이나 처음을 나타내는 조사.
-аас, -ээс, -оос, -өөс
ямар нэгэн ажлын эхлэлийг илэрхийлдэг нэрийн нөхцөл.

들리다 (Үйл Үг) : 듣게 하다.
сонсгох, дуулгах
сонсгох.

-어 주다 : 남을 위해 앞의 말이 나타내는 행동을 함을 나타내는 표현.
Тохирох Үг хэллэг байхгҮй байна
бусдад зориулж өмнөх Үгийн илэрхийлж буй Үйлдлийг хийх явдлыг илэрхийлдэг Үг хэллэг.

-어 : (두루낮춤으로) 어떤 사실을 서술하거나 물음, 명령, 권유를 나타내는 종결 어미.
Тохирох Үг хэллэг байхгҮй байна
(хҮндэтгэлийн бус энгийн Үг хэллэг) ямар нэгэн зҮйлийг дҮрслэх буюу асуулт, тушаал, зөвлөмж зэргийг илэрхийлдэг төгсгөх нөхцөл. **<тушаал>**

너 (төлөөний Үг) : 듣는 사람이 친구나 아랫사람일 때, 그 사람을 가리키는 말.
чи
сонсогч нь найз буюу дҮҮ байх тохиолдолд, тухайн хҮнийг заадаг Үг.

의 : 앞의 말이 뒤의 말에 대하여 소유, 소속, 소재, 관계, 기원, 주체의 관계를 가짐을 나타내는 조사.
-н/-ийн/-ын/-ий/-ы
өмнөх Үг хойдох Үгтэй эзэмшил, харьяа, хэрэглэгдэхҮҮн, сэдвийн хамааралтай болохыг илэрхийлсэн нөхцөл.

마음 (нэр Үг) : 기분이나 느낌.
сэтгэл
сэтгэл санаа, мэдрэмж.

을 : 동작이 직접적으로 영향을 미치는 대상을 나타내는 조사.
-ыг/-ийг/-г
Үйл хөдлөл шууд нөлөөлж буй тусагдахууныг илэрхийлэх нөхцөл.

지금+부터 전하+[여 주]+어 너+의 사랑+을.
전해 줘

지금 (нэр Үг) : 말을 하고 있는 바로 이때.
одоо, одоо цаг
юм ярьж буй энэ цаг мөч.

부터 : 어떤 일의 시작이나 처음을 나타내는 조사.
-аас, -ээс, -оос, -өөс
ямар нэгэн ажлын эхлэлийг илэрхийлдэг нэрийн нөхцөл.

전하다 (Үйл Үг) : 어떤 소식, 생각 등을 상대에게 알리다.
дамжуулах, хэлэх, мэдҮҮлэх
ямар нэгэн мэдээ, бодол санаа зэргийг нөгөө хҮндээ дамжуулах.

-여 주다 : 남을 위해 앞의 말이 나타내는 행동을 함을 나타내는 표현.
Тохирох Үг хэллэг байхгҮй байна
бусдад зориулж өмнөх Үгийн илэрхийлж буй Үйлдлийг хийх явдлыг илэрхийлдэг Үг хэллэг.

-어 : (두루낮춤으로) 어떤 사실을 서술하거나 물음, 명령, 권유를 나타내는 종결 어미.
Тохирох Үг хэллэг байхгҮй байна
(хҮндэтгэлийн бус энгийн Үг хэллэг) ямар нэгэн зҮйлийг дҮрслэх буюу асуулт, тушаал, зөвлөмж зэргийг илэрхийлдэг төгсгөх нөхцөл. **<тушаал>**

너 (төлөөний Үг) : 듣는 사람이 친구나 아랫사람일 때, 그 사람을 가리키는 말.
чи
сонсогч нь найз буюу дҮҮ байх тохиолдолд, тухайн хҮнийг заадаг Үг.

의 : 앞의 말이 뒤의 말에 대하여 소유, 소속, 소재, 관계, 기원, 주체의 관계를 가짐을 나타내는 조사.
-н/-ийн/-ын/-ий/-ы
өмнөх Үг хойдох Үгтэй эзэмшил, харьяа, хэрэглэгдэхҮҮн, сэдвийн хамааралтай болохыг илэрхийлсэн нөхцөл.

사랑 (нэр Үг) : 아끼고 소중히 여겨 정성을 다해 위하는 마음.
хайр, халамж
нандигнан энхрийлж хамаг сэтгэл зҮрхээ зориулах сэтгэл.

을 : 동작이 직접적으로 영향을 미치는 대상을 나타내는 조사.
-ыг/-ийг/-г
Үйл хөдлөл шууд нөлөөлж буй тусагдахууныг илэрхийлэх нөхцөл.

아 야 어 여 오 요 우 유 으 이

가 나 다 라 마 바 사 아 자 차 카 타 파 하

모음 스물하나+에 자음 열아홉+을 더하+여
더해

모음 (нэр Үг) : 사람이 목청을 울려 내는 소리로, 공기의 흐름이 방해를 받지 않고 나는 소리.
эгшиг Үсэг
амьсгалын урсгал ямар ч саадгҮй гарах авиа.

스물하나 : 21

에 : 앞말에 무엇이 더해짐을 나타내는 조사.
-д/-т, зэрэгцээ
өмнөх Үгэнд ямар нэгэн зҮйл нэмэгдэж байгааг илэрхийлж буй нөхцөл.

자음 (нэр Үг) : 목, 입, 혀 등의 발음 기관에 의해 장애를 받으며 나는 소리.
гийгҮҮлэгч
хоолой, уруул, хэл зэрэг авиа гаргадаг эрхтний улмаас саадтай гарах авиа.

열아홉 : 19

을 : 동작 대상의 수량이나 동작의 순서를 나타내는 조사.
турш, -ыг/-ийг
Үйл хөдлөлийн тусагдахуун болж буй зҮйлийн тоо хэмжээ, Үйлийн дэс дарааг илэрхийлэх нөхцөл.

더하다 (Үйл Үг) : 보태어 늘리거나 많게 하다.
нэмэх, өсөх
нэмж өсгөх юмуу олон болгох.

-여 : 앞의 말이 뒤의 말보다 먼저 일어났거나 뒤의 말에 대한 방법이나 수단이 됨을 나타내는 연결 어미.
Тохирох Үг хэллэг байхгҮй байна
өмнө ирэх Үг ард ирэх Үгээс тҮрҮҮлж бий болсон буюу ардах Үгийн талаарх арга барил болохыг илэрхийлдэг холбох нөхцөл.

마흔 가지 소리+로 세상+을 느끼+[어 보]+아.

느껴 봐

마흔 (тодотгол Үг) : 열의 네 배가 되는 수의.
дөчин
арвыг дөрөв дахин нэмсэн тооны.

가지 (нэр Үг) : 사물의 종류를 헤아리는 말.
төрөл, зҮйл
эд зҮйлийн төрлийг тоолох Үг.

소리 (нэр Үг) : 물체가 진동하여 생긴 음파가 귀에 들리는 것.
дуу, чимээ
биет чичирхийлснээс ҮҮссэн дууны долгион чихэнд сонсогдох явдал.

로 : 어떤 일의 수단이나 도구를 나타내는 조사.
-аар (-ээр, -оор, -өөр)
ямар нэгэн Үйл хэргийн арга зам буюу хэрэгсэл болохыг илэрхийлж буй нөхцөл.

세상 (нэр Үг) : 지구 위 전체.
хорвоо дэлхий, хорвоо ертөнц
бөмбөрцөг дэлхий бҮхэлдээ.

을 : 동작이 직접적으로 영향을 미치는 대상을 나타내는 조사.
-ыг/-ийг/-г
Үйл хөдлөл шууд нөлөөлж буй тусагдахууныг илэрхийлэх нөхцөл.

느끼다 (Үйл Үг) : 특정한 대상이나 상황을 어떻다고 생각하거나 인식하다.
мэдрэх
аль нэгэн объект буюу нөхцөл байдлыг тийм хэмээн бодох буюу мэдрэх.

-어 보다 : 앞의 말이 나타내는 행동을 시험 삼아 함을 나타내는 표현.
Тохирох Үг хэллэг байхгҮй байна
өмнөх Үгийн илэрхийлж буй Үйлдлийг турших Үзэх явдлыг илэрхийлдэг Үг хэллэг.

-아 : (두루낮춤으로) 어떤 사실을 서술하거나 물음, 명령, 권유를 나타내는 종결 어미.
Тохирох Үг хэллэг байхгҮй байна
(хҮндэтгэлийн бус энгийн Үг хэллэг) ямар нэгэн зҮйлийг дҮрслэх буюу асуулт, тушаал, зөвлөмж зэргийг илэрхийлдэг төгсгөх нөхцөл. **<тушаал>**

< 2 절(бадаг) >

하늘+과 땅+이 <u>만나+(아)</u> ㅗ, ㅜ
만나

하늘 (нэр Үг) : 땅 위로 펼쳐진 무한히 넓은 공간.
тэнгэр
газрын дээгҮҮр Үргэлжлэн орших хязгааргҮй орон зай.

과 : 앞과 뒤의 명사를 같은 자격으로 이어 줄 때 쓰는 조사.
ба, болон
өмнөх хойдох нэр Үгийг адилхан тҮвшинд холбож буй нэрийн нөхцөл.

땅 (нэр Үг) : 지구에서 물로 된 부분이 아닌 흙이나 돌로 된 부분.
газар
дэлхийн бөмбөрцөгийн устай хэсэг бус шороо, чулуугаар бҮрхэгдсэн хэсэг.

이 : 어떤 상태나 상황의 대상이나 동작의 주체를 나타내는 조사.
Тохирох Үг хэллэг байхгҮй байна
ямар нэгэн төлөв, байдлын субьект, мөн Үйл хөдлөлийн эзэн болохыг илэрхийлэх нөхцөл.

만나다 (Үйл Үг) : 선이나 길, 강 등이 서로 마주 닿거나 연결되다.
уулзах, нийлэх
шугам, зам, гол зэрэг хоорондоо огтлолцон нийлэх буюу холбогдох.

-아 : 앞의 말이 뒤의 말보다 먼저 일어났거나 뒤의 말에 대한 방법이나 수단이 됨을 나타내는 연결 어미.
Тохирох Үг хэллэг байхгҮй байна
өмнө ирэх Үг ард ирэх Үгээс тҮрҮҮлж бий болсон буюу ардах Үгийн талаарх арга барил болохыг илэрхийлдэг холбох нөхцөл.

ㅗ (нэр Үг) : 한글 자모의 열아홉째 글자. 이름은 '오'이고 중성으로 쓴다.
Тохирох Үг хэллэг байхгҮй байна
солонгос цагаан толгойн арван ес дэх Үсэг. 'у' гэж дуудагддаг эгшиг Үсэг.

ㅜ (нэр Үг) : 한글 자모의 스물한째 글자. 이름은 '우'이고 중성으로 쓴다.
Тохирох Үг хэллэг байхгҮй байна
солонгос цагаан толгойн хорин нэг дэх Үсэг. 'Ү' гэж дуудагддаг эгшиг Үсэг.

사람+과 만나+ㄴ다면 ㅏ, ㅓ
만난다면

사람 (нэр Үг) : 생각할 수 있으며 언어와 도구를 만들어 사용하고 사회를 이루어 사는 존재.
хҮн
сэтгэх чадвартай хэл болон багаж хэрэгсэл зохион ашиглаж нийгмийг бҮтээн амьдардаг бие бодь.

과 : 누군가를 상대로 하여 어떤 일을 할 때 그 상대임을 나타내는 조사.
-тай (-тэй, -той), -аас (-ээс, -оос, -өөс)
хамт ямар нэгэн Үйлийг хийхэд тухайн харилцагч этгээдийг илэрхийлж буй нэрийн нөхц өл.

만나다 (Үйл Үг) : 선이나 길, 강 등이 서로 마주 닿거나 연결되다.
уулзах, нийлэх
шугам, зам, гол зэрэг хоорондоо огтлолцон нийлэх буюу холбогдох.

-ㄴ다면 : 어떠한 사실이나 상황을 가정하는 뜻을 나타내는 연결 어미.
Тохирох Үг хэллэг байхгҮй байна
ямар нэгэн хэрэг явдал буюу нөхцөл байдлыг таамагласан утгыг илэрхийлдэг холбох нөхцөл.

ㅏ **(нэр Үг)** : 한글 자모의 열다섯째 글자. 이름은 '아'이고 중성으로 쓴다.
Тохирох Үг хэллэг байхгҮй байна
солонгос цагаан толгойн арван тав дахь Үсэг. 'а' гэж дуудагддаг эгшиг.

ㅓ **(нэр Үг)** : 한글 자모의 열일곱째 글자. 이름은 '어'이고 중성으로 쓴다.
Тохирох Үг хэллэг байхгҮй байна
солонгос цагаан толгойн арван долоо дахь Үсэг. 'о' гэж дуудагддаг эгшиг Үсэг.

하루+(이)+면+은 충분하+여.
하루면은 충분해

하루 (нэр Үг) : 밤 열두 시부터 다음 날 밤 열두 시까지의 스물네 시간.
хоног
шөнийн арван хоёр цагаас дараа өдрийн шөнийн арван хоёр цаг хҮртэлх 24 цаг.

이다 : 주어가 지시하는 대상의 속성이나 부류를 지정하는 뜻을 나타내는 서술격 조사.
Тохирох Үг хэллэг байхгҮй байна
эзэн биеийн зааж буй обьектын шинж чанар, төрөл зҮйлийг тодорхойлох утгыг илэрхийлэх өгҮҮлэхҮҮний тийн ялгалын нөхцөл.

-면 : 뒤에 오는 말에 대한 근거나 조건이 됨을 나타내는 연결 어미.
Тохирох Үг хэллэг байхгҮй байна
ард ирэх агуулгын талаарх учир шалтгаан буюу болзол болохыг илэрхийлдэг холбох нөхцөл.

은 : 강조의 뜻을 나타내는 조사.
Тохирох Үг хэллэг байхгҮй байна
онцолсон утгыг илэрхийлж буй нөхцөл.

충분하다 (тэмдэг нэр) : 모자라지 않고 넉넉하다.
хангалттай, хҮрэлцээтэй, бҮрэн
дутахгҮй хангалттай байх.

-여 : (두루낮춤으로) 어떤 사실을 서술하거나 물음, 명령, 권유를 나타내는 종결 어미.
Тохирох Үг хэллэг байхгҮй байна
(хҮндэтгэлийн бус энгийн Үг хэллэг) ямар нэгэн зҮйлийг хҮҮрнэх, асуух буюу тушаал, зөвлөмж зэргийг илэрхийлдэг төгсгөх нөхцөл. **<дҮрслэл>**

하늘, 땅, 사람+을 본뜨+ㄴ 아 어 오 우 야 여 요 유 으 이
본뜬

하늘 (нэр Үг) : 땅 위로 펼쳐진 무한히 넓은 공간.
тэнгэр
газрын дээгҮҮр Үргэлжлэн орших хязгааргҮй орон зай.

땅 (нэр Үг) : 지구에서 물로 된 부분이 아닌 흙이나 돌로 된 부분.
газар
дэлхийн бөмбөрцөгийн устай хэсэг бус шороо, чулуугаар бҮрхэгдсэн хэсэг.

사람 (нэр Үг) : 생각할 수 있으며 언어와 도구를 만들어 사용하고 사회를 이루어 사는 존재.
хҮн
сэтгэх чадвартай хэл болон багаж хэрэгсэл зохион ашиглаж нийгмийг бҮтээн амьдардаг бие бодь.

을 : 동작이 직접적으로 영향을 미치는 대상을 나타내는 조사.
-ыг/-ийг/-г
Үйл хөдлөл шууд нөлөөлж буй тусагдахууныг илэрхийлэх нөхцөл.

본뜨다 (Үйл Үг) : 이미 있는 것을 그대로 따라서 만들다.
Үлгэр загвар болгох
угийн байгаа зҮйлийг тэр хэвээр нь дагаж хийх.

-ㄴ : 앞의 말이 관형어의 기능을 하게 만들고 사건이나 동작이 완료되어 그 상태가 유지되고 있음을 나타내는 어미.
Тохирох Үг хэллэг байхгҮй байна
өмнөх Үгийг тодотгол гишҮҮний ҮҮрэгтэй болгож, хэрэг явдал буюу Үйлдэл нь бҮрэн төгс болсон, тухайн байдал Үргэлжилж буйг илэрхийлдэг нөхцөл.

아 (нэр Үг) : 한글 자모의 열다섯째 글자. 이름은 '아'이고 중성으로 쓴다.
Тохирох Үг хэллэг байхгҮй байна
солонгос цагаан толгойн арван тав дахь Үсэг. 'а' гэж дуудагддаг эгшиг.

어 (нэр Үг) : 한글 자모의 열일곱째 글자. 이름은 '어'이고 중성으로 쓴다.
Тохирох Үг хэллэг байхгҮй байна
солонгос цагаан толгойн арван долоо дахь Үсэг. 'о' гэж дуудагддаг эгшиг Үсэг.

오 (нэр Үг) : 한글 자모의 열아홉째 글자. 이름은 '오'이고 중성으로 쓴다.
Тохирох Үг хэллэг байхгҮй байна
солонгос цагаан толгойн арван ес дэх Үсэг. 'у' гэж дуудагддаг эгшиг Үсэг.

우 (нэр Үг) : 한글 자모의 스물한째 글자. 이름은 '우'이고 중성으로 쓴다.
Тохирох Үг хэллэг байхгҮй байна
солонгос цагаан толгойн хорин нэг дэх Үсэг. 'Ү' гэж дуудагддаг эгшиг Үсэг.

야 (нэр Үг) : 한글 자모의 열여섯째 글자. 이름은 '야'이고 중성으로 쓴다.
Тохирох Үг хэллэг байхгҮй байна
солонгос цагаан толгойн арван зургаа дахь Үсэг. 'я' гэж дуудагддаг эгшиг Үсэг.

여 (нэр Үг) : 한글 자모의 열여덟째 글자. 이름은 '여'이고 중성으로 쓴다.
Тохирох Үг хэллэг байхгҮй байна
солонгос цагаан толгойн арван найм дахь Үсэг. 'ё' гэж дуудагдах эгшиг Үсэг.

요 (нэр Үг) : 한글 자모의 스무째 글자. 이름은 '요'이고 중성으로 쓴다.
Тохирох Үг хэллэг байхгҮй байна
солонгос цагаан толгойн хорь дахь Үсэг. 'юу' хэмээх нэртэй, саармаг Үсэг.

유 (нэр Үг) : 한글 자모의 스물두째 글자. 이름은 '유'이고 중성으로 쓴다.
Тохирох Үг хэллэг байхгҮй байна
солонгос цагаан толгойн хорин хоёр дахь Үсэг. 'юҮ' гэж дуудагддаг эгшиг Үсэг.

으 (нэр Үг) : 한글 자모의 스물셋째 글자. 이름은 '으'이고 중성으로 쓴다.
Тохирох Үг хэллэг байхгҮй байна
солонгос цагаан толгойн хорин гурав дахь Үсэг. 'ы' гэж дуудагддаг эгшиг Үсэг.

이 (нэр Үг) : 한글 자모의 스물넷째 글자. 이름은 '이'이고 중성으로 쓴다.
Тохирох Үг хэллэг байхгҮй байна
солонгос цагаан толгойн хорин дөрөв дэх Үсэг. 'и' гэж дуудагддаг саармаг авиа.

열 글자

열 (тодотгол Үг) : 아홉에 하나를 더한 수의.
арван
ес дээр нэгийг нэмсэн тооны.

글자 (нэр Үг) : 말을 적는 기호.
Үсэг
Үг яриаг тэмдэглэдэг дохио тэмдэг.

세상+의 모든 소리+를 듣(들)+[어 보]+아.
들어 봐

세상 (нэр Үг) : 지구 위 전체.
хорвоо дэлхий, хорвоо ертөнц
бөмбөрцөг дэлхий бҮхэлдээ.

의 : 앞의 말이 뒤의 말에 대하여 소유, 소속, 소재, 관계, 기원, 주체의 관계를 가짐을 나타내는 조사.
-н/-ийн/-ын/-ий/-ы
өмнөх Үг хойдох Үгтэй эзэмшил, харьяа, хэрэглэгдэхҮҮн, сэдвийн хамааралтай болохыг илэрхийлсэн нөхцөл.

모든 (тодотгол Үг) : 빠지거나 남는 것 없이 전부인.
бҮх, бҮгд, нийт
дутааж ҮлдээлгҮйгээр бҮгдийг.

소리 (нэр Үг) : 물체가 진동하여 생긴 음파가 귀에 들리는 것.
дуу, чимээ
биет чичирхийлснээс ҮҮссэн дууны долгион чихэнд сонсогдох явдал.

를 : 동작이 직접적으로 영향을 미치는 대상을 나타내는 조사.
-ыг/-ийг/-г
Үйл хөдлөл шууд нөлөөлж буй тусагдахууныг илэрхийлэх нөхцөл.

듣다 (Үйл Үг) : 귀로 소리를 알아차리다.
сонсох
чихээрээ дуу чимээг таньж мэдэх.

-어 보다 : 앞의 말이 나타내는 행동을 시험 삼아 함을 나타내는 표현.
Тохирох Үг хэллэг байхгҮй байна
өмнөх Үгийн илэрхийлж буй Үйлдлийг турших Үзэх явдлыг илэрхийлдэг Үг хэллэг.

-아 : (두루낮춤으로) 어떤 사실을 서술하거나 물음, 명령, 권유를 나타내는 종결 어미.
Тохирох Үг хэллэг байхгҮй байна
(хҮндэтгэлийн бус энгийн Үг хэллэг) ямар нэгэн зҮйлийг дҮрслэх буюу асуулт, тушаал, зөвлөмж зэргийг илэрхийлдэг төгсгөх нөхцөл. **<тушаал>**

또 하+[고 싶]+은 말+을 다 외치+[어 보]+아.

외쳐 봐

또 (дайвар Үг) : 그 밖에 더.
Тохирох Үг хэллэг байхгҮй байна
тҮҮнээс гадна.

하다 (Үйл Үг) : 어떤 행동이나 동작, 활동 등을 행하다.
Үйлдэх, хийх, гҮйцэтгэх
аливаа Үйл хөдлөл, хөдөлгөөн, ажиллагаа зэргийг гҮйцэтгэх.

-고 싶다 : 앞의 말이 나타내는 행동을 하기를 원함을 나타내는 표현.
Тохирох Үг хэллэг байхгҮй байна
өмнөх Үгийн илэрхийлж буй Үйлдлийг хийхийг хҮсэх явдлыг илэрхийлдэг Үг хэллэг.

-은 : 앞의 말이 관형어의 기능을 하게 만들고 현재의 상태를 나타내는 어미.
Тохирох Үг хэллэг байхгҮй байна
онцолсон утгыг илэрхийлж буй нөхцөл.

말 (нэр Үг) : 생각이나 느낌을 표현하고 전달하는 사람의 소리.
яриа, Үг
бодол санаа, сэтгэлээ илэрхийлэх хҮний дуу хоолой.

을 : 동작이 직접적으로 영향을 미치는 대상을 나타내는 조사.
-ыг/-ийг/-г
Үйл хөдлөл шууд нөлөөлж буй тусагдахууныг илэрхийлэх нөхцөл.

다 (дайвар Үг) : 남거나 빠진 것이 없이 모두.
бҮгд, цөм, бҮх, бүлт
Үлдэж гээгдсэн зҮйлгҮй бҮгд.

외치다 (Үйл Үг) : 큰 소리를 지르다.
хашгирах, орилох
чанга дуугаар орилох.

-어 보다 : 앞의 말이 나타내는 행동을 시험 삼아 함을 나타내는 표현.
Тохирох Үг хэллэг байхгҮй байна
өмнөх Үгийн илэрхийлж буй Үйлдлийг турших Үзэх явдлыг илэрхийлдэг Үг хэллэг.

-아 : (두루낮춤으로) 어떤 사실을 서술하거나 물음, 명령, 권유를 나타내는 종결 어미.
Тохирох Үг хэллэг байхгҮй байна
(хҮндэтгэлийн бус энгийн Үг хэллэг) ямар нэгэн зҮйлийг дҮрслэх буюу асуулт, тушаал, зөвлөмж зэргийг илэрхийлдэг төгсгөх нөхцөл. **<тушаал>**

신비롭(신비로우)+ㄴ 사연, 감추+었던 비밀
신비로운

신비롭다 (тэмдэг нэр) : 보통의 생각으로는 이해할 수 없을 정도로 놀랍고 신기한 느낌이 있다.
ер бусын, ид шидийн, нууцлаг
ердийн бодол ухаанаар ойлгох боломжгҮй гайхалтай.

-ㄴ : 앞의 말이 관형어의 기능을 하게 만들고 현재의 상태를 나타내는 어미.
Тохирох Үг хэллэг байхгҮй байна
өмнөх Үгийг тодотгол гишҮҮний ҮҮрэгтэй болгож, одоогийн байдлыг илэрхийлдэг нөхцөл.

사연 (нэр Үг) : 일어난 일의 앞뒤 사정과 까닭.
учир явдал, учиртай
болж өрнөсөн ажил Үйлийн урдах хойдох учир байдал, учир шалтгаан.

감추다 (Үйл Үг) : 어떤 사실이나 감정을 남이 모르도록 알리지 않고 비밀로 하다.
нуух, далдлах, нууцлах
ямар нэгэн зҮйл буюу сэтгэл хөдлөлийг бусдад мэдэгдэлгҮй нуун далдлах.

-었던 : 과거의 사건이나 상태를 다시 떠올리거나 그 사건이나 상태가 완료되지 않고 중단되었다는 의미를 나타내는 표현.
Тохирох Үг хэллэг байхгҮй байна
өнгөрсөн явдал ба байдлыг дахин санах буюу уг явдал ба байдал бҮрэн төгсөөгҮй тҮр зогссон гэсэн утгыг илэрхийлдэг Үг хэллэг.

비밀 (нэр Үг) : 숨기고 있어 남이 모르는 일.
нууц
далдалж нууснаас бусад хҮмҮҮс мэдэхгҮй байх явдал.

진실+을 전하+[여 주]+어.
전해 줘

진실 (нэр Үг) : 순수하고 거짓이 없는 마음.
чин сэтгэл, Үнэн сэтгэл
цагаан цайлган, худал хуурмаггҮй сэтгэл.

을 : 동작이 직접적으로 영향을 미치는 대상을 나타내는 조사.
-ыг/-ийг/-г
Үйл хөдлөл шууд нөлөөлж буй тусагдахууныг илэрхийлэх нөхцөл.

전하다 (Үйл Үг) : 어떤 소식, 생각 등을 상대에게 알리다.
дамжуулах, хэлэх, мэдҮҮлэх
ямар нэгэн мэдээ, бодол санаа зэргийг нөгөө хҮндээ дамжуулах.

-여 주다 : 남을 위해 앞의 말이 나타내는 행동을 함을 나타내는 표현.
Тохирох Үг хэллэг байхгҮй байна
бусдад зориулж өмнөх Үгийн илэрхийлж буй Үйлдлийг хийх явдлыг илэрхийлдэг Үг хэллэг.

-어 : (두루낮춤으로) 어떤 사실을 서술하거나 물음, 명령, 권유를 나타내는 종결 어미.
Тохирох Үг хэллэг байхгҮй байна
(хҮндэтгэлийн бус энгийн Үг хэллэг) ямар нэгэн зҮйлийг дҮрслэх буюу асуулт, тушаал, зөвлөмж зэргийг илэрхийлдэг төгсгөх нөхцөл. **<тушаал>**

< 후렴(дууны дахилт) >

아 야 어 여 오 요 우 유 으 이

가 나 다 라 마 바 사 아 자 차 카 타 파 하

이제+부터 들리+[어 주]+어 너+의 마음+을.
들려 줘

이제 (нэр Үг) : 말하고 있는 바로 이때.
одоо
ярьж буй яг энэ Үеэ.

부터 : 어떤 일의 시작이나 처음을 나타내는 조사.
-аас, -ээс, -оос, -өөс
ямар нэгэн ажлын эхлэлийг илэрхийлдэг нэрийн нөхцөл.

들리다 (Үйл Үг) : 듣게 하다.
сонсгох, дуулгах
сонсгох.

-어 주다 : 남을 위해 앞의 말이 나타내는 행동을 함을 나타내는 표현.
Тохирох Үг хэллэг байхгҮй байна
бусдад зориулж өмнөх Үгийн илэрхийлж буй Үйлдлийг хийх явдлыг илэрхийлдэг Үг хэллэг.

-어 : (두루낮춤으로) 어떤 사실을 서술하거나 물음, 명령, 권유를 나타내는 종결 어미.
Тохирох Үг хэллэг байхгҮй байна
(хҮндэтгэлийн бус энгийн Үг хэллэг) ямар нэгэн зҮйлийг дҮрслэх буюу асуулт, тушаал, зөвлөмж зэргийг илэрхийлдэг төгсгөх нөхцөл. **<тушаал>**

너 (төлөөний Үг) : 듣는 사람이 친구나 아랫사람일 때, 그 사람을 가리키는 말.
чи
сонсогч нь найз буюу дҮҮ байх тохиолдолд, тухайн хҮнийг заадаг Үг.

의 : 앞의 말이 뒤의 말에 대하여 소유, 소속, 소재, 관계, 기원, 주체의 관계를 가짐을 나타내는 조사.
-н/-ийн/-ын/-ий/-ы
өмнөх Үг хойдох Үгтэй эзэмшил, харьяа, хэрэглэгдэхҮҮн, сэдвийн хамааралтай болохыг илэрхийлсэн нөхцөл.

마음 (нэр Үг) : 기분이나 느낌.
сэтгэл
сэтгэл санаа, мэдрэмж.

을 : 동작이 직접적으로 영향을 미치는 대상을 나타내는 조사.
-ыг/-ийг/-г
Үйл хөдлөл шууд нөлөөлж буй тусагдахууныг илэрхийлэх нөхцөл.

지금+부터 전하+[여 주]+어 너+의 사랑+을.
전해 줘

지금 (нэр Үг) : 말을 하고 있는 바로 이때.
одоо, одоо цаг
юм ярьж буй энэ цаг мөч.

부터 : 어떤 일의 시작이나 처음을 나타내는 조사.
-аас, -ээс, -оос, -өөс
ямар нэгэн ажлын эхлэлийг илэрхийлдэг нэрийн нөхцөл.

전하다 (Үйл Үг) : 어떤 소식, 생각 등을 상대에게 알리다.
дамжуулах, хэлэх, мэдҮҮлэх
ямар нэгэн мэдээ, бодол санаа зэргийг нөгөө хҮндээ дамжуулах.

-여 주다 : 남을 위해 앞의 말이 나타내는 행동을 함을 나타내는 표현.
Тохирох Үг хэллэг байхгҮй байна
бусдад зориулж өмнөх Үгийн илэрхийлж буй Үйлдлийг хийх явдлыг илэрхийлдэг Үг хэллэг.

-어 : (두루낮춤으로) 어떤 사실을 서술하거나 물음, 명령, 권유를 나타내는 종결 어미.
Тохирох Үг хэллэг байхгҮй байна
(хҮндэтгэлийн бус энгийн Үг хэллэг) ямар нэгэн зҮйлийг дҮрслэх буюу асуулт, тушаал, зөвлөмж зэргийг илэрхийлдэг төгсгөх нөхцөл. **<тушаал>**

너 (төлөөний Үг) : 듣는 사람이 친구나 아랫사람일 때, 그 사람을 가리키는 말.
чи
сонсогч нь найз буюу дҮҮ байх тохиолдолд, тухайн хҮнийг заадаг Үг.

의 : 앞의 말이 뒤의 말에 대하여 소유, 소속, 소재, 관계, 기원, 주체의 관계를 가짐을 나타내는 조사.
-н/-ийн/-ын/-ий/-ы
өмнөх Үг хойдох Үгтэй эзэмшил, харьяа, хэрэглэгдэхҮҮн, сэдвийн хамааралтай болохыг илэрхийлсэн нөхцөл.

사랑 (нэр Үг) : 아끼고 소중히 여겨 정성을 다해 위하는 마음.
хайр, халамж
нандигнан энхрийлж хамаг сэтгэл зҮрхээ зориулах сэтгэл.

을 : 동작이 직접적으로 영향을 미치는 대상을 나타내는 조사.
-ыг/-ийг/-г
Үйл хөдлөл шууд нөлөөлж буй тусагдахууныг илэрхийлэх нөхцөл.

아 야 어 여 오 요 우 유 으 이

가 나 다 라 마 바 사 아 자 차 카 타 파 하

모음 스물하나+에 자음 열아홉+을 더하+여

더해

모음 (нэр Үг) : 사람이 목청을 울려 내는 소리로, 공기의 흐름이 방해를 받지 않고 나는 소리.
эгшиг Үсэг
амьсгалын урсгал ямар ч саадгҮй гарах авиа.

스물하나 : 21

에 : 앞말에 무엇이 더해짐을 나타내는 조사.
-д/-т, зэрэгцээ
өмнөх Үгэнд ямар нэгэн зҮйл нэмэгдэж байгааг илэрхийлж буй нөхцөл.

자음 (нэр Үг) : 목, 입, 혀 등의 발음 기관에 의해 장애를 받으며 나는 소리.
гийгҮҮлэгч
хоолой, уруул, хэл зэрэг авиа гаргадаг эрхтний улмаас саадтай гарах авиа.

열아홉 : 19

을 : 동작 대상의 수량이나 동작의 순서를 나타내는 조사.
турш, -ыг/-ийг
Үйл хөдлөлийн тусагдахуун болж буй зҮйлийн тоо хэмжээ, Үйлийн дэс дарааг илэрхийлэх нөхцөл.

더하다 (Үйл Үг) : 보태어 늘리거나 많게 하다.
нэмэх, өсөх
нэмж өсгөх юмуу олон болгох.

-여 : 앞의 말이 뒤의 말보다 먼저 일어났거나 뒤의 말에 대한 방법이나 수단이 됨을 나타내는 연결 어미.
Тохирох Үг хэллэг байхгҮй байна
өмнө ирэх Үг ард ирэх Үгээс тҮрҮҮлж бий болсон буюу ардах Үгийн талаарх арга барил болохыг илэрхийлдэг холбох нөхцөл.

마흔 가지 소리+로 세상+을 느끼+[어 보]+아.
느껴 봐

마흔 (тодотгол Үг) : 열의 네 배가 되는 수의.
дөчин
арвыг дөрөв дахин нэмсэн тооны.

가지 (нэр Үг) : 사물의 종류를 헤아리는 말.
төрөл, зҮйл
эд зҮйлийн төрлийг тоолох Үг.

소리 (нэр Үг) : 물체가 진동하여 생긴 음파가 귀에 들리는 것.
дуу, чимээ
биет чичирхийлснээс ҮҮссэн дууны долгион чихэнд сонсогдох явдал.

로 : 어떤 일의 수단이나 도구를 나타내는 조사.
-аар (-ээр, -оор, -өөр)
ямар нэгэн Үйл хэргийн арга зам буюу хэрэгсэл болохыг илэрхийлж буй нөхцөл.

세상 (нэр Үг) : 지구 위 전체.
хорвоо дэлхий, хорвоо ертөнц
бөмбөрцөг дэлхий бҮхэлдээ.

을 : 동작이 직접적으로 영향을 미치는 대상을 나타내는 조사.
-ыг/-ийг/-г
Үйл хөдлөл шууд нөлөөлж буй тусагдахууныг илэрхийлэх нөхцөл.

느끼다 (Үйл Үг) : 특정한 대상이나 상황을 어떻다고 생각하거나 인식하다.
мэдрэх
аль нэгэн объект буюу нөхцөл байдлыг тийм хэмээн бодох буюу мэдрэх.

-어 보다 : 앞의 말이 나타내는 행동을 시험 삼아 함을 나타내는 표현.
Тохирох Үг хэллэг байхгҮй байна
өмнөх Үгийн илэрхийлж буй Үйлдлийг туршиж Үзэх явдлыг илэрхийлдэг Үг хэллэг.

-아 : (두루낮춤으로) 어떤 사실을 서술하거나 물음, 명령, 권유를 나타내는 종결 어미.
Тохирох Үг хэллэг байхгҮй байна
(хҮндэтгэлийн бус энгийн Үг хэллэг) ямар нэгэн зҮйлийг дҮрслэх буюу асуулт, тушаал, зөвлөмж зэргийг илэрхийлдэг төгсгөх нөхцөл. **<тушаал>**

< 후렴 (дууны дахилт) >

들리+[어 주]+어요.

들려 줘요

들리다 (Үйл Үг) : 듣게 하다.
сонсгох, дуулгах
сонсгох.

-어 주다 : 남을 위해 앞의 말이 나타내는 행동을 함을 나타내는 표현.
Тохирох Үг хэллэг байхгүй байна
бусдад зориулж өмнөх Үгийн илэрхийлж буй Үйлдлийг хийх явдлыг илэрхийлдэг Үг хэллэг.

-어요 : (두루높임으로) 어떤 사실을 서술하거나 질문, 명령, 권유함을 나타내는 종결 어미.
Тохирох Үг хэллэг байхгүй байна
(хҮндэтгэлийн энгийн Үг хэллэг) ямар нэгэн зҮйлийг хҮҮрнэх, асуух, тушаах, уриалах явдлыг илэрхийлдэг төгсгөх нөхцөл. **<тушаал>**

이 소리 들리+나요?

이 (тодотгол Үг) : 말하는 사람에게 가까이 있거나 말하는 사람이 생각하고 있는 대상을 가리키는 말.
энэ
өгҮҮлэгч этгээдэд ойр байгаа зҮйл ба өгҮҮлэгч этгээдийн бодож байгаа зҮйлийг заасан Үг.

소리 (нэр Үг) : 물체가 진동하여 생긴 음파가 귀에 들리는 것.
дуу, чимээ
биет чичирхийлснээс ҮҮссэн дууны долгион чихэнд сонсогдох явдал.

들리다 (Үйл Үг) : 소리가 귀를 통해 알아차려지다.
сонсогдох, сонстох
дуу чимээ чихэнд мэдэгдэх.

-나요 : (두루높임으로) 앞의 내용에 대해 상대방에게 물어볼 때 쓰는 표현.
Тохирох Үг хэллэг байхгүй байна
(хҮндэтгэлийн энгийн Үг хэллэг) өмнөх агуулгын талаар ярилцаж буй хҮнээсээ асуухад хэрэглэнэ.

달콤하+게, 부드럽+게 우리 모두 말하+[여 보]+아요.
말해 봐요

달콤하다 (тэмдэг нэр) : 느낌이 좋고 기분이 좋다.
тааламжтай, амттайхан, балын амтат
сайхан мэдрэмж, сэтгэгдэл төрҮҮлсэн.

-게 : 앞의 말이 뒤에서 가리키는 일의 목적이나 결과, 방식, 정도 등이 됨을 나타내는 연결 어미.
Тохирох Үг хэллэг байхгҮй байна
өмнөх агуулга ард нь зааж буй байдал, зорилго, Үр дҮн, арга барил, хэмжээ зэрэг болохыг илэрхийлдэг холбох нөхцөл. **<арга маяг>**

부드럽다 (тэмдэг нэр) : 성격이나 마음씨, 태도 등이 다정하고 따뜻하다.
уян, зөөлөн, эелдэг
ааш зан, сэтгэл, байр байдал зэрэг уян зөөлөн бөгөөд халуун дотно байх.

-게 : 앞의 말이 뒤에서 가리키는 일의 목적이나 결과, 방식, 정도 등이 됨을 나타내는 연결 어미.
Тохирох Үг хэллэг байхгҮй байна
өмнөх агуулга ард нь зааж буй байдал, зорилго, Үр дҮн, арга барил, хэмжээ зэрэг болохыг илэрхийлдэг холбох нөхцөл. **<арга маяг>**

우리 (төлөөний Үг) : 말하는 사람이 자기와 듣는 사람 또는 이를 포함한 여러 사람들을 가리키는 말.
бид, манай, хэдҮҮлээ
ярьж байгаа хҮн өөрөө болон тҮҮнийг сонсож байгаа хҮн, мөн энд хамрагдаж байгаа хэд хэдэн хҮнийг заах Үг.

모두 (дайвар Үг) : 빠짐없이 다.
бҮгд, бҮгдээрээ, цөмөөрөө, хамт
юу ч ҮлдэлгҮй бҮгд хамт.

말하다 (Үйл Үг) : 어떤 사실이나 자신의 생각 또는 느낌을 말로 나타내다.
ярих, өгҮҮлэх, хэлэх, өчих
ямар нэгэн бодит зҮйлийн талаар болон өөрийн бодол санаа, мэдрэмжийг Үгээр илэрхийлэх.

-여 보다 : 앞의 말이 나타내는 행동을 시험 삼아 함을 나타내는 표현.
Тохирох Үг хэллэг байхгҮй байна
өмнөх Үгийн илэрхийлж буй Үйлдлийг туршиж Үзэх явдлыг илэрхийлдэг Үг хэллэг.

-아요 : (두루높임으로) 어떤 사실을 서술하거나 질문, 명령, 권유함을 나타내는 종결 어미.
Тохирох Үг хэллэг байхгҮй байна
(хҮндэтгэлийн энгийн Үг хэллэг) ямар нэгэн зҮйлийг хҮҮрнэх, асуух, тушаах, уриалах явдлыг илэрхийлдэг төгсгөх нөхцөл. **<тушаал>**

아 야 어 여 오 요 우 유 으 이

가 나 다 라 마 바 사 아 자 차 카 타 파 하

이제+부터 들리+[어 주]+어 너+의 마음+을.
들려 줘

이제 (нэр Үг) : 말하고 있는 바로 이때.
одоо
ярьж буй яг энэ Үеэ.

부터 : 어떤 일의 시작이나 처음을 나타내는 조사.
-аас, -ээс, -оос, -өөс
ямар нэгэн ажлын эхлэлийг илэрхийлдэг нэрийн нөхцөл.

들리다 (Үйл Үг) : 듣게 하다.
сонсгох, дуулгах
сонсгох.

-어 주다 : 남을 위해 앞의 말이 나타내는 행동을 함을 나타내는 표현.
Тохирох Үг хэллэг байхгҮй байна
бусдад зориулж өмнөх Үгийн илэрхийлж буй Үйлдлийг хийх явдлыг илэрхийлдэг Үг хэллэг.

-어 : (두루낮춤으로) 어떤 사실을 서술하거나 물음, 명령, 권유를 나타내는 종결 어미.
Тохирох Үг хэллэг байхгҮй байна
(хҮндэтгэлийн бус энгийн Үг хэллэг) ямар нэгэн зҮйлийг дҮрслэх буюу асуулт, тушаал, зөвлөмж зэргийг илэрхийлдэг төгсгөх нөхцөл. **<тушаал>**

너 (төлөөний Үг) : 듣는 사람이 친구나 아랫사람일 때, 그 사람을 가리키는 말.
чи
сонсогч нь найз буюу дҮҮ байх тохиолдолд, тухайн хҮнийг заадаг Үг.

의 : 앞의 말이 뒤의 말에 대하여 소유, 소속, 소재, 관계, 기원, 주체의 관계를 가짐을 나타내는 조사.
-н/-ийн/-ын/-ий/-ы
өмнөх Үг хойдох Үгтэй эзэмшил, харьяа, хэрэглэгдэхҮҮн, сэдвийн хамааралтай болохыг илэрхийлсэн нөхцөл.

마음 (нэр Үг) : 기분이나 느낌.
сэтгэл
сэтгэл санаа, мэдрэмж.

을 : 동작이 직접적으로 영향을 미치는 대상을 나타내는 조사.
-ыг/-ийг/-г
Үйл хөдлөл шууд нөлөөлж буй тусагдахууныг илэрхийлэх нөхцөл.

지금+부터 전하+[여 주]+어 너+의 사랑+을.
전해 줘

지금 (нэр Үг) : 말을 하고 있는 바로 이때.
одоо, одоо цаг
юм ярьж буй энэ цаг мөч.

부터 : 어떤 일의 시작이나 처음을 나타내는 조사.
-аас, -ээс, -оос, -өөс
ямар нэгэн ажлын эхлэлийг илэрхийлдэг нэрийн нөхцөл.

전하다 (Үйл Үг) : 어떤 소식, 생각 등을 상대에게 알리다.
дамжуулах, хэлэх, мэдҮҮлэх
ямар нэгэн мэдээ, бодол санаа зэргийг нөгөө хҮндээ дамжуулах.

-여 주다 : 남을 위해 앞의 말이 나타내는 행동을 함을 나타내는 표현.
Тохирох Үг хэллэг байхгҮй байна
бусдад зориулж өмнөх Үгийн илэрхийлж буй Үйлдлийг хийх явдлыг илэрхийлдэг Үг хэллэг.

-어 : (두루낮춤으로) 어떤 사실을 서술하거나 물음, 명령, 권유를 나타내는 종결 어미.
Тохирох Үг хэллэг байхгҮй байна
(хҮндэтгэлийн бус энгийн Үг хэллэг) ямар нэгэн зҮйлийг дҮрслэх буюу асуулт, тушаал, зөвлөмж зэргийг илэрхийлдэг төгсгөх нөхцөл. **<тушаал>**

너 (төлөөний Үг) : 듣는 사람이 친구나 아랫사람일 때, 그 사람을 가리키는 말.
чи
сонсогч нь найз буюу дҮҮ байх тохиолдолд, тухайн хҮнийг заадаг Үг.

의 : 앞의 말이 뒤의 말에 대하여 소유, 소속, 소재, 관계, 기원, 주체의 관계를 가짐을 나타내는 조사.
-н/-ийн/-ын/-ий/-ы
өмнөх Үг хойдох Үгтэй эзэмшил, харьяа, хэрэглэгдэхҮҮн, сэдвийн хамааралтай болохыг илэрхийлсэн нөхцөл.

사랑 (нэр Үг) : 아끼고 소중히 여겨 정성을 다해 위하는 마음.
хайр, халамж
нандигнан энхрийлж хамаг сэтгэл зҮрхээ зориулах сэтгэл.

을 : 동작이 직접적으로 영향을 미치는 대상을 나타내는 조사.
-ыг/-ийг/-г
Үйл хөдлөл шууд нөлөөлж буй тусагдахууныг илэрхийлэх нөхцөл.

아 야 어 여 오 요 우 유 으 이

가 나 다 라 마 바 사 아 자 차 카 타 파 하

모음 스물하나+에 자음 열아홉+을 더하+여
더해

모음 (нэр Үг) : 사람이 목청을 울려 내는 소리로, 공기의 흐름이 방해를 받지 않고 나는 소리.
эгшиг Үсэг
амьсгалын урсгал ямар ч саадгҮй гарах авиа.

스물하나 : 21

에 : 앞말에 무엇이 더해짐을 나타내는 조사.
-д/-т, зэрэгцээ
өмнөх Үгэнд ямар нэгэн зҮйл нэмэгдэж байгааг илэрхийлж буй нөхцөл.

자음 (нэр Үг) : 목, 입, 혀 등의 발음 기관에 의해 장애를 받으며 나는 소리.
гийгҮҮлэгч
хоолой, уруул, хэл зэрэг авиа гаргадаг эрхтний улмаас саадтай гарах авиа.

열아홉 : 19

을 : 동작 대상의 수량이나 동작의 순서를 나타내는 조사.
турш, -ыг/-ийг
Үйл хөдлөлийн тусагдахуун болж буй зҮйлийн тоо хэмжээ, Үйлийн дэс дарааг илэрхийлэх нөхцөл.

더하다 (Үйл Үг) : 보태어 늘리거나 많게 하다.
нэмэх, өсөх
нэмж өсгөх юмуу олон болгох.

-여 : 앞의 말이 뒤의 말보다 먼저 일어났거나 뒤의 말에 대한 방법이나 수단이 됨을 나타내는 연결 어미.
Тохирох Үг хэллэг байхгҮй байна
өмнө ирэх Үг ард ирэх Үгээс тҮрҮҮлж бий болсон буюу ардах Үгийн талаарх арга барил болохыг илэрхийлдэг холбох нөхцөл.

마흔 가지 소리+로 세상+을 느끼+[어 보]+아.
느껴 봐

마흔 (тодотгол Үг) : 열의 네 배가 되는 수의.
дөчин
арвыг дөрөв дахин нэмсэн тооны.

가지 (нэр Үг) : 사물의 종류를 헤아리는 말.
төрөл, зҮйл
эд зҮйлийн төрлийг тоолох Үг.

소리 (нэр Үг) : 물체가 진동하여 생긴 음파가 귀에 들리는 것.
дуу, чимээ
биет чичирхийлснээс ҮҮссэн дууны долгион чихэнд сонсогдох явдал.

로 : 어떤 일의 수단이나 도구를 나타내는 조사.
-аар (-ээр, -оор, -өөр)
ямар нэгэн Үйл хэргийн арга зам буюу хэрэгсэл болохыг илэрхийлж буй нөхцөл.

세상 (нэр Үг) : 지구 위 전체.
хорвоо дэлхий, хорвоо ертөнц
бөмбөрцөг дэлхий бҮхэлдээ.

을 : 동작이 직접적으로 영향을 미치는 대상을 나타내는 조사.
-ыг/-ийг/-г
Үйл хөдлөл шууд нөлөөлж буй тусагдахууныг илэрхийлэх нөхцөл.

느끼다 (Үйл Үг) : 특정한 대상이나 상황을 어떻다고 생각하거나 인식하다.
мэдрэх
аль нэгэн объект буюу нөхцөл байдлыг тийм хэмээн бодох буюу мэдрэх.

-어 보다 : 앞의 말이 나타내는 행동을 시험 삼아 함을 나타내는 표현.
Тохирох Үг хэллэг байхгҮй байна
өмнөх Үгийн илэрхийлж буй Үйлдлийг туршиж Үзэх явдлыг илэрхийлдэг Үг хэллэг.

-아 : (두루낮춤으로) 어떤 사실을 서술하거나 물음, 명령, 권유를 나타내는 종결 어미.
Тохирох Үг хэллэг байхгҮй байна
(хҮндэтгэлийн бус энгийн Үг хэллэг) ямар нэгэн зҮйлийг дҮрслэх буюу асуулт, тушаал, зөвлөмж зэргийг илэрхийлдэг төгсгөх нөхцөл. **<тушаал>**

< 2 >

과일송

과일(фрукты) 송(дуу)

[발음(дуудлага)]

< 1 절(бадаг) >

맛있는 과일 과일 과일
마신는 과일 과일 과일
masinneun gwail gwail gwail

아삭아삭 과일 과일
아삭아삭 과일 과일
asagasak gwail gwail

먹고 싶어 과일 과일
먹꼬 시퍼 과일 과일
meokgo sipeo gwail gwail

빨간색 딸기 사과 앵두
빨간색 딸기 사과 앵두
ppalgansaek ttalgi sagwa aengdu

노란색 참외 레몬 망고
노란색 참외 레몬 망고
noransaek chamoe remon manggo

초록색 수박 매실 멜론
초록쌕 수박 매실 멜론
choroksaek subak maesil mellon

보라색 포도 자두 오디
보라색 포도 자두 오디
borasaek podo jadu odi

맛이 어때요?
마시 어때요?
masi eottaeyo?

달아요 달아요 달아요
다라요 다라요 다라요
darayo darayo darayo

맛이 어때요?
마시 어때요?
masi eottaeyo?

달콤해 달콤해 달콤해
달콤해 달콤해 달콤해
dalkomhae dalkomhae dalkomhae

어때요? 어때요?
어때요? 어때요?
eottaeyo? eottaeyo?

달아요 셔요 달콤해 새콤해
다라요 셔요 달콤해 새콤해
darayo syeoyo dalkomhae saekomhae

< 2 절(бадаг) >

맛있는 과일 과일 과일
마신는 과일 과일 과일
masinneun gwail gwail gwail

아삭아삭 과일 과일
아삭아삭 과일 과일
asagasak gwail gwail

먹고 싶어 과일 과일
먹꼬 시퍼 과일 과일
meokgo sipeo gwail gwail

빨간색 딸기 사과 앵두
빨간색 딸기 사과 앵두
ppalgansaek ttalgi sagwa aengdu

노란색 참외 레몬 망고
노란색 참외 레몬 망고
noransaek chamoe remon manggo

초록색 수박 매실 멜론
초록쌕 수박 매실 멜론
choroksaek subak maesil mellon

보라색 포도 자두 오디
보라색 포도 자두 오디
borasaek podo jadu odi

맛이 어때요?
마시 어때요?
masi eottaeyo?

셔요 셔요 셔요
셔요 셔요 셔요
syeoyo syeoyo syeoyo

맛이 어때요?
마시 어때요?
masi eottaeyo?

새콤해 새콤해 새콤해
새콤해 새콤해 새콤해
saekomhae saekomhae saekomhae

어때요? 어때요?
어때요? 어때요?
eottaeyo? eottaeyo?

달아요 셔요 달콤해 새콤해
다라요 셔요 달콤해 새콤해
darayo syeoyo dalkomhae saekomhae

맛있는 과일 과일 과일
마신는 과일 과일 과일
masinneun gwail gwail gwail

아삭아삭 과일 과일
아삭아삭 과일 과일
asagasak gwail gwail

먹고 싶어 과일 과일
먹꼬 시퍼 과일 과일
meokgo sipeo gwail gwail

맛있는 과일 과일 과일
마신는 과일 과일 과일
masinneun gwail gwail gwail

아삭아삭 과일 과일
아삭아삭 과일 과일
asagasak gwail gwail

먹고 싶어 과일 과일
먹꼬 시퍼 과일 과일
meokgo sipeo gwail gwail

먹고 싶어 과일 과일

먹꼬 시퍼 과일 과일

meokgo sipeo gwail gwail

< 1 절(бадаг) >

맛있+는 과일 과일 과일.

맛있다 (тэмдэг нэр) : 맛이 좋다.
амттай, амтлаг
амт чанар сайн байх.

-는 : 앞의 말이 관형어의 기능을 하게 만들고 사건이나 동작이 현재 일어남을 나타내는 어미.
Тохирох Үг хэллэг байхгҮй байна
өмнөх Үгийг тодотгол гишҮҮний ҮҮрэгтэй болгож, хэрэг явдал буюу Үйлдэл нь одоо өр нөж байгааг илэрхийлдэг нөхцөл.

과일 (нэр Үг) : 사과, 배, 포도, 밤 등과 같이 나뭇가지나 줄기에 열리는 먹을 수 있는 열매.
жимс
алим, лийр, усан Үзэм, туулайн бөөртэй адил модны мөчирт ургадаг, идэж болох ургам лын амтлаг Үр жимс.

아삭아삭 과일 과일.

아삭아삭 (дайвар Үг) : 연하고 싱싱한 과일이나 채소를 베어 물 때 나는 소리.
шар шар, шар шур
зөөлөн, шинэхэн жимс, хҮнсний ногоог хазахад гардаг чимээ.

과일 (нэр Үг) : 사과, 배, 포도, 밤 등과 같이 나뭇가지나 줄기에 열리는 먹을 수 있는 열매.
жимс
алим, лийр, усан Үзэм, туулайн бөөртэй адил модны мөчирт ургадаг, идэж болох ургам лын амтлаг Үр жимс.

먹+[고 싶]+어, 과일 과일.

먹다 (Үйл Үг) : 음식 등을 입을 통하여 배 속에 들여보내다.
идэх
хоол хҮнс зэргийг амаар дамжуулан гэдсэндээ хийх.

-고 싶다 : 앞의 말이 나타내는 행동을 하기를 원함을 나타내는 표현.
Тохирох Yг хэллэг байхгYй байна
өмнөх Yгийн илэрхийлж буй Yйлдлийг хийхийг хYсэх явдлыг илэрхийлдэг Yг хэллэг.

-어 : (두루낮춤으로) 어떤 사실을 서술하거나 물음, 명령, 권유를 나타내는 종결 어미.
Тохирох Yг хэллэг байхгYй байна
(хYндэтгэлийн бус энгийн Yг хэллэг) ямар нэгэн зYйлийг дYрслэх буюу асуулт, тушаал, зөвлөмж зэргийг илэрхийлдэг төгсгөх нөхцөл. **<дYрслэл>**

과일 (нэр Yг) : 사과, 배, 포도, 밤 등과 같이 나뭇가지나 줄기에 열리는 먹을 수 있는 열매.
жимс
алим, лийр, усан Yзэм, туулайн бөөртэй адил модны мөчирт ургадаг, идэж болох ургам лын амтлаг Yр жимс.

빨간색 딸기 사과 앵두.

빨간색 (нэр Yг) : 흐르는 피나 잘 익은 사과, 고추처럼 붉은 색.
улаан өнгө
урсч буй цус, гYйцэд боловсорсон алим, чинжYY мэт улаан өнгө.

딸기 (нэр Yг) : 줄기가 땅 위로 뻗으며, 겉에 씨가 박혀 있는 빨간 열매가 열리는 여러해살이풀. 또는 그 열매.
гYзээлзгэнэ
иш нь газраас дээш урт ургасан, гадна талдаа Yр наалдсан, улаан өнгийн жимс ургада г олон наст ургамал. мөн тийм Yр жимс.

사과 (нэр Yг) : 모양이 둥글고 붉으며 새콤하고 단맛이 나는 과일.
алим
дугуй хэлбэртэй, улаан өнгийн, исгэлэндYY чихэрлэг амттай жимс.

앵두 (нэр Yг) : 모양이 작고 둥글며 달콤하면서 신맛을 지닌 붉은색 과일.
интоор
улаан өнгөтэй, жижиг бөөрөнхий хэлбэртэй, чихэрлэгдYY исгэлэн амт бYхий улаан өнгий н жимс.

노란색 참외 레몬 망고.

노란색 (нэр Yг) : 병아리나 바나나와 같은 색.
шар өнгө
дэгдээхий болон гадилын өнгө.

참외 (нэр Үг) : 색이 노랗고 단맛이 나며 주로 여름에 먹는 열매.
амтат гуа
өнгө нь шаравтар, чихэрлэг амттай бөгөөд ихэвчлэн зуны улиралд иддэг жимс.

레몬 (нэр Үг) : 신맛이 강하고 새콤한 향기가 나는 타원형의 노란색 열매.
нимбэг, лемон
их гашуун амттай, исгэлэн Үнэр гардаг, зууван хэлбэртэй шар өнгийн Үр жимс.

망고 (нэр Үг) : 타원형에 과육이 노랗고 부드러우며 단맛이 나는 열대 과일.
манго
халуун оронд ургадаг шар өнгийн амтат жимс.

초록색 수박 매실 멜론.

초록색 (нэр Үг) : 파랑과 노랑의 중간인, 짙은 풀과 같은 색.
ногоон өнгө
хөх ба шар өнгийн дундах өнгө, тод өвс ногоотой адил өнгө.

수박 (нэр Үг) : 둥글고 크며 초록 빛깔에 검푸른 줄무늬가 있으며 속이 붉고 수분이 많은 과일.
тарвас, шийгуа
том бөөрөнхий, ногоон, тод ногоон судалтай, дотроо улаан өнгөтэй шҮҮслэг жимс.

매실 (нэр Үг) : 달고 신맛이 나며 술이나 음료 등을 만들어 먹는 초록색의 둥근 열매.
ногоон чавга
чихэрлэг, исгэлэн амттай архи, ундаа зэргийг хийдэг ногоон өнгийн бөөрөнхий Үр жим с.

멜론 (нэр Үг) : 동그랗고 보통 녹색이며 겉에 그물 모양의 무늬가 있는, 향기가 좋고 단맛이 나는 과일.
гуа жимс, амтат гуа
дугуй хэлбэртэй, ерөнхийдөө ногоон өнгөтэй бөгөөд гадар нь тор мэт судалтай, гоё сай хан Үнэртэй чихэрлэг амттай жимс.

보라색 포도 자두 오디.

보라색 (нэр Үг) : 파랑과 빨강을 섞은 색.
нил ягаан
хөх өнгө болон улааныг хольсон өнгө.

포도 (нэр Үг) : 달면서도 약간 신맛이 나는 작은 열매가 뭉쳐서 송이를 이루는 보라색 과일.
усан Үзэм
чихэрлэг мөртлөө яльгҮй исгэлэн амттай, олон жижиг жимснҮҮд нийлж нэг багц болдог хҮрэн ягаан өнгийн жимс.

자두 (нэр Үг) : 살구보다 조금 크고 새콤하고 달콤한 맛이 나는 붉은색 과일.
чавга
чангаанзнаас жаахан том исгэлэн бөгөөд чихэрлэг амттай улаан өнгийн жимс.

오디 (нэр Үг) : 뽕나무의 열매.
ялам жимс
ялам модны Үр жимс.

맛+이 어떻+어요?
어때요

맛 (нэр Үг) : 음식 등을 혀에 댈 때 느껴지는 감각.
амт
хоол ундыг хэлэнд хҮргэхэд мэдрэгдэх мэдрэмж.

이 : 어떤 상태나 상황의 대상이나 동작의 주체를 나타내는 조사.
Тохирох Үг хэллэг байхгҮй байна
ямар нэгэн төлөв, байдлын субьект, мөн Үйл хөдлөлийн эзэн болохыг илэрхийлэх нөхцөл.

어떻다 (тэмдэг нэр) : 생각, 느낌, 상태, 형편 등이 어찌 되어 있다.
тийм байх, ямар байх
бодол санаа, мэдрэмж, байдал, явц зэрэг хэрхэн болох.

-어요 : (두루높임으로) 어떤 사실을 서술하거나 질문, 명령, 권유함을 나타내는 종결 어미.
Тохирох Үг хэллэг байхгҮй байна
(хҮндэтгэлийн энгийн Үг хэллэг) ямар нэгэн зҮйлийг хҮҮрнэх, асуух, тушаах, уриалах явдлыг илэрхийлдэг төгсгөх нөхцөл. **<асуулт>**

달+아요. 달+아요. 달+아요.

달다 (тэмдэг нэр) : 꿀이나 설탕의 맛과 같다.
чихэрлэг
зөгийн бал ба элсэн чихрийн амттай адил.

-아요 : (두루높임으로) 어떤 사실을 서술하거나 질문, 명령, 권유함을 나타내는 종결 어미.
Тохирох Үг хэллэг байхгҮй байна
(хҮндэтгэлийн энгийн Үг хэллэг) ямар нэгэн зҮйлийг хҮҮрнэх, асуух, тушаах, уриалах явдлыг илэрхийлдэг төгсгөх нөхцөл. **<дҮрслэл>**

맛+이 어떻+어요?
어때요

맛 (нэр Үг) : 음식 등을 혀에 댈 때 느껴지는 감각.
амт
хоол ундыг хэлэнд хҮргэхэд мэдрэгдэх мэдрэмж.

이 : 어떤 상태나 상황의 대상이나 동작의 주체를 나타내는 조사.
Тохирох Үг хэллэг байхгҮй байна
ямар нэгэн төлөв, байдлын субьект, мөн Үйл хөдлөлийн эзэн болохыг илэрхийлэх нөхцөл.

어떻다 (тэмдэг нэр) : 생각, 느낌, 상태, 형편 등이 어찌 되어 있다.
тийм байх, ямар байх
бодол санаа, мэдрэмж, байдал, явц зэрэг хэрхэн болох.

-어요 : (두루높임으로) 어떤 사실을 서술하거나 질문, 명령, 권유함을 나타내는 종결 어미.
Тохирох Үг хэллэг байхгҮй байна
(хҮндэтгэлийн энгийн Үг хэллэг) ямар нэгэн зҮйлийг хҮҮрнэх, асуух, тушаах, уриалах явдлыг илэрхийлдэг төгсгөх нөхцөл. **<асуулт>**

달콤하+여. 달콤하+여. 달콤하+여.
달콤해 달콤해 달콤해

달콤하다 (тэмдэг нэр) : 맛이나 냄새가 기분 좋게 달다.
амттай, анхилуун, аятайхан, чихэр амтагдсан
сэтгэл сэргэм чихэрлэг сайхан амт Үнэртэй байх.

-여 : (두루낮춤으로) 어떤 사실을 서술하거나 물음, 명령, 권유를 나타내는 종결 어미.
Тохирох Үг хэллэг байхгҮй байна
(хҮндэтгэлийн бус энгийн Үг хэллэг) ямар нэгэн зҮйлийг хҮҮрнэх, асуух буюу тушаал, зөвлөмж зэргийг илэрхийлдэг төгсгөх нөхцөл. **<дҮрслэл>**

어떻+어요? 어떻+어요?
어때요 어때요

어떻다 (тэмдэг нэр) : 생각, 느낌, 상태, 형편 등이 어찌 되어 있다.
тийм байх, ямар байх
бодол санаа, мэдрэмж, байдал, явц зэрэг хэрхэн болох.

-어요 : (두루높임으로) 어떤 사실을 서술하거나 질문, 명령, 권유함을 나타내는 종결 어미.
Тохирох Үг хэллэг байхгҮй байна
(хҮндэтгэлийн энгийн Үг хэллэг) ямар нэгэн зҮйлийг хҮҮрнэх, асуух, тушаах, уриалах яв длыг илэрхийлдэг төгсгөх нөхцөл. **<асуулт>**

달+아요. 시+어요. 달콤하+여. 새콤하+여.
셔요 달콤해 새콤해

달다 (тэмдэг нэр) : 꿀이나 설탕의 맛과 같다.
чихэрлэг
зөгийн бал ба элсэн чихрийн амттай адил.

-아요 : (두루높임으로) 어떤 사실을 서술하거나 질문, 명령, 권유함을 나타내는 종결 어미.
Тохирох Үг хэллэг байхгҮй байна
(хҮндэтгэлийн энгийн Үг хэллэг) ямар нэгэн зҮйлийг хҮҮрнэх, асуух, тушаах, уриалах яв длыг илэрхийлдэг төгсгөх нөхцөл. **<дҮрслэл>**

시다 (тэмдэг нэр) : 맛이 식초와 같다.
исгэлэн
амт нь цагаан цуу мэт.

-어요 : (두루높임으로) 어떤 사실을 서술하거나 질문, 명령, 권유함을 나타내는 종결 어미.
Тохирох Үг хэллэг байхгҮй байна
(хҮндэтгэлийн энгийн Үг хэллэг) ямар нэгэн зҮйлийг хҮҮрнэх, асуух, тушаах, уриалах яв длыг илэрхийлдэг төгсгөх нөхцөл. **<дҮрслэл>**

달콤하다 (тэмдэг нэр) : 맛이나 냄새가 기분 좋게 달다.
амттай, анхилуун, аятайхан, чихэр амтагдсан
сэтгэл сэргэм чихэрлэг сайхан амт Үнэртэй байх.

-여 : (두루낮춤으로) 어떤 사실을 서술하거나 물음, 명령, 권유를 나타내는 종결 어미.
Тохирох Үг хэллэг байхгҮй байна
(хҮндэтгэлийн бус энгийн Үг хэллэг) ямар нэгэн зҮйлийг хҮҮрнэх, асуух буюу тушаал, з өвлөмж зэргийг илэрхийлдэг төгсгөх нөхцөл. **<дҮрслэл>**

새콤하다 (тэмдэг нэр) : 맛이 조금 시면서 상큼하다.
сэнгэнэсэн, амтлаг
амт нь бага зэрэг исгэлэн, амтлаг сэнгэнэсэн байх.

-여 : (두루낮춤으로) 어떤 사실을 서술하거나 물음, 명령, 권유를 나타내는 종결 어미.
Тохирох Үг хэллэг байхгҮй байна
(хҮндэтгэлийн бус энгийн Үг хэллэг) ямар нэгэн зҮйлийг хҮҮрнэх, асуух буюу тушаал, зөвлөмж зэргийг илэрхийлдэг төгсгөх нөхцөл. **<дҮрслэл>**

< 2 절(бадаг) >

맛있+는 과일 과일 과일.

맛있다 (тэмдэг нэр) : 맛이 좋다.
амттай, амтлаг
амт чанар сайн байх.

-는 : 앞의 말이 관형어의 기능을 하게 만들고 사건이나 동작이 현재 일어남을 나타내는 어미.
Тохирох Үг хэллэг байхгҮй байна
өмнөх Үгийг тодотгол гишҮҮний ҮҮрэгтэй болгож, хэрэг явдал буюу Үйлдэл нь одоо өрнөж байгааг илэрхийлдэг нөхцөл.

과일 (нэр Үг) : 사과, 배, 포도, 밤 등과 같이 나뭇가지나 줄기에 열리는 먹을 수 있는 열매.
жимс
алим, лийр, усан Үзэм, туулайн бөөртэй адил модны мөчирт ургадаг, идэж болох ургамлын амтлаг Үр жимс.

아삭아삭 과일 과일.

아삭아삭 (дайвар Үг) : 연하고 싱싱한 과일이나 채소를 베어 물 때 나는 소리.
шар шар, шар шур
зөөлөн, шинэхэн жимс, хҮнсний ногоог хазахад гардаг чимээ.

과일 (нэр Үг) : 사과, 배, 포도, 밤 등과 같이 나뭇가지나 줄기에 열리는 먹을 수 있는 열매.
жимс
алим, лийр, усан Үзэм, туулайн бөөртэй адил модны мөчирт ургадаг, идэж болох ургамлын амтлаг Үр жимс.

먹+[고 싶]+어, 과일 과일.

먹다 (Үйл Үг) : 음식 등을 입을 통하여 배 속에 들여보내다.
идэх
хоол хҮнс зэргийг амаар дамжуулан гэдсэндээ хийх.

-고 싶다 : 앞의 말이 나타내는 행동을 하기를 원함을 나타내는 표현.
Тохирох Үг хэллэг байхгҮй байна
өмнөх Үгийн илэрхийлж буй Үйлдлийг хийхийг хҮсэх явдлыг илэрхийлдэг Үг хэллэг.

-어 : (두루낮춤으로) 어떤 사실을 서술하거나 물음, 명령, 권유를 나타내는 종결 어미.
Тохирох Үг хэллэг байхгҮй байна
(хҮндэтгэлийн бус энгийн Үг хэллэг) ямар нэгэн зҮйлийг дҮрслэх буюу асуулт, тушаал, зөвлөмж зэргийг илэрхийлдэг төгсгөх нөхцөл. **<дҮрслэл>**

과일 (нэр Үг) : 사과, 배, 포도, 밤 등과 같이 나뭇가지나 줄기에 열리는 먹을 수 있는 열매.
жимс
алим, лийр, усан Үзэм, туулайн бөөртэй адил модны мөчирт ургадаг, идэж болох ургам лын амтлаг Үр жимс.

빨간색 딸기 사과 앵두.

빨간색 (нэр Үг) : 흐르는 피나 잘 익은 사과, 고추처럼 붉은 색.
улаан өнгө
урсч буй цус, гҮйцэд боловсорсон алим, чинжҮҮ мэт улаан өнгө.

딸기 (нэр Үг) : 줄기가 땅 위로 뻗으며, 겉에 씨가 박혀 있는 빨간 열매가 열리는 여러해살이풀. 또는 그 열매.
гҮзээлзгэнэ
иш нь газраас дээш урт ургасан, гадна талдаа Үр наалдсан, улаан өнгийн жимс ургада г олон наст ургамал. мөн тийм Үр жимс.

사과 (нэр Үг) : 모양이 둥글고 붉으며 새콤하고 단맛이 나는 과일.
алим
дугуй хэлбэртэй, улаан өнгийн, исгэлэндҮҮ чихэрлэг амттай жимс.

앵두 (нэр Үг) : 모양이 작고 둥글며 달콤하면서 신맛을 지닌 붉은색 과일.
интоор
улаан өнгөтэй, жижиг бөөрөнхий хэлбэртэй, чихэрлэгдҮҮ исгэлэн амт бҮхий улаан өнгий н жимс.

노란색 참외 레몬 망고.

노란색 (нэр Yг) : 병아리나 바나나와 같은 색.
шар өнгө
дэгдээхий болон гадилын өнгө.

참외 (нэр Yг) : 색이 노랗고 단맛이 나며 주로 여름에 먹는 열매.
амтат гуа
өнгө нь шаравтар, чихэрлэг амттай бөгөөд ихэвчлэн зуны улиралд иддэг жимс.

레몬 (нэр Yг) : 신맛이 강하고 새콤한 향기가 나는 타원형의 노란색 열매.
нимбэг, лемон
их гашуун амттай, исгэлэн Yнэр гардаг, зууван хэлбэртэй шар өнгийн Yр жимс.

망고 (нэр Yг) : 타원형에 과육이 노랗고 부드러우며 단맛이 나는 열대 과일.
манго
халуун оронд ургадаг шар өнгийн амтат жимс.

초록색 수박 매실 멜론.

초록색 (нэр Yг) : 파랑과 노랑의 중간인, 짙은 풀과 같은 색.
ногоон өнгө
хөх ба шар өнгийн дундах өнгө, тод өвс ногоотой адил өнгө.

수박 (нэр Yг) : 둥글고 크며 초록 빛깔에 검푸른 줄무늬가 있으며 속이 붉고 수분이 많은 과일.
тарвас, шийгуа
том бөөрөнхий, ногоон, тод ногоон судалтай, дотроо улаан өнгөтэй шYYслэг жимс.

매실 (нэр Yг) : 달고 신맛이 나며 술이나 음료 등을 만들어 먹는 초록색의 둥근 열매.
ногоон чавга
чихэрлэг, исгэлэн амттай архи, ундаа зэргийг хийдэг ногоон өнгийн бөөрөнхий Yр жим
с.

멜론 (нэр Yг) : 동그랗고 보통 녹색이며 겉에 그물 모양의 무늬가 있는, 향기가 좋고 단맛이 나는 과일.
гуа жимс, амтат гуа
дугуй хэлбэртэй, ерөнхийдөө ногоон өнгөтэй бөгөөд гадар нь тор мэт судалтай, гоё сай
хан Yнэртэй чихэрлэг амттай жимс.

보라색 포도 자두 오디.

보라색 (нэр Үг) : 파랑과 빨강을 섞은 색.
нил ягаан
хөх өнгө болон улааныг хольсон өнгө.

포도 (нэр Үг) : 달면서도 약간 신맛이 나는 작은 열매가 뭉쳐서 송이를 이루는 보라색 과일.
усан Үзэм
чихэрлэг мөртлөө яльгҮй исгэлэн амттай, олон жижиг жимснҮҮд нийлж нэг багц болдог хҮрэн ягаан өнгийн жимс.

자두 (нэр Үг) : 살구보다 조금 크고 새콤하고 달콤한 맛이 나는 붉은색 과일.
чавга
чангаанзнаас жаахан том исгэлэн бөгөөд чихэрлэг амттай улаан өнгийн жимс.

오디 (нэр Үг) : 뽕나무의 열매.
ялам жимс
ялам модны Үр жимс.

맛+이 어떻+어요?
어때요

맛 (нэр Үг) : 음식 등을 혀에 댈 때 느껴지는 감각.
амт
хоол ундыг хэлэнд хҮргэхэд мэдрэгдэх мэдрэмж.

이 : 어떤 상태나 상황의 대상이나 동작의 주체를 나타내는 조사.
Тохирох Үг хэллэг байхгҮй байна
ямар нэгэн төлөв, байдлын субьект, мөн Үйл хөдлөлийн эзэн болохыг илэрхийлэх нөхцөл.

어떻다 (тэмдэг нэр) : 생각, 느낌, 상태, 형편 등이 어찌 되어 있다.
тийм байх, ямар байх
бодол санаа, мэдрэмж, байдал, явц зэрэг хэрхэн болох.

-어요 : (두루높임으로) 어떤 사실을 서술하거나 질문, 명령, 권유함을 나타내는 종결 어미.
Тохирох Үг хэллэг байхгҮй байна
(хҮндэтгэлийн энгийн Үг хэллэг) ямар нэгэн зҮйлийг хҮҮрнэх, асуух, тушаах, уриалах явдлыг илэрхийлдэг төгсгөх нөхцөл. **<асуулт>**

시+어요. 시+어요. 시+어요.
셔요 셔요 셔요

시다 (тэмдэг нэр) : 맛이 식초와 같다.
исгэлэн
амт нь цагаан цуу мэт.

-어요 : (두루높임으로) 어떤 사실을 서술하거나 질문, 명령, 권유함을 나타내는 종결 어미.
Тохирох Үг хэллэг байхгҮй байна
(хҮндэтгэлийн энгийн Үг хэллэг) ямар нэгэн зҮйлийг хҮҮрнэх, асуух, тушаах, уриалах яв длыг илэрхийлдэг төгсгөх нөхцөл. **<дҮрслэл>**

맛+이 어떻+어요?
어때요

맛 (нэр Үг) : 음식 등을 혀에 댈 때 느껴지는 감각.
амт
хоол ундыг хэлэнд хҮргэхэд мэдрэгдэх мэдрэмж.

이 : 어떤 상태나 상황의 대상이나 동작의 주체를 나타내는 조사.
Тохирох Үг хэллэг байхгҮй байна
ямар нэгэн төлөв, байдлын субьект, мөн Үйл хөдлөлийн эзэн болохыг илэрхийлэх нөхцө л.

어떻다 (тэмдэг нэр) : 생각, 느낌, 상태, 형편 등이 어찌 되어 있다.
тийм байх, ямар байх
бодол санаа, мэдрэмж, байдал, явц зэрэг хэрхэн болох.

-어요 : (두루높임으로) 어떤 사실을 서술하거나 질문, 명령, 권유함을 나타내는 종결 어미.
Тохирох Үг хэллэг байхгҮй байна
(хҮндэтгэлийн энгийн Үг хэллэг) ямар нэгэн зҮйлийг хҮҮрнэх, асуух, тушаах, уриалах яв длыг илэрхийлдэг төгсгөх нөхцөл. **<асуулт>**

새콤하+여. 새콤하+여. 새콤하+여.
새콤해 새콤해 새콤해

새콤하다 (тэмдэг нэр) : 맛이 조금 시면서 상큼하다.
сэнгэнэсэн, амтлаг
амт нь бага зэрэг исгэлэн, амтлаг сэнгэнэсэн байх.

-여 : (두루낮춤으로) 어떤 사실을 서술하거나 물음, 명령, 권유를 나타내는 종결 어미.
Тохирох Үг хэллэг байхгүй байна
(хүндэтгэлийн бус энгийн Үг хэллэг) ямар нэгэн зүйлийг хүүрнэх, асуух буюу тушаал, з өвлөмж зэргийг илэрхийлдэг төгсгөх нөхцөл. **<дүрслэл>**

어떻+어요? 어떻+어요?
어때요 어때요

어떻다 (тэмдэг нэр) : 생각, 느낌, 상태, 형편 등이 어찌 되어 있다.
тийм байх, ямар байх
бодол санаа, мэдрэмж, байдал, явц зэрэг хэрхэн болох.

-어요 : (두루높임으로) 어떤 사실을 서술하거나 질문, 명령, 권유함을 나타내는 종결 어미.
Тохирох Үг хэллэг байхгүй байна
(хүндэтгэлийн энгийн Үг хэллэг) ямар нэгэн зүйлийг хүүрнэх, асуух, тушаах, уриалах яв длыг илэрхийлдэг төгсгөх нөхцөл. **<асуулт>**

달+아요. 시+어요. 달콤하+여. 새콤하+여.
셔요 달콤해 새콤해

달다 (тэмдэг нэр) : 꿀이나 설탕의 맛과 같다.
чихэрлэг
зөгийн бал ба элсэн чихрийн амттай адил.

-아요 : (두루높임으로) 어떤 사실을 서술하거나 질문, 명령, 권유함을 나타내는 종결 어미.
Тохирох Үг хэллэг байхгүй байна
(хүндэтгэлийн энгийн Үг хэллэг) ямар нэгэн зүйлийг хүүрнэх, асуух, тушаах, уриалах яв длыг илэрхийлдэг төгсгөх нөхцөл. **<дүрслэл>**

시다 (тэмдэг нэр) : 맛이 식초와 같다.
исгэлэн
амт нь цагаан цуу мэт.

-어요 : (두루높임으로) 어떤 사실을 서술하거나 질문, 명령, 권유함을 나타내는 종결 어미.
Тохирох Үг хэллэг байхгүй байна
(хүндэтгэлийн энгийн Үг хэллэг) ямар нэгэн зүйлийг хүүрнэх, асуух, тушаах, уриалах яв длыг илэрхийлдэг төгсгөх нөхцөл. **<дүрслэл>**

달콤하다 (тэмдэг нэр) : 맛이나 냄새가 기분 좋게 달다.
амттай, анхилуун, аятайхан, чихэр амтагдсан
сэтгэл сэргэм чихэрлэг сайхан амт Үнэртэй байх.

-여 : (두루낮춤으로) 어떤 사실을 서술하거나 물음, 명령, 권유를 나타내는 종결 어미.
Тохирох Үг хэллэг байхгҮй байна
(хҮндэтгэлийн бус энгийн Үг хэллэг) ямар нэгэн зҮйлийг хҮҮрнэх, асуух буюу тушаал, зөвлөмж зэргийг илэрхийлдэг төгсгөх нөхцөл. **<дҮрслэл>**

새콤하다 (тэмдэг нэр) : 맛이 조금 시면서 상큼하다.
сэнгэнэсэн, амтлаг
амт нь бага зэрэг исгэлэн, амтлаг сэнгэнэсэн байх.

-여 : (두루낮춤으로) 어떤 사실을 서술하거나 물음, 명령, 권유를 나타내는 종결 어미.
Тохирох Үг хэллэг байхгҮй байна
(хҮндэтгэлийн бус энгийн Үг хэллэг) ямар нэгэн зҮйлийг хҮҮрнэх, асуух буюу тушаал, зөвлөмж зэргийг илэрхийлдэг төгсгөх нөхцөл. **<дҮрслэл>**

맛있+는 과일 과일 과일.

맛있다 (тэмдэг нэр) : 맛이 좋다.
амттай, амтлаг
амт чанар сайн байх.

-는 : 앞의 말이 관형어의 기능을 하게 만들고 사건이나 동작이 현재 일어남을 나타내는 어미.
Тохирох Үг хэллэг байхгҮй байна
өмнөх Үгийг тодотгол гишҮҮний ҮҮрэгтэй болгож, хэрэг явдал буюу Үйлдэл нь одоо өрнөж байгааг илэрхийлдэг нөхцөл.

과일 (нэр Үг) : 사과, 배, 포도, 밤 등과 같이 나뭇가지나 줄기에 열리는 먹을 수 있는 열매.
жимс
алим, лийр, усан Үзэм, туулайн бөөртэй адил модны мөчирт ургадаг, идэж болох ургамлын амтлаг Үр жимс.

아삭아삭 과일 과일.

아삭아삭 (дайвар Үг) : 연하고 싱싱한 과일이나 채소를 베어 물 때 나는 소리.
шар шар, шар шур
зөөлөн, шинэхэн жимс, хҮнсний ногоог хазахад гардаг чимээ.

과일 (нэр Үг) : 사과, 배, 포도, 밤 등과 같이 나뭇가지나 줄기에 열리는 먹을 수 있는 열매.
жимс
алим, лийр, усан Үзэм, туулайн бөөртэй адил модны мөчирт ургадаг, идэж болох ургам лын амтлаг Үр жимс.

먹+[고 싶]+어, 과일 과일.

먹다 (Үйл Үг) : 음식 등을 입을 통하여 배 속에 들여보내다.
идэх
хоол хҮнс зэргийг амаар дамжуулан гэдсэндээ хийх.

-고 싶다 : 앞의 말이 나타내는 행동을 하기를 원함을 나타내는 표현.
Тохирох Үг хэллэг байхгҮй байна
өмнөх Үгийн илэрхийлж буй Үйлдлийг хийхийг хҮсэх явдлыг илэрхийлдэг Үг хэллэг.

-어 : (두루낮춤으로) 어떤 사실을 서술하거나 물음, 명령, 권유를 나타내는 종결 어미.
Тохирох Үг хэллэг байхгҮй байна
(хҮндэтгэлийн бус энгийн Үг хэллэг) ямар нэгэн зҮйлийг дҮрслэх буюу асуулт, тушаал, зөвлөмж зэргийг илэрхийлдэг төгсгөх нөхцөл. **<дҮрслэл>**

과일 (нэр Үг) : 사과, 배, 포도, 밤 등과 같이 나뭇가지나 줄기에 열리는 먹을 수 있는 열매.
жимс
алим, лийр, усан Үзэм, туулайн бөөртэй адил модны мөчирт ургадаг, идэж болох ургам лын амтлаг Үр жимс.

맛있+는 과일 과일 과일.

맛있다 (тэмдэг нэр) : 맛이 좋다.
амттай, амтлаг
амт чанар сайн байх.

-는 : 앞의 말이 관형어의 기능을 하게 만들고 사건이나 동작이 현재 일어남을 나타내는 어미.
Тохирох Үг хэллэг байхгҮй байна
өмнөх Үгийг тодотгол гишҮҮний ҮҮрэгтэй болгож, хэрэг явдал буюу Үйлдэл нь одоо өр нөж байгааг илэрхийлдэг нөхцөл.

과일 (нэр Үг) : 사과, 배, 포도, 밤 등과 같이 나뭇가지나 줄기에 열리는 먹을 수 있는 열매.
жимс
алим, лийр, усан Үзэм, туулайн бөөртэй адил модны мөчирт ургадаг, идэж болох ургам лын амтлаг Үр жимс.

아삭아삭 과일 과일.

아삭아삭 (дайвар Үг) : 연하고 싱싱한 과일이나 채소를 베어 물 때 나는 소리.
шар шар, шар шур
зөөлөн, шинэхэн жимс, хҮнсний ногоог хазахад гардаг чимээ.

과일 (нэр Үг) : 사과, 배, 포도, 밤 등과 같이 나뭇가지나 줄기에 열리는 먹을 수 있는 열매.
жимс
алим, лийр, усан Үзэм, туулайн бөөртэй адил модны мөчирт ургадаг, идэж болох ургам лын амтлаг Үр жимс.

먹+[고 싶]+어, 과일 과일.

먹다 (Үйл Үг) : 음식 등을 입을 통하여 배 속에 들여보내다.
идэх
хоол хҮнс зэргийг амаар дамжуулан гэдсэндээ хийх.

-고 싶다 : 앞의 말이 나타내는 행동을 하기를 원함을 나타내는 표현.
Тохирох Үг хэллэг байхгҮй байна
өмнөх Үгийн илэрхийлж буй Үйлдлийг хийхийг хҮсэх явдлыг илэрхийлдэг Үг хэллэг.

-어 : (두루낮춤으로) 어떤 사실을 서술하거나 물음, 명령, 권유를 나타내는 종결 어미.
Тохирох Үг хэллэг байхгҮй байна
(хҮндэтгэлийн бус энгийн Үг хэллэг) ямар нэгэн зҮйлийг дҮрслэх буюу асуулт, тушаал, зөвлөмж зэргийг илэрхийлдэг төгсгөх нөхцөл. **<дҮрслэл>**

과일 (нэр Үг) : 사과, 배, 포도, 밤 등과 같이 나뭇가지나 줄기에 열리는 먹을 수 있는 열매.
жимс
алим, лийр, усан Үзэм, туулайн бөөртэй адил модны мөчирт ургадаг, идэж болох ургам лын амтлаг Үр жимс.

먹+[고 싶]+어, 과일 과일.

먹다 (Үйл Үг) : 음식 등을 입을 통하여 배 속에 들여보내다.
идэх
хоол хҮнс зэргийг амаар дамжуулан гэдсэндээ хийх.

-고 싶다 : 앞의 말이 나타내는 행동을 하기를 원함을 나타내는 표현.

Тохирох Үг хэллэг байхгҮй байна

өмнөх Үгийн илэрхийлж буй Үйлдлийг хийхийг хҮсэх явдлыг илэрхийлдэг Үг хэллэг.

-어 : (두루낮춤으로) 어떤 사실을 서술하거나 물음, 명령, 권유를 나타내는 종결 어미.

Тохирох Үг хэллэг байхгҮй байна

(хҮндэтгэлийн бус энгийн Үг хэллэг) ямар нэгэн зҮйлийг дҮрслэх буюу асуулт, тушаал, зөвлөмж зэргийг илэрхийлдэг төгсгөх нөхцөл. **<дҮрслэл>**

과일 (нэр Үг) : 사과, 배, 포도, 밤 등과 같이 나뭇가지나 줄기에 열리는 먹을 수 있는 열매.

жимс

алим, лийр, усан Үзэм, туулайн бөөртэй адил модны мөчирт ургадаг, идэж болох ургамлын амтлаг Үр жимс.

< 3 >

신체송

신체(тело) 송(дуу)

[발음(дуудлага)]

< 1 절(бадаг) >

머리, 어깨, 무릎, 발, 무릎, 발, 머리, 어깨, 무릎, 발, 무릎, 발
머리, 어깨, 무릅, 발, 무릅, 발, 머리, 어깨, 무릅, 발, 무릅, 발
meori, eokkae, mureup, bal, mureup, bal, meori, eokkae, mureup, bal, mureup, bal

머리, 어깨, 무릎, 발, 머리, 어깨, 무릎, 발
머리, 어깨, 무릅, 발, 머리, 어깨, 무릅, 발
meori, eokkae, mureup, bal, meori, eokkae, mureup, bal

머리, 어깨, 무릎, 발, 머리, 어깨, 무릎, 발
머리, 어깨, 무릅, 발, 머리, 어깨, 무릅, 발
meori, eokkae, mureup, bal, meori, eokkae, mureup, bal

머리, 머리, 머리카락
머리, 머리, 머리카락
meori, meori, meorikarak

얼굴, 얼굴, 얼굴, 이마
얼굴, 얼굴, 얼굴, 이마
eolgul, eolgul, eolgul, ima

눈, 코, 입, 귀, 눈, 코, 입, 귀
눈, 코, 입, 귀, 눈, 코, 입, 귀
nun, ko, ip, gwi, nun, ko, ip, gwi

머리, 머리, 머리카락
머리, 머리, 머리카락
meori, meori, meorikarak

얼굴, 얼굴, 얼굴, 이마
얼굴, 얼굴, 얼굴, 이마
eolgul, eolgul, eolgul, ima

눈, 코, 입, 귀, 눈, 코, 입, 귀
눈, 코, 입, 귀, 눈, 코, 입, 귀
nun, ko, ip, gwi, nun, ko, ip, gwi

신나게 흔들어요
신나게 흔드러요
sinnage heundeureoyo

다 함께 춤을 춰요
다 함께 추믈 춰요
da hamkke chumeul chwoyo

즐겁게 흔들어요
즐겁께 흔드러요
jeulgeopge heundeureoyo

우리 모두 춤을 춰요
우리 모두 추믈 춰요
uri modu chumeul chwoyo

< 2 절(бадаг) >

머리, 어깨, 무릎, 발, 무릎, 발, 머리, 어깨, 무릎, 발, 무릎, 발
머리, 어깨, 무릅, 발, 무릅, 발, 머리, 어깨, 무릅, 발, 무릅, 발
meori, eokkae, mureup, bal, mureup, bal, meori, eokkae, mureup, bal, mureup, bal

머리, 어깨, 무릎, 발, 머리, 어깨, 무릎, 발
머리, 어깨, 무릅, 발, 머리, 어깨, 무릅, 발
meori, eokkae, mureup, bal, meori, eokkae, mureup, bal

팔, 팔, 팔, 손
팔, 팔, 팔, 손
pal, pal, pal, son

다리, 다리, 다리, 발
다리, 다리, 다리, 발
dari, dari, dari, bal

가슴, 허리, 엉덩이, 가슴, 허리, 엉덩이
가슴, 허리, 엉덩이, 가슴, 허리, 엉덩이
gaseum, heori, eongdeongi, gaseum, heori, eongdeongi

팔, 팔, 팔, 손
팔, 팔, 팔, 손
pal, pal, pal, son

다리, 다리, 다리, 발
다리, 다리, 다리, 발
dari, dari, dari, bal

가슴, 허리, 엉덩이, 가슴, 허리, 엉덩이
가슴, 허리, 엉덩이, 가슴, 허리, 엉덩이
gaseum, heori, eongdeongi, gaseum, heori, eongdeongi

신나게 흔들어요
신나게 흔드러요
sinnage heundeureoyo

다 함께 춤을 춰요
다 함께 추믈 춰요
da hamkke chumeul chwoyo

즐겁게 흔들어요
즐겁께 흔드러요
jeulgeopge heundeureoyo

우리 모두 춤을 춰요
우리 모두 추믈 춰요
uri modu chumeul chwoyo

< 3 절(бадаг) >

머리, 어깨, 무릎, 발, 무릎, 발, 머리, 어깨, 무릎, 발, 무릎, 발
머리, 어깨, 무릅, 발, 무릅, 발, 머리, 어깨, 무릅, 발, 무릅, 발
meori, eokkae, mureup, bal, mureup, bal, meori, eokkae, mureup, bal, mureup, bal

머리, 어깨, 무릎, 발, 머리, 어깨, 무릎, 발
머리, 어깨, 무릅, 발, 머리, 어깨, 무릅, 발
meori, eokkae, mureup, bal, meori, eokkae, mureup, bal

< 1 절(бадаг) >

머리, 어깨, 무릎, 발, 무릎, 발, 머리, 어깨, 무릎, 발, 무릎, 발

머리 (нэр Үг) : 사람이나 동물의 몸에서 얼굴과 머리털이 있는 부분을 모두 포함한 목 위의 부분.
толгой, гавал
хҮн амьтны биеийн нҮҮр, Үс байх хэсгийг бҮхэлд нь багтаасан хҮзҮҮний дээд хэсэг.

어깨 (нэр Үг) : 목의 아래 끝에서 팔의 위 끝에 이르는 몸의 부분.
мөр
хҮзҮҮний доод төгсгөлөөс гарын дээд төгсгөл хҮртэлх биеийн хэсэг.

무릎 (нэр Үг) : 허벅지와 종아리 사이에 앞쪽으로 둥글게 튀어나온 부분.
өвдөг
гуя болон тахимын хооронд урагшаа товойн гарсан хэсэг.

발 (нэр Үг) : 사람이나 동물의 다리 맨 끝부분.
хөл
хҮн, амьтны хөлний ҮзҮҮр хэсэг.

머리, 어깨, 무릎, 발, 머리, 어깨, 무릎, 발

머리 (нэр Үг) : 사람이나 동물의 몸에서 얼굴과 머리털이 있는 부분을 모두 포함한 목 위의 부분.
толгой, гавал
хҮн амьтны биеийн нҮҮр, Үс байх хэсгийг бҮхэлд нь багтаасан хҮзҮҮний дээд хэсэг.

어깨 (нэр Үг) : 목의 아래 끝에서 팔의 위 끝에 이르는 몸의 부분.
мөр
хҮзҮҮний доод төгсгөлөөс гарын дээд төгсгөл хҮртэлх биеийн хэсэг.

무릎 (нэр Үг) : 허벅지와 종아리 사이에 앞쪽으로 둥글게 튀어나온 부분.
өвдөг
гуя болон тахимын хооронд урагшаа товойн гарсан хэсэг.

발 (нэр Үг) : 사람이나 동물의 다리 맨 끝부분.
хөл
хҮн, амьтны хөлний ҮзҮҮр хэсэг.

머리, 어깨, 무릎, 발, 머리, 어깨, 무릎, 발

머리 (нэр Үг) : 사람이나 동물의 몸에서 얼굴과 머리털이 있는 부분을 모두 포함한 목 위의 부분.
толгой, гавал
хҮн амьтны биеийн нҮҮр, Үс байх хэсгийг бҮхэлд нь багтаасан хҮзҮҮний дээд хэсэг.

어깨 (нэр Үг) : 목의 아래 끝에서 팔의 위 끝에 이르는 몸의 부분.
мөр
хҮзҮҮний доод төгсгөлөөс гарын дээд төгсгөл хҮртэлх биеийн хэсэг.

무릎 (нэр Үг) : 허벅지와 종아리 사이에 앞쪽으로 둥글게 튀어나온 부분.
өвдөг
гуя болон тахимын хооронд урагшаа товойн гарсан хэсэг.

발 (нэр Үг) : 사람이나 동물의 다리 맨 끝부분.
хөл
хҮн, амьтны хөлний ҮзҮҮр хэсэг.

머리, 머리, 머리카락

머리 (нэр Үг) : 사람이나 동물의 몸에서 얼굴과 머리털이 있는 부분을 모두 포함한 목 위의 부분.
толгой, гавал
хҮн амьтны биеийн нҮҮр, Үс байх хэсгийг бҮхэлд нь багтаасан хҮзҮҮний дээд хэсэг.

머리카락 (нэр Үг) : 머리털 하나하나.
Үс
Үсний ширхэг нэг бҮр.

얼굴, 얼굴, 얼굴, 이마

얼굴 (нэр Үг) : 눈, 코, 입이 있는 머리의 앞쪽 부분.
нҮҮр
нҮд, хамар, ам байх толгойн урд хэсэг.

이마 (нэр Үг) : 얼굴의 눈썹 위부터 머리카락이 난 아래까지의 부분.
дух
хөмсөгнөөс дээших Үс ургасан хэсэг хҮртэлх газар.

눈, 코, 입, 귀, 눈, 코, 입, 귀

눈 (нэр Үг) : 사람이나 동물의 얼굴에 있으며 빛의 자극을 받아 물체를 볼 수 있는 감각 기관.
нҮд
хҮн ба амьтны нҮҮрэнд байх бөгөөд гэрлийн нөлөөллөөр биетийг хардаг мэдрэхҮйн эрх тэн.

코 (нэр Үг) : 숨을 쉬고 냄새를 맡는 몸의 한 부분.
хамар
амьсгалж, Үнэр мэдрэх биеийн нэг хэсэг.

입 (нэр Үг) : 음식을 먹고 소리를 내는 기관으로 입술에서 목구멍까지의 부분.
ам
хоол идэж, дуу авиа гаргадаг эрхтэн болох уруулаас хоолой хҮртэлх хэсэг.

귀 (нэр Үг) : 사람이나 동물의 머리 양옆에 있어 소리를 듣는 몸의 한 부분.
чих
хҮн болон амьтны толгойн хоёр талд байдаг дуу чимээ сонсох эрхтэн.

머리, 머리, 머리카락

머리 (нэр Үг) : 사람이나 동물의 몸에서 얼굴과 머리털이 있는 부분을 모두 포함한 목 위의 부분.
толгой, гавал
хҮн амьтны биеийн нҮҮр, Үс байх хэсгийг бҮхэлд нь багтаасан хҮзҮҮний дээд хэсэг.

머리카락 (нэр Үг) : 머리털 하나하나.
Үс
Үсний ширхэг нэг бҮр.

얼굴, 얼굴, 얼굴, 이마

얼굴 (нэр Үг) : 눈, 코, 입이 있는 머리의 앞쪽 부분.
нҮҮр
нҮд, хамар, ам байх толгойн урд хэсэг.

이마 (нэр Үг) : 얼굴의 눈썹 위부터 머리카락이 난 아래까지의 부분.
дух
хөмсөгнөөс дээших Үс ургасан хэсэг хҮртэлх газар.

눈, 코, 입, 귀, 눈, 코, 입, 귀

눈 (нэр Үг) : 사람이나 동물의 얼굴에 있으며 빛의 자극을 받아 물체를 볼 수 있는 감각 기관.
нҮд
хҮн ба амьтны нҮҮрэнд байх бөгөөд гэрлийн нөлөөллөөр биетийг хардаг мэдрэхҮйн эрхтэн.

코 (нэр Үг) : 숨을 쉬고 냄새를 맡는 몸의 한 부분.
хамар
амьсгалж, Үнэр мэдрэх биеийн нэг хэсэг.

입 (нэр Үг) : 음식을 먹고 소리를 내는 기관으로 입술에서 목구멍까지의 부분.
ам
хоол идэж, дуу авиа гаргадаг эрхтэн болох уруулаас хоолой хҮртэлх хэсэг.

귀 (нэр Үг) : 사람이나 동물의 머리 양옆에 있어 소리를 듣는 몸의 한 부분.
чих
хҮн болон амьтны толгойн хоёр талд байдаг дуу чимээ сонсох эрхтэн.

신나+게 흔들+어요.

신나다 (Үйл Үг) : 흥이 나고 기분이 아주 좋아지다.
хөөрөх, хөөрцөглөх
хөөр баяр болон сэтгэл санаа маш сайхан байх.

-게 : 앞의 말이 뒤에서 가리키는 일의 목적이나 결과, 방식, 정도 등이 됨을 나타내는 연결 어미.
Тохирох Үг хэллэг байхгҮй байна
өмнөх агуулга ард нь зааж буй байдал, зорилго, Үр дҮн, арга барил, хэмжээ зэрэг болохыг илэрхийлдэг холбох нөхцөл. **<арга маяг>**

흔들다 (Үйл Үг) : 무엇을 좌우, 앞뒤로 자꾸 움직이게 하다.
даллах, хөдөлгөх, сэгсчих
юмыг баруун зҮҮн, урагш хойш байнга хөдөлгөх.

-어요 : (두루높임으로) 어떤 사실을 서술하거나 질문, 명령, 권유함을 나타내는 종결 어미.
Тохирох Үг хэллэг байхгҮй байна
(хҮндэтгэлийн энгийн Үг хэллэг) ямар нэгэн зҮйлийг хҮҮрнэх, асуух, тушаах, уриалах явдлыг илэрхийлдэг төгсгөх нөхцөл. **<тушаал>**

다 함께 춤+을 추+어요.
춰요

다 (дайвар Үг) : 남거나 빠진 것이 없이 모두.
бҮгд, цөм, бҮх, бүлт
Үлдэж гээгдсэн зҮйлгҮй бҮгд.

함께 (дайвар Үг) : 여럿이서 한꺼번에 같이.
хамт
олуулаа нэгэн зэрэг хамт.

춤 (нэр Үг) : 음악이나 규칙적인 박자에 맞춰 몸을 움직이는 것.
бҮжиг
хөгжим юмуу тодорхой хэмнэлд тааруулан биеэ хөдөлгөх явдал.

을 : 서술어의 명사형 목적어임을 나타내는 조사.
Тохирох Үг хэллэг байхгҮй байна
өгҮҮлэхҮҮн гишҮҮн нэрийн шинжтэй тусагдахуун гишҮҮн болохыг заах нөхцөл.

추다 (Үйл Үг) : 춤 동작을 하다.
бҮжиглэх
бҮжиг хийх.

-어요 : (두루높임으로) 어떤 사실을 서술하거나 질문, 명령, 권유함을 나타내는 종결 어미.
Тохирох Үг хэллэг байхгҮй байна
(хҮндэтгэлийн энгийн Үг хэллэг) ямар нэгэн зҮйлийг хҮҮрнэх, асуух, тушаах, уриалах яв
длыг илэрхийлдэг төгсгөх нөхцөл. **<тушаал>**

즐겁+게 흔들+어요.

즐겁다 (тэмдэг нэр) : 마음에 들어 흐뭇하고 기쁘다.
хөгжилтэй, баяртай, баяр хөөртэй
сэтгэлд нийцэн, тааламжтай баяртай байх.

-게 : 앞의 말이 뒤에서 가리키는 일의 목적이나 결과, 방식, 정도 등이 됨을 나타내는 연결 어미.
Тохирох Үг хэллэг байхгҮй байна
өмнөх агуулга ард нь зааж буй байдал, зорилго, Үр дҮн, арга барил, хэмжээ зэрэг боло
хыг илэрхийлдэг холбох нөхцөл. **<арга маяг>**

흔들다 (Үйл Үг) : 무엇을 좌우, 앞뒤로 자꾸 움직이게 하다.
даллах, хөдөлгөх, сэгсчих
юмыг баруун зүүн, урагш хойш байнга хөдөлгөх.

-어요 : (두루높임으로) 어떤 사실을 서술하거나 질문, 명령, 권유함을 나타내는 종결 어미.
Тохирох Үг хэллэг байхгүй байна
(хүндэтгэлийн энгийн Үг хэллэг) ямар нэгэн зүйлийг хүүрнэх, асуух, тушаах, уриалах яв длыг илэрхийлдэг төгсгөх нөхцөл. **<тушаал>**

우리 모두 춤+을 추+어요.
춰요

우리 (төлөөний Үг) : 말하는 사람이 자기와 듣는 사람 또는 이를 포함한 여러 사람들을 가리키는 말.
бид, манай, хэдүүлээ
ярьж байгаа хүн өөрөө болон түүнийг сонсож байгаа хүн, мөн энд хамрагдаж байгаа хэ д хэдэн хүнийг заах Үг.

모두 (дайвар Үг) : 빠짐없이 다.
бүгд, бүгдээрээ, цөмөөрөө, хамт
юу ч Үлдэлгүй бүгд хамт.

춤 (нэр Үг) : 음악이나 규칙적인 박자에 맞춰 몸을 움직이는 것.
бүжиг
хөгжим юмуу тодорхой хэмнэлд тааруулан биеэ хөдөлгөх явдал.

을 : 서술어의 명사형 목적어임을 나타내는 조사.
Тохирох Үг хэллэг байхгүй байна
өгүүлэхүүн гишүүн нэрийн шинжтэй тусагдахуун гишүүн болохыг заах нөхцөл.

추다 (Үйл Үг) : 춤 동작을 하다.
бүжиглэх
бүжиг хийх.

-어요 : (두루높임으로) 어떤 사실을 서술하거나 질문, 명령, 권유함을 나타내는 종결 어미.
Тохирох Үг хэллэг байхгүй байна
(хүндэтгэлийн энгийн Үг хэллэг) ямар нэгэн зүйлийг хүүрнэх, асуух, тушаах, уриалах яв длыг илэрхийлдэг төгсгөх нөхцөл. **<тушаал>**

< 2 절(бадаг) >

머리, 어깨, 무릎, 발, 무릎, 발, 머리, 어깨, 무릎, 발, 무릎, 발

머리 (нэр Yг) : 사람이나 동물의 몸에서 얼굴과 머리털이 있는 부분을 모두 포함한 목 위의 부분.
толгой, гавал
хYн амьтны биеийн нYYр, Yс байх хэсгийг бYхэлд нь багтаасан хYзYYний дээд хэсэг.

어깨 (нэр Yг) : 목의 아래 끝에서 팔의 위 끝에 이르는 몸의 부분.
мөр
хYзYYний доод төгсгөлөөс гарын дээд төгсгөл хYртэлх биеийн хэсэг.

무릎 (нэр Yг) : 허벅지와 종아리 사이에 앞쪽으로 둥글게 튀어나온 부분.
өвдөг
гуя болон тахимын хооронд урагшаа товойн гарсан хэсэг.

발 (нэр Yг) : 사람이나 동물의 다리 맨 끝부분.
хөл
хYн, амьтны хөлний YзYYр хэсэг.

머리, 어깨, 무릎, 발, 머리, 어깨, 무릎, 발

머리 (нэр Yг) : 사람이나 동물의 몸에서 얼굴과 머리털이 있는 부분을 모두 포함한 목 위의 부분.
толгой, гавал
хYн амьтны биеийн нYYр, Yс байх хэсгийг бYхэлд нь багтаасан хYзYYний дээд хэсэг.

어깨 (нэр Yг) : 목의 아래 끝에서 팔의 위 끝에 이르는 몸의 부분.
мөр
хYзYYний доод төгсгөлөөс гарын дээд төгсгөл хYртэлх биеийн хэсэг.

무릎 (нэр Yг) : 허벅지와 종아리 사이에 앞쪽으로 둥글게 튀어나온 부분.
өвдөг
гуя болон тахимын хооронд урагшаа товойн гарсан хэсэг.

발 (нэр Yг) : 사람이나 동물의 다리 맨 끝부분.
хөл
хYн, амьтны хөлний YзYYр хэсэг.

머리, 어깨, 무릎, 발, 머리, 어깨, 무릎, 발

머리 (нэр Yг) : 사람이나 동물의 몸에서 얼굴과 머리털이 있는 부분을 모두 포함한 목 위의 부분.
толгой, гавал
хYн амьтны биеийн нYYр, Yс байх хэсгийг бYхэлд нь багтаасан хYзYYний дээд хэсэг.

어깨 (нэр Yг) : 목의 아래 끝에서 팔의 위 끝에 이르는 몸의 부분.
мөр
хYзYYний доод төгсгөлөөс гарын дээд төгсгөл хYртэлх биеийн хэсэг.

무릎 (нэр Yг) : 허벅지와 종아리 사이에 앞쪽으로 둥글게 튀어나온 부분.
өвдөг
гуя болон тахимын хооронд урагшаа товойн гарсан хэсэг.

발 (нэр Yг) : 사람이나 동물의 다리 맨 끝부분.
хөл
хYн, амьтны хөлний YзYYр хэсэг.

팔, 팔, 팔, 손

팔 (нэр Yг) : 어깨에서 손목까지의 신체 부위.
гар
хYний, мөрнөөс гарын бугуй хYртэлх хэсэг.

손 (нэр Yг) : 팔목 끝에 있으며 무엇을 만지거나 잡을 때 쓰는 몸의 부분.
гар
гарын бугуйн YзYYрт байх, ямар нэг зYйлд хYрэх, барих Yед хэрэглэдэг биеийн хэсэг.

다리, 다리, 다리, 발

다리 (нэр Yг) : 사람이나 동물의 몸통 아래에 붙어, 서고 걷고 뛰는 일을 하는 신체 부위.
хөл
хYн ба амьтны эх биеийн доод хэсэгт залгаатай, зогсох, алхах, гYйх YYрэг гYйцэтгэдэг биеийн эрхтэн.

발 (нэр Yг) : 사람이나 동물의 다리 맨 끝부분.
хөл
хYн, амьтны хөлний YзYYр хэсэг.

가슴, 허리, 엉덩이, 가슴, 허리, 엉덩이

가슴 (нэр Yг) : 인간이나 동물의 목과 배 사이에 있는 몸의 앞 부분.
цээж
хYн, амьтны хYзYY ба хэвлийн хооронд орших биеийн хэсэг.

허리 (нэр Yг) : 사람이나 동물의 신체에서 갈비뼈 아래에서 엉덩이뼈까지의 부분.
бэлхYYс, бYсэлхий
хYн болон амьтны биеийн хавирганы ясны доороос өгзөгний яс хоорондох хэсэг газар.

엉덩이 (нэр Yг) : 허리와 허벅지 사이의 부분으로 앉았을 때 바닥에 닿는, 살이 많은 부위.
бөгс, хондлой, өгзөг, хонго
бэлхYYс болон гуяны хооронд байх хэсэг бөгөөд суухад газар хYрэлцдэг, мах ихтэй хэсэг.

팔, 팔, 팔, 손

팔 (нэр Yг) : 어깨에서 손목까지의 신체 부위.
гар
хYний, мөрнөөс гарын бугуй хYртэлх хэсэг.

손 (нэр Yг) : 팔목 끝에 있으며 무엇을 만지거나 잡을 때 쓰는 몸의 부분.
гар
гарын бугуйн YзYYрт байх, ямар нэг зYйлд хYрэх, барих Yед хэрэглэдэг биеийн хэсэг.

다리, 다리, 다리, 발

다리 (нэр Yг) : 사람이나 동물의 몸통 아래에 붙어, 서고 걷고 뛰는 일을 하는 신체 부위.
хөл
хYн ба амьтны эх биеийн доод хэсэгт залгаатай, зогсох, алхах, гYйх YYрэг гYйцэтгэдэг биеийн эрхтэн.

발 (нэр Yг) : 사람이나 동물의 다리 맨 끝부분.
хөл
хYн, амьтны хөлний YзYYр хэсэг.

가슴, 허리, 엉덩이, 가슴, 허리, 엉덩이

가슴 (нэр Үг) : 인간이나 동물의 목과 배 사이에 있는 몸의 앞 부분.
цээж
хҮн, амьтны хҮзҮҮ ба хэвлийн хооронд орших биеийн хэсэг.

허리 (нэр Үг) : 사람이나 동물의 신체에서 갈비뼈 아래에서 엉덩이뼈까지의 부분.
бэлхҮҮс, бҮсэлхий
хҮн болон амьтны биеийн хавирганы ясны доороос өгзөгний яс хоорондох хэсэг газар.

엉덩이 (нэр Үг) : 허리와 허벅지 사이의 부분으로 앉았을 때 바닥에 닿는, 살이 많은 부위.
бөгс, хондлой, өгзөг, хонго
бэлхҮҮс болон гуяны хооронд байх хэсэг бөгөөд суухад газар хҮрэлцдэг, мах ихтэй хэсэг.

신나+게 흔들+어요.

신나다 (Үйл Үг) : 흥이 나고 기분이 아주 좋아지다.
хөөрөх, хөөрцөглөх
хөөр баяр болон сэтгэл санаа маш сайхан байх.

-게 : 앞의 말이 뒤에서 가리키는 일의 목적이나 결과, 방식, 정도 등이 됨을 나타내는 연결 어미.
Тохирох Үг хэллэг байхгҮй байна
өмнөх агуулга ард нь зааж буй байдал, зорилго, Үр дҮн, арга барил, хэмжээ зэрэг болохыг илэрхийлдэг холбох нөхцөл. **<арга маяг>**

흔들다 (Үйл Үг) : 무엇을 좌우, 앞뒤로 자꾸 움직이게 하다.
даллах, хөдөлгөх, сэгсчих
юмыг баруун зҮҮн, урагш хойш байнга хөдөлгөх.

-어요 : (두루높임으로) 어떤 사실을 서술하거나 질문, 명령, 권유함을 나타내는 종결 어미.
Тохирох Үг хэллэг байхгҮй байна
(хҮндэтгэлийн энгийн Үг хэллэг) ямар нэгэн зҮйлийг хҮҮрнэх, асуух, тушаах, уриалах явдлыг илэрхийлдэг төгсгөх нөхцөл. **<тушаал>**

다 함께 춤+을 추+어요.
춰요

다 (дайвар Үг) : 남거나 빠진 것이 없이 모두.
бҮгд, цөм, бҮх, бупт
Үлдэж гээгдсэн зҮйлгҮй бҮгд.

함께 (дайвар Yг) : 여럿이서 한꺼번에 같이.
хамт
олуулаа нэгэн зэрэг хамт.

춤 (нэр Yг) : 음악이나 규칙적인 박자에 맞춰 몸을 움직이는 것.
бYжиг
хөгжим юмуу тодорхой хэмнэлд тааруулан биеэ хөдөлгөх явдал.

을 : 서술어의 명사형 목적어임을 나타내는 조사.
Тохирох Yг хэллэг байхгYй байна
өгYYлэхYYн гишYYн нэрийн шинжтэй тусгадахуун гишYYн болохыг заах нөхцөл.

추다 (Yйл Yг) : 춤 동작을 하다.
бYжиглэх
бYжиг хийх.

-어요 : (두루높임으로) 어떤 사실을 서술하거나 질문, 명령, 권유함을 나타내는 종결 어미.
Тохирох Yг хэллэг байхгYй байна
(хYндэтгэлийн энгийн Yг хэллэг) ямар нэгэн зYйлийг хYYрнэх, асуух, тушаах, уриалах яв длыг илэрхийлдэг төгсгөх нөхцөл. **<тушаал>**

즐겁+게 흔들+어요.

즐겁다 (тэмдэг нэр) : 마음에 들어 흐뭇하고 기쁘다.
хөгжилтэй, баяртай, баяр хөөртэй
сэтгэлд нийцэн, тааламжтай баяртай байх.

-게 : 앞의 말이 뒤에서 가리키는 일의 목적이나 결과, 방식, 정도 등이 됨을 나타내는 연결 어미.
Тохирох Yг хэллэг байхгYй байна
өмнөх агуулга ард нь зааж буй байдал, зорилго, Yр дYн, арга барил, хэмжээ зэрэг боло хыг илэрхийлдэг холбох нөхцөл. **<арга маяг>**

흔들다 (Yйл Yг) : 무엇을 좌우, 앞뒤로 자꾸 움직이게 하다.
даллах, хөдөлгөх, сэгсчих
юмыг баруун зYYн, урагш хойш байнга хөдөлгөх.

-어요 : (두루높임으로) 어떤 사실을 서술하거나 질문, 명령, 권유함을 나타내는 종결 어미.
Тохирох Yг хэллэг байхгYй байна
(хYндэтгэлийн энгийн Yг хэллэг) ямар нэгэн зYйлийг хYYрнэх, асуух, тушаах, уриалах яв длыг илэрхийлдэг төгсгөх нөхцөл. **<тушаал>**

우리 모두 춤+을 추+어요.
춰요

우리 (төлөөний Үг) : 말하는 사람이 자기와 듣는 사람 또는 이를 포함한 여러 사람들을 가리키는 말.
бид, манай, хэдҮҮлээ
ярьж байгаа хҮн өөрөө болон тҮҮнийг сонсож байгаа хҮн, мөн энд хамрагдаж байгаа хэд хэдэн хҮнийг заах Үг.

모두 (дайвар Үг) : 빠짐없이 다.
бҮгд, бҮгдээрээ, цөмөөрөө, хамт
юу ч ҮлдэлгҮй бҮгд хамт.

춤 (нэр Үг) : 음악이나 규칙적인 박자에 맞춰 몸을 움직이는 것.
бҮжиг
хөгжим юмуу тодорхой хэмнэлд тааруулан биеэ хөдөлгөх явдал.

을 : 서술어의 명사형 목적어임을 나타내는 조사.
Тохирох Үг хэллэг байхгҮй байна
өгҮҮлэхҮҮн гишҮҮн нэрийн шинжтэй тусагдахуун гишҮҮн болохыг заах нөхцөл.

추다 (Үйл Үг) : 춤 동작을 하다.
бҮжиглэх
бҮжиг хийх.

-어요 : (두루높임으로) 어떤 사실을 서술하거나 질문, 명령, 권유함을 나타내는 종결 어미.
Тохирох Үг хэллэг байхгҮй байна
(хҮндэтгэлийн энгийн Үг хэллэг) ямар нэгэн зҮйлийг хҮҮрнэх, асуух, тушаах, уриалах явдлыг илэрхийлдэг төгсгөх нөхцөл. **<тушаал>**

< 3 절(бадаг) >

머리, 어깨, 무릎, 발, 무릎, 발, 머리, 어깨, 무릎, 발, 무릎, 발

머리 (нэр Үг) : 사람이나 동물의 몸에서 얼굴과 머리털이 있는 부분을 모두 포함한 목 위의 부분.
толгой, гавал
хҮн амьтны биеийн нҮҮр, Үс байх хэсгийг бҮхэлд нь багтаасан хҮзҮҮний дээд хэсэг.

어깨 (нэр Yг) : 목의 아래 끝에서 팔의 위 끝에 이르는 몸의 부분.
мөр
хYзYYний доод төгсгөлөөс гарын дээд төгсгөл хYртэлх биеийн хэсэг.

무릎 (нэр Yг) : 허벅지와 종아리 사이에 앞쪽으로 둥글게 튀어나온 부분.
өвдөг
гуя болон тахимын хоорондурагшаа товойн гарсан хэсэг.

발 (нэр Yг) : 사람이나 동물의 다리 맨 끝부분.
хөл
хYн, амьтны хөлний YзYYр хэсэг.

머리, 어깨, 무릎, 발, 머리, 어깨, 무릎, 발

머리 (нэр Yг) : 사람이나 동물의 몸에서 얼굴과 머리털이 있는 부분을 모두 포함한 목 위의 부분.
толгой, гавал
хYн амьтны биеийн нYYр, Yс байх хэсгийг бYхэлд нь багтаасан хYзYYний дээд хэсэг.

어깨 (нэр Yг) : 목의 아래 끝에서 팔의 위 끝에 이르는 몸의 부분.
мөр
хYзYYний доод төгсгөлөөс гарын дээд төгсгөл хYртэлх биеийн хэсэг.

무릎 (нэр Yг) : 허벅지와 종아리 사이에 앞쪽으로 둥글게 튀어나온 부분.
өвдөг
гуя болон тахимын хооронд урагшаа товойн гарсан хэсэг.

발 (нэр Yг) : 사람이나 동물의 다리 맨 끝부분.
хөл
хYн, амьтны хөлний YзYYр хэсэг.

머리, 어깨, 무릎, 발, 머리, 어깨, 무릎, 발

머리 (нэр Yг) : 사람이나 동물의 몸에서 얼굴과 머리털이 있는 부분을 모두 포함한 목 위의 부분.
толгой, гавал
хYн амьтны биеийн нYYр, Yс байх хэсгийг бYхэлд нь багтаасан хYзYYний дээд хэсэг.

어깨 (нэр Yг) : 목의 아래 끝에서 팔의 위 끝에 이르는 몸의 부분.
мөр
хYзYYний доод төгсгөлөөс гарын дээд төгсгөл хYртэлх биеийн хэсэг.

무릎 (нэр Үг) : 허벅지와 종아리 사이에 앞쪽으로 둥글게 튀어나온 부분.
өвдөг
гуя болон тахимын хооронд урагшаа товойн гарсан хэсэг.

발 (нэр Үг) : 사람이나 동물의 다리 맨 끝부분.
хөл
хҮн, амьтны хөлний ҮзҮҮр хэсэг.

< 4 >

어때요

나 어때요?
(Би яах вэ?)

[발음(дуудлага)]

< 1 절(бадаг) >

청바지 입었는데 어때요?
청바지 이번는데 어때요?
cheongbaji ibeonneunde eottaeyo?

치마 입었는데 어때요?
치마 이번는데 어때요?
chima ibeonneunde eottaeyo?

반바지는?
반바지는?
banbajineun?

원피스는?
원피스는?
wonpiseuneun?

어때요? 어때요? 어때요? 어때요? 어때요?
어때요? 어때요? 어때요? 어때요? 어때요?
eottaeyo? eottaeyo? eottaeyo? eottaeyo? eottaeyo?

머리 묶었는데 어때요?
머리 무꺼는데 어때요?
meori mukkeonneunde eottaeyo?

머리 풀었는데 어때요?
머리 푸런는데 어때요?
meori pureonneunde eottaeyo?

긴 머리는?
긴 머리는?
gin meorineun?

짧은 머리는?
짤븐 머리는?
jjalbeun meorineun?

어때요? 어때요? 어때요? 어때요? 어때요?
어때요? 어때요? 어때요? 어때요? 어때요?
eottaeyo? eottaeyo? eottaeyo? eottaeyo? eottaeyo?

제 눈과 코와 입술이 얼마나 예뻐 보이나요?
제 눈과 코와 입쑤리 얼마나 예뻐 보이나요?
je nungwa kowa ipsuri eolmana yeppeo boinayo?

나 어때요?
나 어때요?
na eottaeyo?

나 예뻐요?
나 예뻐요?
na yeppeoyo?

어때요? 어때요? 어때요? 어때요? 어때요?
어때요? 어때요? 어때요? 어때요? 어때요?
eottaeyo? eottaeyo? eottaeyo? eottaeyo? eottaeyo?

< 2 절(бадаг) >

운동화 신었는데 어때요?
운동화 시넌는데 어때요?
undonghwa sineonneunde eottaeyo?

구두 신었는데 어때요?
구두 시넌는데 어때요?
gudu sineonneunde eottaeyo?

검은색은?
거믄새근?
geomeunsaegeun?

흰색은?
힌새근?
hinsaegeun?

어때요? 어때요? 어때요? 어때요? 어때요?
어때요? 어때요? 어때요? 어때요? 어때요?
eottaeyo? eottaeyo? eottaeyo? eottaeyo? eottaeyo?

목걸이 찼는데 어때요?
목꺼리 찬는데 어때요?
mokgeori channeunde eottaeyo?

반지 끼었는데 어때요?
반지 끼언는데 어때요?
banji kkieonneunde eottaeyo?

귀걸이는?
귀거리는?
gwigeorineun?

팔찌는?
팔찌는?
paljjineun?

어때요? 어때요? 어때요? 어때요? 어때요?
어때요? 어때요? 어때요? 어때요? 어때요?
eottaeyo? eottaeyo? eottaeyo? eottaeyo? eottaeyo?

제 눈과 코와 입술이 얼마나 예뻐 보이나요?
제 눈과 코와 입쑤리 얼마나 예뻐 보이나요?
je nungwa kowa ipsuri eolmana yeppeo boinayo?

나 어때요?
나 어때요?
na eottaeyo?

나 예뻐요?
나 예뻐요?
na yeppeoyo?

어때요? 어때요? 어때요? 어때요? 어때요?
어때요? 어때요? 어때요? 어때요? 어때요?
eottaeyo? eottaeyo? eottaeyo? eottaeyo? eottaeyo?

< 1 절(бадаг) >

청바지 입+었+는데 어떻+어요?
어때요

청바지 (нэр Үг) : 질긴 무명으로 만든 푸른색 바지.
жинсэн өмд
зузаан даавуугаар хийсэн хөх цэнхэр өнгийн өмд.

입다 (Үйл Үг) : 옷을 몸에 걸치거나 두르다.
өмсөх
хувцсыг биедээ углах буюу биеэ ороох.

-었- : 어떤 사건이 과거에 완료되었거나 그 사건의 결과가 현재까지 지속되는 상황을 나타내는 어미.
Тохирох Үг хэллэг байхгҮй байна
ямар нэгэн хэрэг явдал өнгөрсөн Үед болж өнгөрсөн буюу тухайн Үйлийн Үр дҮн өнөөг хҮртэл Үргэлжилж буй нөхцөл байдлыг илэрхийлдэг нөхцөл.

-는데 : 뒤의 말을 하기 위하여 그 대상과 관련이 있는 상황을 미리 말함을 나타내는 연결 어미.
Тохирох Үг хэллэг байхгҮй байна
арын агуулгыг ярихын тулд тухайн зҮйлтэй холбоотой нөхцөл байдлыг урьдчилан хэлж буйг илэрхийлдэг холбох нөхцөл.

어떻다 (тэмдэг нэр) : 생각, 느낌, 상태, 형편 등이 어찌 되어 있다.
тийм байх, ямар байх
бодол санаа, мэдрэмж, байдал, явц зэрэг хэрхэн болох.

-어요 : (두루높임으로) 어떤 사실을 서술하거나 질문, 명령, 권유함을 나타내는 종결 어미.
Тохирох Үг хэллэг байхгҮй байна
(хҮндэтгэлийн энгийн Үг хэллэг) ямар нэгэн зҮйлийг хҮҮрнэх, асуух, тушаах, уриалах явдлыг илэрхийлдэг төгсгөх нөхцөл. **<асуулт>**

치마 입+었+는데 어떻+어요?
어때요

치마 (нэр Үг) : 여자가 입는 아래 겉옷으로 다리가 들어가도록 된 부분이 없는 옷.
юбка, банзал
эмэгтэй хҮний доогуураа гадуур өмсдөг хөл орох хэсэггҮй хувцас.

입다 (Үйл Үг) : 옷을 몸에 걸치거나 두르다.
өмсөх
хувцсыг биедээ углах буюу биеэ ороох.

-었- : 어떤 사건이 과거에 완료되었거나 그 사건의 결과가 현재까지 지속되는 상황을 나타내는 어미.
Тохирох Үг хэллэг байхгҮй байна
ямар нэгэн хэрэг явдал өнгөрсөн Үед болж өнгөрсөн буюу тухайн Үйлийн Үр дҮн өнөөг хҮртэл Үргэлжилж буй нөхцөл байдлыг илэрхийлдэг нөхцөл.

-는데 : 뒤의 말을 하기 위하여 그 대상과 관련이 있는 상황을 미리 말함을 나타내는 연결 어미.
Тохирох Үг хэллэг байхгҮй байна
арын агуулгыг ярихын тулд тухайн зҮйлтэй холбоотой нөхцөл байдлыг урьдчилан хэлж буйг илэрхийлдэг холбох нөхцөл.

어떻다 (тэмдэг нэр) : 생각, 느낌, 상태, 형편 등이 어찌 되어 있다.
тийм байх, ямар байх
бодол санаа, мэдрэмж, байдал, явц зэрэг хэрхэн болох.

-어요 : (두루높임으로) 어떤 사실을 서술하거나 질문, 명령, 권유함을 나타내는 종결 어미.
Тохирох Үг хэллэг байхгҮй байна
(хҮндэтгэлийн энгийн Үг хэллэг) ямар нэгэн зҮйлийг хҮҮрнэх, асуух, тушаах, уриалах явдлыг илэрхийлдэг төгсгөх нөхцөл. **<асуулт>**

반바지+는?

반바지 (нэр Үг) : 길이가 무릎 위나 무릎 정도까지 내려오는 짧은 바지.
шорт, богино өмд
урт нь өвдөгний дээр буюу өвдөг хҮрсэн богино өмд.

는 : 문장 속에서 어떤 대상이 화제임을 나타내는 조사.
Тохирох Үг хэллэг байхгҮй байна
өгҮҮлбэрт ярианы сэдэв болж буйг илэрхийлдэг нөхцөл.

원피스+는?

원피스 (нэр Үг) : 윗옷과 치마가 하나로 붙어 있는 여자 겉옷.
даашинз
дээд талын хувцас болон юбка нь нэг болж нийлсэн эмэгтэй хҮний гадуур хувцас.

는 : 문장 속에서 어떤 대상이 화제임을 나타내는 조사.
Тохирох Үг хэллэг байхгҮй байна
өгҮҮлбэрт ярианы сэдэв болж буйг илэрхийлдэг нөхцөл.

어떻+어요?
어때요

어떻다 (тэмдэг нэр) : 생각, 느낌, 상태, 형편 등이 어찌 되어 있다.
тийм байх, ямар байх
бодол санаа, мэдрэмж, байдал, явц зэрэг хэрхэн болох.

-어요 : (두루높임으로) 어떤 사실을 서술하거나 질문, 명령, 권유함을 나타내는 종결 어미.
Тохирох Үг хэллэг байхгҮй байна
(хҮндэтгэлийн энгийн Үг хэллэг) ямар нэгэн зҮйлийг хҮҮрнэх, асуух, тушаах, уриалах явдлыг илэрхийлдэг төгсгөх нөхцөл. **<асуулт>**

머리 묶+었+는데 어떻+어요?
어때요

머리 (нэр Үг) : 머리에 난 털.
Үс, толгойн Үс
толгойд ургасан Үс.

묶다 (Үйл Үг) : 끈 등으로 물건을 잡아매다.
уях, боох
уяа, Үдээс зэргээр эд зҮйлийг боох.

-었- : 어떤 사건이 과거에 완료되었거나 그 사건의 결과가 현재까지 지속되는 상황을 나타내는 어미.
Тохирох Үг хэллэг байхгҮй байна
ямар нэгэн хэрэг явдал өнгөрсөн Үед болж өнгөрсөн буюу тухайн Үйлийн Үр дҮн өнөөг хҮртэл Үргэлжилж буй нөхцөл байдлыг илэрхийлдэг нөхцөл.

-는데 : 뒤의 말을 하기 위하여 그 대상과 관련이 있는 상황을 미리 말함을 나타내는 연결 어미.
Тохирох Үг хэллэг байхгҮй байна
арын агуулгыг ярихын тулд тухайн зҮйлтэй холбоотой нөхцөл байдлыг урьдчилан хэлж буйг илэрхийлдэг холбох нөхцөл.

어떻다 (тэмдэг нэр) : 생각, 느낌, 상태, 형편 등이 어찌 되어 있다.
тийм байх, ямар байх
бодол санаа, мэдрэмж, байдал, явц зэрэг хэрхэн болох.

-어요 : (두루높임으로) 어떤 사실을 서술하거나 질문, 명령, 권유함을 나타내는 종결 어미.
Тохирох Үг хэллэг байхгҮй байна
(хҮндэтгэлийн энгийн Үг хэллэг) ямар нэгэн зҮйлийг хҮҮрнэх, асуух, тушаах, уриалах явдлыг илэрхийлдэг төгсгөх нөхцөл. **<асуулт>**

머리 풀+었+는데 어떻+어요?
어때요

머리 (нэр Үг) : 머리에 난 털.
Үс, толгойн Үс
толгойд ургасан Үс.

풀다 (Үйл Үг) : 매이거나 묶이거나 얽힌 것을 원래의 상태로 되게 하다.
тайлах
уягдаж зангидагдсан буюу ороocолдсон зҮйлийг анх байсан хэвэнд нь оруулах.

-었- : 어떤 사건이 과거에 완료되었거나 그 사건의 결과가 현재까지 지속되는 상황을 나타내는 어미.
Тохирох Үг хэллэг байхгҮй байна
ямар нэгэн хэрэг явдал өнгөрсөн Үед болж өнгөрсөн буюу тухайн Үйлийн Үр дҮн өнөөг хҮртэл Үргэлжилж буй нөхцөл байдлыг илэрхийлдэг нөхцөл.

-는데 : 뒤의 말을 하기 위하여 그 대상과 관련이 있는 상황을 미리 말함을 나타내는 연결 어미.
Тохирох Үг хэллэг байхгҮй байна
арын агуулгыг ярихын тулд тухайн зҮйлтэй холбоотой нөхцөл байдлыг урьдчилан хэлж буйг илэрхийлдэг холбох нөхцөл.

어떻다 (тэмдэг нэр) : 생각, 느낌, 상태, 형편 등이 어찌 되어 있다.
тийм байх, ямар байх
бодол санаа, мэдрэмж, байдал, явц зэрэг хэрхэн болох.

-어요 : (두루높임으로) 어떤 사실을 서술하거나 질문, 명령, 권유함을 나타내는 종결 어미.
Тохирох Үг хэллэг байхгҮй байна
(хҮндэтгэлийн энгийн Үг хэллэг) ямар нэгэн зҮйлийг хҮҮрнэх, асуух, тушаах, уриалах явдлыг илэрхийлдэг төгсгөх нөхцөл. **<асуулт>**

길(기)+ㄴ 머리+는?
긴

길다 (тэмдэг нэр) : 물체의 한쪽 끝에서 다른 쪽 끝까지 두 끝이 멀리 떨어져 있다.
урт
юмны хоёр талын YзYYр бие биенээсээ хол байх.

-ㄴ : 앞의 말이 관형어의 기능을 하게 만들고 현재의 상태를 나타내는 어미.
Тохирох Yг хэллэг байхгYй байна
өмнөх Yгийг тодотгол гишYYний YYрэгтэй болгож, одоогийн байдлыг илэрхийлдэг нөхцө л.

머리 (нэр Yг) : 머리에 난 털.
Yс, толгойн Yс
толгойд ургасан Yс.

는 : 문장 속에서 어떤 대상이 화제임을 나타내는 조사.
Тохирох Yг хэллэг байхгYй байна
өгYYлбэрт ярианы сэдэв болж буйг илэрхийлдэг нөхцөл.

짧+은 머리+는?

짧다 (тэмдэг нэр) : 공간이나 물체의 양 끝 사이가 가깝다.
богино
биетийн нэг талаас нөгөө тал хYртэл хоорондын зай ойрхон байх.

-은 : 앞의 말이 관형어의 기능을 하게 만들고 현재의 상태를 나타내는 어미.
Тохирох Yг хэллэг байхгYй байна
өмнөх Yгийг тодотгол гишYYний YYрэгтэй болгож одоогийн нөхцөл байдлыг илэрхийлж буй нөхцөл.

머리 (нэр Yг) : 머리에 난 털.
Yс, толгойн Yс
толгойд ургасан Yс.

는 : 문장 속에서 어떤 대상이 화제임을 나타내는 조사.
Тохирох Yг хэллэг байхгYй байна
өгYYлбэрт ярианы сэдэв болж буйг илэрхийлдэг нөхцөл.

어떻+어요?

어때요

어떻다 (тэмдэг нэр) : 생각, 느낌, 상태, 형편 등이 어찌 되어 있다.
тийм байх, ямар байх
бодол санаа, мэдрэмж, байдал, явц зэрэг хэрхэн болох.

-어요 : (두루높임으로) 어떤 사실을 서술하거나 질문, 명령, 권유함을 나타내는 종결 어미.
Тохирох Yг хэллэг байхгYй байна
(хYндэтгэлийн энгийн Yг хэллэг) ямар нэгэн зYйлийг хYYрнэх, асуух, тушаах, уриалах явдлыг илэрхийлдэг төгсгөх нөхцөл. **<асуулт>**

저+의 눈+과 코+와 입술+이 얼마나 예쁘(예ㅃ)+[어 보이]+나요?
제 예뻐 보이나요

저 (төлөөний Yг) : 말하는 사람이 듣는 사람에게 자신을 낮추어 가리키는 말.
би
сонсож буй хYнээ хYндэтгэн өөрийгөө доошлуулж хэлэх Yг.

의 : 앞의 말이 뒤의 말에 대하여 소유, 소속, 소재, 관계, 기원, 주체의 관계를 가짐을 나타내는 조사.
-н/-ийн/-ын/-ий/-ы
өмнөх Yг хойдох Yгтэй эзэмшил, харьяа, хэрэглэгдэхYYн, сэдвийн хамааралтай болохыг илэрхийлсэн нөхцөл.

눈 (нэр Yг) : 사람이나 동물의 얼굴에 있으며 빛의 자극을 받아 물체를 볼 수 있는 감각 기관.
нYд
хYн ба амьтны нYYрэнд байх бөгөөд гэрлийн нөлөөллөөр биетийг хардаг мэдрэхYйн эрхтэн.

과 : 앞과 뒤의 명사를 같은 자격으로 이어 줄 때 쓰는 조사.
ба, болон
өмнөх хойдох нэр Yгийг адилхан тYвшинд холбож буй нэрийн нөхцөл.

코 (нэр Yг) : 숨을 쉬고 냄새를 맡는 몸의 한 부분.
хамар
амьсгалж, Yнэр мэдрэх биеийн нэг хэсэг.

와 : 앞과 뒤의 명사를 같은 자격으로 이어주는 조사.
ба, болон
өмнөх хойдох нэр Yгийг зэрэгцYYлэн холбодог нөхцөл.

입술 (нэр Yг) : 사람의 입 주위를 둘러싸고 있는 붉고 부드러운 살.
уруул
хYний амыг хYрээлэн байдаг улаан бөгөөд зөөлөн мах.

이 : 어떤 상태나 상황의 대상이나 동작의 주체를 나타내는 조사.
Тохирох Үг хэллэг байхгҮй байна
ямар нэгэн төлөв, байдлын субьект, мөн Үйл хөдлөлийн эзэн болохыг илэрхийлэх нөхцөл.

얼마나 (дайвар Үг) : 어느 정도나.
хичнээн
ямархуу хэмжээ.

예쁘다 (тэмдэг нэр) : 생긴 모양이 눈으로 보기에 좋을 만큼 아름답다.
хөөрхөн
царай сайхан Үзэсгэлэнтэй.

-어 보이다 : 겉으로 볼 때 앞의 말이 나타내는 것처럼 느껴지거나 추측됨을 나타내는 표현.
Тохирох Үг хэллэг байхгҮй байна
гаднаас нь харахад өмнөх Үг нь илэрхийлж буй мэт мэдрэгдэх буюу багцаалж буйг илэрхийлдэг Үг хэллэг.

-나요 : (두루높임으로) 앞의 내용에 대해 상대방에게 물어볼 때 쓰는 표현.
Тохирох Үг хэллэг байхгҮй байна
(хҮндэтгэлийн энгийн Үг хэллэг) өмнөх агуулгын талаар ярилцаж буй хҮнээсээ асуухад хэрэглэнэ.

나 어떻+어요?

어때요

나 (төлөөний Үг) : 말하는 사람이 친구나 아랫사람에게 자기를 가리키는 말.
би
өгҮҮлэгч этгээд найз буюу өөрөөсөө дҮҮ хҮнтэй ярихад өөрийг заасан Үг.

어떻다 (тэмдэг нэр) : 생각, 느낌, 상태, 형편 등이 어찌 되어 있다.
тийм байх, ямар байх
бодол санаа, мэдрэмж, байдал, явц зэрэг хэрхэн болох.

-어요 : (두루높임으로) 어떤 사실을 서술하거나 질문, 명령, 권유함을 나타내는 종결 어미.
Тохирох Үг хэллэг байхгҮй байна
(хҮндэтгэлийн энгийн Үг хэллэг) ямар нэгэн зҮйлийг хҮҮрнэх, асуух, тушаах, уриалах явдлыг илэрхийлдэг төгсгөх нөхцөл. **<асуулт>**

나 예쁘(예ㅃ)+어요?

예뻐요

나 (төлөөний Үг) : 말하는 사람이 친구나 아랫사람에게 자기를 가리키는 말.
би
өгҮҮлэгч этгээд найз буюу өөрөөсөө дҮҮ хҮнтэй ярихад өөрийг заасан Үг.

예쁘다 (тэмдэг нэр) : 생긴 모양이 눈으로 보기에 좋을 만큼 아름답다.
хөөрхөн
царай сайхан Үзэсгэлэнтэй.

-어요 : (두루높임으로) 어떤 사실을 서술하거나 질문, 명령, 권유함을 나타내는 종결 어미.
Тохирох Үг хэллэг байхгҮй байна
(хҮндэтгэлийн энгийн Үг хэллэг) ямар нэгэн зҮйлийг хҮҮрнэх, асуух, тушаах, уриалах явдлыг илэрхийлдэг төгсгөх нөхцөл. **<асуулт>**

어떻+어요?
어때요

어떻다 (тэмдэг нэр) : 생각, 느낌, 상태, 형편 등이 어찌 되어 있다.
тийм байх, ямар байх
бодол санаа, мэдрэмж, байдал, явц зэрэг хэрхэн болох.

-어요 : (두루높임으로) 어떤 사실을 서술하거나 질문, 명령, 권유함을 나타내는 종결 어미.
Тохирох Үг хэллэг байхгҮй байна
(хҮндэтгэлийн энгийн Үг хэллэг) ямар нэгэн зҮйлийг хҮҮрнэх, асуух, тушаах, уриалах явдлыг илэрхийлдэг төгсгөх нөхцөл. **<асуулт>**

< 2 절(бадаг) >

운동화 신+었+는데 어떻+어요?
어때요

운동화 (нэр Үг) : 운동을 할 때 신도록 만든 신발.
биеийн тамирын гутал, пҮҮз
спортоор хичээллэхдээ өмсөхөөр хийсэн гутал.

신다 (Үйл Үг) : 신발이나 양말 등의 속으로 발을 넣어 발의 전부나 일부를 덮다.
өмсөх
оймс болон гутланд хөлөө хийж хөлийг бҮгдийг нь юмуу хэсгийг нь далдлах.

-었- : 어떤 사건이 과거에 완료되었거나 그 사건의 결과가 현재까지 지속되는 상황을 나타내는 어미.
Тохирох Үг хэллэг байхгҮй байна
ямар нэгэн хэрэг явдал өнгөрсөн Үед болж өнгөрсөн буюу тухайн Үйлийн Үр дҮн өнөөг хҮртэл Үргэлжилж буй нөхцөл байдлыг илэрхийлдэг нөхцөл.

-는데 : 뒤의 말을 하기 위하여 그 대상과 관련이 있는 상황을 미리 말함을 나타내는 연결 어미.
Тохирох Үг хэллэг байхгҮй байна
арын агуулгыг ярихын тулд тухайн зҮйлтэй холбоотой нөхцөл байдлыг урьдчилан хэлж буйг илэрхийлдэг холбох нөхцөл.

어떻다 (тэмдэг нэр) : 생각, 느낌, 상태, 형편 등이 어찌 되어 있다.
тийм байх, ямар байх
бодол санаа, мэдрэмж, байдал, явц зэрэг хэрхэн болох.

-어요 : (두루높임으로) 어떤 사실을 서술하거나 질문, 명령, 권유함을 나타내는 종결 어미.
Тохирох Үг хэллэг байхгҮй байна
(хҮндэтгэлийн энгийн Үг хэллэг) ямар нэгэн зҮйлийг хҮҮрнэх, асуух, тушаах, уриалах явдлыг илэрхийлдэг төгсгөх нөхцөл. **<асуулт>**

구두 신+었+는데 어떻+어요?
어때요

구두 (нэр Үг) : 정장을 입었을 때 신는 가죽, 비닐 등으로 만든 신발.
шаахай, тҮрийгҮй гутал
хослолтой өмсдөг арьс болон хиймэл арьсан гутал.

신다 (Үйл Үг) : 신발이나 양말 등의 속으로 발을 넣어 발의 전부나 일부를 덮다.
өмсөх
оймс болон гутланд хөлөө хийж хөлийг бҮгдийг нь юмуу хэсгийг нь далдлах.

-었- : 어떤 사건이 과거에 완료되었거나 그 사건의 결과가 현재까지 지속되는 상황을 나타내는 어미.
Тохирох Үг хэллэг байхгҮй байна
ямар нэгэн хэрэг явдал өнгөрсөн Үед болж өнгөрсөн буюу тухайн Үйлийн Үр дҮн өнөөг хҮртэл Үргэлжилж буй нөхцөл байдлыг илэрхийлдэг нөхцөл.

-는데 : 뒤의 말을 하기 위하여 그 대상과 관련이 있는 상황을 미리 말함을 나타내는 연결 어미.
Тохирох Үг хэллэг байхгҮй байна
арын агуулгыг ярихын тулд тухайн зҮйлтэй холбоотой нөхцөл байдлыг урьдчилан хэлж буйг илэрхийлдэг холбох нөхцөл.

어떻다 (тэмдэг нэр) : 생각, 느낌, 상태, 형편 등이 어찌 되어 있다.
тийм байх, ямар байх
бодол санаа, мэдрэмж, байдал, явц зэрэг хэрхэн болох.

-어요 : (두루높임으로) 어떤 사실을 서술하거나 질문, 명령, 권유함을 나타내는 종결 어미.
Тохирох Үг хэллэг байхгҮй байна
(хҮндэтгэлийн энгийн Үг хэллэг) ямар нэгэн зҮйлийг хҮҮрнэх, асуух, тушаах, уриалах явдлыг илэрхийлдэг төгсгөх нөхцөл. **<асуулт>**

검은색+은?

검은색 (нэр Үг) : 빛이 없을 때의 밤하늘과 같이 매우 어둡고 짙은 색.
хар өнгө
гэрэлгҮй харанхуй тэнгэр мэт ихэд бараан, тод өнгө.

은 : 문장 속에서 어떤 대상이 화제임을 나타내는 조사.
Тохирох Үг хэллэг байхгҮй байна
өгҮҮлбэрт ямар зҮйл ярианы сэдэв болж буйг илэрхийлдэг нөхцөл.

흰색+은?

흰색 (нэр Үг) : 눈이나 우유와 같은 밝은 색.
цагаан өнгө
цас, сҮҮ зэрэгтэй адил гэгээлэг өнгө.

은 : 문장 속에서 어떤 대상이 화제임을 나타내는 조사.
Тохирох Үг хэллэг байхгҮй байна
өгҮҮлбэрт ямар зҮйл ярианы сэдэв болж буйг илэрхийлдэг нөхцөл.

어떻+어요?

어때요

어떻다 (тэмдэг нэр) : 생각, 느낌, 상태, 형편 등이 어찌 되어 있다.
тийм байх, ямар байх
бодол санаа, мэдрэмж, байдал, явц зэрэг хэрхэн болох.

-어요 : (두루높임으로) 어떤 사실을 서술하거나 질문, 명령, 권유함을 나타내는 종결 어미.
Тохирох Үг хэллэг байхгҮй байна
(хҮндэтгэлийн энгийн Үг хэллэг) ямар нэгэн зҮйлийг хҮҮрнэх, асуух, тушаах, уриалах явдлыг илэрхийлдэг төгсгөх нөхцөл. **<асуулт>**

목걸이 차+았+는데 어떻+어요?
찼는데 어때요

목걸이 (нэр Үг) : 보석 등을 줄에 꿰어서 목에 거는 장식품.
хҮзҮҮний зҮҮлт, сондор
хҮзҮҮнд зҮҮх гоёлын оосор, гинж сэлт.

차다 (Үйл Үг) : 물건을 허리나 팔목, 발목 등에 매어 달거나 걸거나 끼우다.
зҮҮх
эд юмийг бэлхҮҮс, гар, хөлийн бугуйд углаж, тогтоох.

-았- : 어떤 사건이 과거에 완료되었거나 그 사건의 결과가 현재까지 지속되는 상황을 나타내는 어미.
Тохирох Үг хэллэг байхгҮй байна
ямар нэгэн Үйл явдал өнгөрсөн цагт болж дууссан буюу тухайн Үйл явдлын Үр дҮн өнөө өг хҮртэл Үргэлжилж буй байдлыг илэрхийлдэг нөхцөл.

-는데 : 뒤의 말을 하기 위하여 그 대상과 관련이 있는 상황을 미리 말함을 나타내는 연결 어미.
Тохирох Үг хэллэг байхгҮй байна
арын агуулгыг ярихын тулд тухайн зҮйлтэй холбоотой нөхцөл байдлыг урьдчилан хэлж буйг илэрхийлдэг холбох нөхцөл.

어떻다 (тэмдэг нэр) : 생각, 느낌, 상태, 형편 등이 어찌 되어 있다.
тийм байх, ямар байх
бодол санаа, мэдрэмж, байдал, явц зэрэг хэрхэн болох.

-어요 : (두루높임으로) 어떤 사실을 서술하거나 질문, 명령, 권유함을 나타내는 종결 어미.
Тохирох Үг хэллэг байхгҮй байна
(хҮндэтгэлийн энгийн Үг хэллэг) ямар нэгэн зҮйлийг хҮҮрнэх, асуух, тушаах, уриалах яв длыг илэрхийлдэг төгсгөх нөхцөл. **<асуулт>**

반지 끼+었+는데 어떻+어요?
어때요

반지 (нэр Үг) : 손가락에 끼는 동그란 장신구.
бөгж
гарын хуруунд зҮҮдэг дугуй хэлбэртэй гоёл чимэглэлийн зҮйл

끼다 (Үйл Үг) : 무엇에 걸려 빠지지 않도록 꿰거나 꽂다.
зҮҮх, шургуулах, углах
ямар нэг хэвэнд зҮҮж унахааргҮй байрлуулах.

-었- : 어떤 사건이 과거에 완료되었거나 그 사건의 결과가 현재까지 지속되는 상황을 나타내는 어미.
Тохирох Үг хэллэг байхгҮй байна
ямар нэгэн хэрэг явдал өнгөрсөн Үед болж өнгөрсөн буюу тухайн Үйлийн Үр дҮн өнөөг хҮртэл Үргэлжилж буй нөхцөл байдлыг илэрхийлдэг нөхцөл.

-는데 : 뒤의 말을 하기 위하여 그 대상과 관련이 있는 상황을 미리 말함을 나타내는 연결 어미.
Тохирох Үг хэллэг байхгҮй байна
арын агуулгыг ярихын тулд тухайн зҮйлтэй холбоотой нөхцөл байдлыг урьдчилан хэлж буйг илэрхийлдэг холбох нөхцөл.

어떻다 (тэмдэг нэр) : 생각, 느낌, 상태, 형편 등이 어찌 되어 있다.
тийм байх, ямар байх
бодол санаа, мэдрэмж, байдал, явц зэрэг хэрхэн болох.

-어요 : (두루높임으로) 어떤 사실을 서술하거나 질문, 명령, 권유함을 나타내는 종결 어미.
Тохирох Үг хэллэг байхгҮй байна
(хҮндэтгэлийн энгийн Үг хэллэг) ямар нэгэн зҮйлийг хҮҮрнэх, асуух, тушаах, уриалах явдлыг илэрхийлдэг төгсгөх нөхцөл. **<асуулт>**

귀걸이+는?

귀걸이 (нэр Үг) : 귀에 다는 장식품.
ээмэг
чихэнд зҮҮх чимэг.

는 : 문장 속에서 어떤 대상이 화제임을 나타내는 조사.
Тохирох Үг хэллэг байхгҮй байна
өгҮҮлбэрт ярианы сэдэв болж буйг илэрхийлдэг нөхцөл.

팔찌+는?

팔찌 (нэр Үг) : 팔목에 끼는, 금, 은, 가죽 등으로 만든 장식품.
бугуйвч
алт, мөнгө, арьс зэргээр хийсэн, бугуйндаа зҮҮдэг гоёл чимэглэлийн зҮйл.

는 : 문장 속에서 어떤 대상이 화제임을 나타내는 조사.
Тохирох Үг хэллэг байхгҮй байна
өгҮҮлбэрт ярианы сэдэв болж буйг илэрхийлдэг нөхцөл.

어떻+어요?
어때요

어떻다 (тэмдэг нэр) : 생각, 느낌, 상태, 형편 등이 어찌 되어 있다.
тийм байх, ямар байх
бодол санаа, мэдрэмж, байдал, явц зэрэг хэрхэн болох.

-어요 : (두루높임으로) 어떤 사실을 서술하거나 질문, 명령, 권유함을 나타내는 종결 어미.
Тохирох Үг хэллэг байхгҮй байна
(хҮндэтгэлийн энгийн Үг хэллэг) ямар нэгэн зҮйлийг хҮҮрнэх, асуух, тушаах, уриалах яв длыг илэрхийлдэг төгсгөх нөхцөл. **<асуулт>**

저+의 눈+과 코+와 입술+이 얼마나 예쁘(예ㅃ)+[어 보이]+나요?
제 예뻐 보이나요

저 (төлөөний Үг) : 말하는 사람이 듣는 사람에게 자신을 낮추어 가리키는 말.
би
сонсож буй хҮнээ хҮндэтгэн өөрийгөө доошлуулж хэлэх Үг.

의 : 앞의 말이 뒤의 말에 대하여 소유, 소속, 소재, 관계, 기원, 주체의 관계를 가짐을 나타내는 조사.
-н/-ийн/-ын/-ий/-ы
өмнөх Үг хойдох Үгтэй эзэмшил, харьяа, хэрэглэгдэхҮҮн, сэдвийн хамааралтай болохыг илэрхийлсэн нөхцөл.

눈 (нэр Үг) : 사람이나 동물의 얼굴에 있으며 빛의 자극을 받아 물체를 볼 수 있는 감각 기관.
нҮд
хҮн ба амьтны нҮҮрэнд байх бөгөөд гэрлийн нөлөөллөөр биетийг хардаг мэдрэхҮйн эрхтэн.

과 : 앞과 뒤의 명사를 같은 자격으로 이어 줄 때 쓰는 조사.
ба, болон
өмнөх хойдох нэр Үгийг адилхан тҮвшинд холбож буй нэрийн нөхцөл.

코 (нэр Үг) : 숨을 쉬고 냄새를 맡는 몸의 한 부분.
хамар
амьсгалж, Үнэр мэдрэх биеийн нэг хэсэг.

와 : 앞과 뒤의 명사를 같은 자격으로 이어주는 조사.
ба, болон
өмнөх хойдох нэр Үгийг зэрэгцҮҮлэн холбодог нөхцөл.

입술 (нэр Үг) : 사람의 입 주위를 둘러싸고 있는 붉고 부드러운 살.
уруул
хҮний амыг хҮрээлэн байдаг улаан бөгөөд зөөлөн мах.

이 : 어떤 상태나 상황의 대상이나 동작의 주체를 나타내는 조사.
Тохирох Үг хэллэг байхгҮй байна
ямар нэгэн төлөв, байдлын субьект, мөн Үйл хөдлөлийн эзэн болохыг илэрхийлэх нөхцөл.

얼마나 (дайвар Үг) : 어느 정도나.
хичнээн
ямархуу хэмжээ.

예쁘다 (тэмдэг нэр) : 생긴 모양이 눈으로 보기에 좋을 만큼 아름답다.
хөөрхөн
царай сайхан Үзэсгэлэнтэй.

-어 보이다 : 겉으로 볼 때 앞의 말이 나타내는 것처럼 느껴지거나 추측됨을 나타내는 표현.
Тохирох Үг хэллэг байхгҮй байна
гаднаас нь харахад өмнөх Үг нь илэрхийлж буй мэт мэдрэгдэх буюу багцаалж буйг илэрхийлдэг Үг хэллэг.

-나요 : (두루높임으로) 앞의 내용에 대해 상대방에게 물어볼 때 쓰는 표현.
Тохирох Үг хэллэг байхгҮй байна
(хҮндэтгэлийн энгийн Үг хэллэг) өмнөх агуулгын талаар ярилцаж буй хҮнээсээ асуухад хэрэглэнэ.

나 어떻+어요?
어때요

나 (төлөөний Үг) : 말하는 사람이 친구나 아랫사람에게 자기를 가리키는 말.
би
өгҮҮлэгч этгээд найз буюу өөрөөсөө дҮҮ хҮнтэй ярихад өөрийг заасан Үг.

어떻다 (тэмдэг нэр) : 생각, 느낌, 상태, 형편 등이 어찌 되어 있다.
тийм байх, ямар байх
бодол санаа, мэдрэмж, байдал, явц зэрэг хэрхэн болох.

-어요 : (두루높임으로) 어떤 사실을 서술하거나 질문, 명령, 권유함을 나타내는 종결 어미.
Тохирох Үг хэллэг байхгҮй байна
(хҮндэтгэлийн энгийн Үг хэллэг) ямар нэгэн зҮйлийг хҮҮрнэх, асуух, тушаах, уриалах явдлыг илэрхийлдэг төгсгөх нөхцөл. **<асуулт>**

나 예쁘(예ㅃ)+어요?

예뻐요

나 (төлөөний Үг) : 말하는 사람이 친구나 아랫사람에게 자기를 가리키는 말.
би
өгҮҮлэгч этгээд найз буюу өөрөөсөө дҮҮ хҮнтэй ярихад өөрийг заасан Үг.

예쁘다 (тэмдэг нэр) : 생긴 모양이 눈으로 보기에 좋을 만큼 아름답다.
хөөрхөн
царай сайхан Үзэсгэлэнтэй.

-어요 : (두루높임으로) 어떤 사실을 서술하거나 질문, 명령, 권유함을 나타내는 종결 어미.
Тохирох Үг хэллэг байхгҮй байна
(хҮндэтгэлийн энгийн Үг хэллэг) ямар нэгэн зҮйлийг хҮҮрнэх, асуух, тушаах, уриалах яв длыг илэрхийлдэг төгсгөх нөхцөл. **<асуулт>**

어떻+어요?

어때요

어떻다 (тэмдэг нэр) : 생각, 느낌, 상태, 형편 등이 어찌 되어 있다.
тийм байх, ямар байх
бодол санаа, мэдрэмж, байдал, явц зэрэг хэрхэн болох.

-어요 : (두루높임으로) 어떤 사실을 서술하거나 질문, 명령, 권유함을 나타내는 종결 어미.
Тохирох Үг хэллэг байхгҮй байна
(хҮндэтгэлийн энгийн Үг хэллэг) ямар нэгэн зҮйлийг хҮҮрнэх, асуух, тушаах, уриалах яв длыг илэрхийлдэг төгсгөх нөхцөл. **<асуулт>**

< 5 >

하늘, 땅, 사람
(тэнгэр)
(газар)
(хҮн)

[발음(дуудлага)]

< 1 절(бадаг) >

하늘에서 비가 내린다고 하는 걸 보니 하늘은 위인가요?
하느레서 비가 내린다고 하는 걸 보니 하느른 위인가요?
haneureseo biga naerindago haneun geol boni haneureun wiingayo?

그 비가 땅을 적신다고 하는 걸 보니 그럼 땅은 아래인가 보네요.
그 비가 땅을 적씬다고 하는 걸 보니 그럼 땅은 아래인가 보네요.
geu biga ttangeul jeoksindago haneun geol boni geureom ttangeun araeinga boneyo.

땅을 밟고 서서 하늘을 바라보는 사람은 하늘과 땅 사이에 있는 거겠군요.
땅을 밥꼬 서서 하느를 바라보는 사라믄 하늘과 땅 사이에 인는 거겐꾸뇨.
ttangeul bapgo seoseo haneureul baraboneun sarameun haneulgwa ttang saie inneun geogetgunyo.

그 사이에 갇혀 지지고 볶으며 오늘도 나는 살아가고 있네요.
그 사이에 가처 지지고 보끄며 오늘도 나는 사라가고 인네요.
geu saie gacheo jijigo bokkeumyeo oneuldo naneun saragago inneyo.

땅에 갇혀 사는 것은 이제 너무 지겨워요.
땅에 가처 사는 거슨 이제 너무 지겨워요.
ttange gacheo saneun geoseun ije neomu jigyeowoyo.

움츠린 가슴을 펴고 하늘 끝까지 날아올라 봐요.
움츠린 가스믈 펴고 하늘 끋까지 나라올라 봐요.
umcheurin gaseumeul pyeogo haneul kkeutkkaji naraolla bwayo.

우리 모두 거기서 행복하게 살아 봐요.
우리 모두 거기서 행보카게 사라 봐요.
uri modu geogiseo haengbokage sara bwayo.

< 후렴(дууны дахилт) >

이제부터는 지금부터는
이제부터는 지금부터는
ijebuteoneun jigeumbuteoneun

가슴이 시키는 대로 살아 봐요.
가스미 시키는 대로 사라 봐요.
gaseumi sikineun daero sara bwayo.

이제부터는 지금부터는
이제부터는 지금부터는
ijebuteoneun jigeumbuteoneun

가슴이 느끼는 대로 자유롭게
가스미 느끼는 대로 자유롭께
gaseumi neukkineun daero jayuropge

아무것도 신경 쓰지 마요.
아무걷또 신경 쓰지 마요.
amugeotdo singyeong sseuji mayo.

< 2 절(бадаг) >

아직까지 해가 뜨고 진 적은 한 번도 없었어요.
아직까지 해가 뜨고 진 저근 한 번도 업써써요.
ajikkkaji haega tteugo jin jeogeun han beondo eopseosseoyo.

이 땅에 사는 우리들만 어제도 오늘도 쉼 없이 돌고 돌고 또 돌아요.
이 땅에 사는 우리들만 어제도 오늘도 쉼 업씨 돌고 돌고 또 도라요.
i ttange saneun urideulman eojedo oneuldo swim eopsi dolgo dolgo tto dorayo.

배운 대로 남들이 시키는 대로 그렇게 사람들 사이에 숨어 살아가고 있죠.
배운 대로 남드리 시키는 대로 그러케 사람들 사이에 수머 사라가고 읻쬬.
baeun daero namdeuri sikineun daero geureoke saramdeul saie sumeo saragago itjyo.

그 사이에 갇혀 지지고 볶으며 오늘도 나는 살아가고 있네요.
그 사이에 가처 지지고 보끄며 오늘도 나는 사라가고 인네요.
geu saie gacheo jijigo bokkeumyeo oneuldo naneun saragago inneyo.

누가 시키는 대로 사는 것은 이제 너무 짜증이 나요.
누가 시키는 대로 사는 거슨 이제 너무 짜증이 나요.
nuga sikineun daero saneun geoseun ije neomu jjajeungi nayo.

바라고 원하는 생각들을 하늘 너머로 떠나보내요.
바라고 원하는 생각뜨를 하늘 너머로 떠나보내요.
barago wonhaneun saenggakdeureul haneul neomeoro tteonabonaeyo.

우리 모두 거기서 자유롭게 살아 봐요.
우리 모두 거기서 자유롭께 사라 봐요.
uri modu geogiseo jayuropge sara bwayo.

< 후렴(дууны дахилт) >

우- 워- 이제부터는 지금부터는
우- 워- 이제부터는 지금부터는
u- wo- ijebuteoneun jigeumbuteoneun

이제부터는 지금부터는
이제부터는 지금부터는
ijebuteoneun jigeumbuteoneun

가슴이 시키는 대로 살아 봐요.
가스미 시키는 대로 사라 봐요.
gaseumi sikineun daero sara bwayo.

이제부터는 지금부터는
이제부터는 지금부터는
ijebuteoneun jigeumbuteoneun

가슴이 느끼는 대로 자유롭게
가스미 느끼는 대로 자유롭께
gaseumi neukkineun daero jayuropge

이제부터는 지금부터는
이제부터는 지금부터는
ijebuteoneun jigeumbuteoneun

(우리 모두 거기서)
(우리 모두 거기서)
(uri modu geogiseo)

가슴이 시키는 대로 살아 봐요.
가스미 시키는 대로 사라 봐요.
gaseumi sikineun daero sara bwayo.

(자유롭게 살아요)
(자유롭께 사라요)
(jayuropge sarayo)

이제부터는 지금부터는
이제부터는 지금부터는
ijebuteoneun jigeumbuteoneun

(우리 모두 거기서)
(우리 모두 거기서)
(uri modu geogiseo)

가슴이 느끼는 대로 자유롭게
가스미 느끼는 대로 자유롭께
gaseumi neukkineun daero jayuropge

(자유롭게)
(자유롭께)
(jayuropge)

그런 사람이었어요.
그런 사라미어써요.
geureon saramieosseoyo.

그런 인생이었어요.
그런 인생이어써요.
geureon insaengieosseoyo.

그렇게 기억해 줘요.
그러케 기어캐 줘요.
geureoke gieokae jwoyo.

< 1 절(бадаг) >

하늘+에서 비+가 내리+ㄴ다고 하+[는 것(거)]+을 보+니
내린다고　　　하는 걸

하늘 (нэр Үг) : 땅 위로 펼쳐진 무한히 넓은 공간.
тэнгэр
газрын дээгҮҮр Үргэлжлэн орших хязгааргҮй орон зай.

에서 : 앞말이 출발점의 뜻을 나타내는 조사.
-аас(-ээс, -оос, -өөс)
өмнөх Үг нь эхлэх цэг хэмээх утга илэрхийлдэг нөхцөл.

비 (нэр Үг) : 높은 곳에서 구름을 이루고 있던 수증기가 식어서 뭉쳐 떨어지는 물방울.
бороо
өндөрт ҮҮл болж хуран байсан усны уур хөрч нягтраад доош унах усан дусал.

가 : 어떤 상태나 상황에 놓인 대상이나 동작의 주체를 나타내는 조사.
Тохирох Үг хэллэг байхгҮй байна
ямар нэгэн төлөв, байдлын субьект, мөн Үйл хөдлөлийн эзэн болохыг илэрхийлэх нөхцөл.

내리다 (Үйл Үг) : 눈이나 비 등이 오다.
буух, орох
цас, бороо зэрэг орох.

-ㄴ다고 : 다른 사람에게서 들은 내용을 간접적으로 전달하거나 주어의 생각, 의견 등을 나타내는 표현.
Тохирох Үг хэллэг байхгҮй байна
бусад хҮнээс сонссон утга агуулгыг дамаар дамжуулах буюу Үйлийн эзний бодол санааг илэрхийлдэг нөхцөл.

하다 (Үйл Үг) : 무엇에 대해 말하다.
гэх
ямар нэгэн юмны талаар ярих.

-는 것 : 명사가 아닌 것을 문장에서 명사처럼 쓰이게 하거나 '이다' 앞에 쓰일 수 있게 할 때 쓰는 표현.
Тохирох Үг хэллэг байхгҮй байна
өгҮҮлбэрт нэр Үгийн ҮҮргээр орж өгҮҮлэгдэхҮҮн буюу тусагдахуун гишҮҮний ҮҮрэг гҮйцэтгэх буюу '이다'-н өмнө ирэх боломжтой болгодог Үг хэллэг.

을 : 동작이 직접적으로 영향을 미치는 대상을 나타내는 조사.
-ыг/-ийг/-г
Үйл хөдлөл шууд нөлөөлж буй тусагдахууныг илэрхийлэх нөхцөл.

보다 (Үйл Үг) : 무엇을 근거로 판단하다.
Үзэх, харах
ямар нэг зҮйлийг Үндэслэн дҮгнэх.

-니 : 뒤에 오는 말에 대하여 앞에 오는 말이 원인이나 근거, 전제가 됨을 나타내는 연결 어미.
Тохирох Үг хэллэг байхгҮй байна
ард ирэх Үгийн талаар өмнө ирэх Үг нь учир шалтгаан буюу болзол болохыг илэрхийлдэг холбох нөхцөл.

하늘+은 위+이+ㄴ가요?
위인가요

하늘 (нэр Үг) : 땅 위로 펼쳐진 무한히 넓은 공간.
тэнгэр
газрын дээгҮҮр Үргэлжлэн орших хязгааргҮй орон зай.

은 : 문장 속에서 어떤 대상이 화제임을 나타내는 조사.
Тохирох Үг хэллэг байхгҮй байна
өгҮҮлбэрт ямар зҮйл ярианы сэдэв болж буйг илэрхийлдэг нөхцөл.

위 (нэр Үг) : 어떤 기준보다 더 높은 쪽. 또는 중간보다 더 높은 쪽.
дээд тал, дээд
ямар нэгэн хэмжҮҮрээс илҮҮ өндөр тал. мөн дундаас дээш их тал.

이다 : 주어가 지시하는 대상의 속성이나 부류를 지정하는 뜻을 나타내는 서술격 조사.
Тохирох Үг хэллэг байхгҮй байна
эзэн биеийн зааж буй обьектын шинж чанар, төрөл зҮйлийг тодорхойлох утгыг илэрхийлэх өгҮҮлэхҮҮний тийн ялгалын нөхцөл.

-ㄴ가요 : (두루높임으로) 현재의 사실에 대한 물음을 나타내는 종결 어미.
Тохирох Үг хэллэг байхгҮй байна
(хҮндэтгэлийн энгийн Үг хэллэг) одоогийн нөхцөл байдлын талаар асууж байгааг илэрхийлдэг төгсгөх нөхцөл.

그 비+가 땅+을 적시+ㄴ다고 하+[는 것(거)]+을 보+니
적신다고 하는 걸 보니

그 (тодотгол Үг) : 앞에서 이미 이야기한 대상을 가리킬 때 쓰는 말.
тэр, нөгөө
өмнө нь ярьж дурдсан зҮйлийг заах Үед хэрэглэдэг Үг.

비 (нэр Үг) : 높은 곳에서 구름을 이루고 있던 수증기가 식어서 뭉쳐 떨어지는 물방울.
бороо
өндөрт ҮҮл болж хуран байсан усны уур хөрч нягтраад доош унах усан дусал.

가 : 어떤 상태나 상황에 놓인 대상이나 동작의 주체를 나타내는 조사.
Тохирох Үг хэллэг байхгҮй байна
ямар нэгэн төлөв, байдлын субьект, мөн Үйл хөдлөлийн эзэн болохыг илэрхийлэх нөхцөл.

땅 (нэр Үг) : 지구에서 물로 된 부분이 아닌 흙이나 돌로 된 부분.
газар
дэлхийн бөмбөрцөгийн устай хэсэг бус шороо, чулуугаар бҮрхэгдсэн хэсэг.

을 : 동작이 직접적으로 영향을 미치는 대상을 나타내는 조사.
-ыг/-ийг/-г
Үйл хөдлөл шууд нөлөөлж буй тусагдахууныг илэрхийлэх нөхцөл.

적시다 (Үйл Үг) : 물 등의 액체를 묻혀 젖게 하다.
норгох
ус мэтийн шингэнд дҮрж нойтон болгох.

-ㄴ다고 : 다른 사람에게서 들은 내용을 간접적으로 전달하거나 주어의 생각, 의견 등을 나타내는 표현.
Тохирох Үг хэллэг байхгҮй байна
бусад хҮнээс сонссон утга агуулгыг дамаар дамжуулах буюу Үйлийн эзний бодол санааг илэрхийлдэг нөхцөл.

하다 (Үйл Үг) : 무엇에 대해 말하다.
гэх
ямар нэгэн юмны талаар ярих.

-는 것 : 명사가 아닌 것을 문장에서 명사처럼 쓰이게 하거나 '이다' 앞에 쓰일 수 있게 할 때 쓰는 표현.
Тохирох Үг хэллэг байхгҮй байна
өгҮҮлбэрт нэр Үгийн ҮҮргээр орж өгҮҮлэгдэхҮҮн буюу тусагдахуун гишҮҮний ҮҮрэг гҮйцэтгэх буюу '이다'-н өмнө ирэх боломжтой болгодог Үг хэллэг.

을 : 동작이 직접적으로 영향을 미치는 대상을 나타내는 조사.
-ыг/-ийг/-г
Үйл хөдлөл шууд нөлөөлж буй тусагдахууныг илэрхийлэх нөхцөл.

보다 (Үйл Үг) : 무엇을 근거로 판단하다.
Үзэх, харах
ямар нэг зҮйлийг Үндэслэн дҮгнэх.

-니 : 뒤에 오는 말에 대하여 앞에 오는 말이 원인이나 근거, 전제가 됨을 나타내는 연결 어미.
Тохирох Үг хэллэг байхгҮй байна
ард ирэх Үгийн талаар өмнө ирэх Үг нь учир шалтгаан буюу болзол болохыг илэрхийлдэг холбох нөхцөл.

그럼 땅+은 아래+이+[ㄴ가 보]+네요.

아래인가 보네요

그럼 (дайвар Үг) : 앞의 내용이 뒤의 내용의 조건이 될 때 쓰는 말.
тэгвэл, тэгэх юм бол
өмнө өгҮҮлсэн зҮйл дараа нь өгҮҮлсэн зҮйлийн болзол болох Үед хэрэглэдэг Үг.

땅 (нэр Үг) : 지구에서 물로 된 부분이 아닌 흙이나 돌로 된 부분.
газар
дэлхийн бөмбөрцөгийн устай хэсэг бус шороо, чулуугаар бҮрхэгдсэн хэсэг.

은 : 문장 속에서 어떤 대상이 화제임을 나타내는 조사.
Тохирох Үг хэллэг байхгҮй байна
өгҮҮлбэрт ямар зҮйл ярианы сэдэв болж буйг илэрхийлдэг нөхцөл.

아래 (нэр Үг) : 일정한 기준보다 낮은 위치.
доор
тодорхой тҮвшинээс доогуур байр суурь.

이다 : 주어가 지시하는 대상의 속성이나 부류를 지정하는 뜻을 나타내는 서술격 조사.
Тохирох Үг хэллэг байхгҮй байна
эзэн биеийн зааж буй обьектын шинж чанар, төрөл зҮйлийг тодорхойлох утгыг илэрхийлэх өгҮҮлэхҮҮний тийн ялгалын нөхцөл.

-ㄴ가 보다 : 앞의 말이 나타내는 사실을 추측함을 나타내는 표현.
Тохирох Үг хэллэг байхгҮй байна
өмнөх Үгийн илэрхийлж буй зҮйлийг таамаглах Үед хэрэглэдэг хэллэг.

-네요 : (두루높임으로) 말하는 사람이 직접 경험하여 새롭게 알게 된 사실에 대해 감탄함을 나타낼 때 쓰는 표현.
Тохирох Үг хэллэг байхгҮй байна
(хҮндэтгэлийн энгийн Үг хэллэг) өгҮҮлэгч өөрийн биеэр Үзэж өнгөрҮҮлж, шинээр мэдсэн зҮйлийнхээ талаар гайхан бишрч байгааг илэрхийлэхэд хэрэглэдэг хэлбэр.

땅+을 밟+고 서+(어)서 하늘+을 바라보+는 사람+은
서서

땅 (нэр Үг) : 지구에서 물로 된 부분이 아닌 흙이나 돌로 된 부분.
газар
дэлхийн бөмбөрцөгийн устай хэсэг бус шороо, чулуугаар бҮрхэгдсэн хэсэг.

을 : 동작이 직접적으로 영향을 미치는 대상을 나타내는 조사.
-ыг/-ийг/-г
Үйл хөдлөл шууд нөлөөлж буй тусагдахууныг илэрхийлэх нөхцөл.

밟다 (Үйл Үг) : 어떤 대상에 발을 올려놓고 서거나 올려놓으면서 걷다.
гишгэх, гишгэлэх, хөл тавих
ямар нэгэн юмны дээр хөлөө тавьж зогсох буюу алхах.

-고 : 앞의 말이 나타내는 행동이나 그 결과가 뒤에 오는 행동이 일어나는 동안에 그대로 지속됨을 나타내는 연결 어미.
Тохирох Үг хэллэг байхгҮй байна
өмнөх Үгийн илэрхийлж буй Үйлдэл буюу тухайн Үр дҮн нь арын Үйлдэл бий болох хугацаанд тэр хэвээрээ Үргэлжлэх явдлыг илэрхийлдэг холбох нөхцөл.

서다 (Үйл Үг) : 사람이나 동물이 바닥에 발을 대고 몸을 곧게 하다.
зогсох
хҮн, амьтан нь газарт хөлөө тулан биеэ цэхлэх.

-어서 : 앞의 말과 뒤의 말이 순차적으로 일어남을 나타내는 연결 어미.
Тохирох Үг хэллэг байхгҮй байна
өмнөх Үг ба ардах Үг ээлж дараагаар бий болох явдлыг илэрхийлдэг холбох нөхцөл.

하늘 (нэр Үг) : 땅 위로 펼쳐진 무한히 넓은 공간.
тэнгэр
газрын дээгҮҮр Үргэлжлэн орших хязгааргҮй орон зай.

을 : 동작이 직접적으로 영향을 미치는 대상을 나타내는 조사.
-ыг/-ийг/-г
Үйл хөдлөл шууд нөлөөлж буй тусагдахууныг илэрхийлэх нөхцөл.

바라보다 (Үйл Үг) : 바로 향해 보다.
ажих, ширтэх, хараа тавих, нҮд тавих
шууд чиглэн харах.

-는 : 앞의 말이 관형어의 기능을 하게 만들고 사건이나 동작이 현재 일어남을 나타내는 어미.
Тохирох Үг хэллэг байхгүй байна
өмнөх Үгийг тодотгол гишүүний үүрэгтэй болгож, хэрэг явдал буюу Үйлдэл нь одоо өрнөж байгааг илэрхийлдэг нөхцөл.

사람 (нэр Үг) : 생각할 수 있으며 언어와 도구를 만들어 사용하고 사회를 이루어 사는 존재.
хүн
сэтгэх чадвартай хэл болон багаж хэрэгсэл зохион ашиглаж нийгмийг бүтээн амьдардаг бие бодь.

은 : 문장 속에서 어떤 대상이 화제임을 나타내는 조사.
Тохирох Үг хэллэг байхгүй байна
өгүүлбэрт ямар зүйл ярианы сэдэв болж буйг илэрхийлдэг нөхцөл.

하늘+과 땅 사이+에 있+[는 것(거)]+(이)+겠+군요.
있는 거겠군요

하늘 (нэр Үг) : 땅 위로 펼쳐진 무한히 넓은 공간.
тэнгэр
газрын дээгүүр Үргэлжлэн орших хязгааргүй орон зай.

과 : 앞과 뒤의 명사를 같은 자격으로 이어 줄 때 쓰는 조사.
ба, болон
өмнөх хойдох нэр Үгийг адилхан түвшинд холбож буй нэрийн нөхцөл.

땅 (нэр Үг) : 지구에서 물로 된 부분이 아닌 흙이나 돌로 된 부분.
газар
дэлхийн бөмбөрцгийн устай хэсэг бус шороо, чулуугаар бүрхэгдсэн хэсэг.

사이 (нэр Үг) : 한 물체에서 다른 물체까지 또는 한곳에서 다른 곳까지의 거리나 공간.
зай
нэг зүйлээс нөгөө зүйл хүртэл, нэг газраас нөгөө газар хүртэлх зай хэмжээ.

에 : 앞말이 어떤 장소나 자리임을 나타내는 조사.
-д/-т
өмнөх Үг ямар нэгэн газар буюу байр болохыг илэрхийлж буй нөхцөл.

있다 (тэмдэг нэр) : 사람이나 동물이 어느 곳에 머무르거나 사는 상태이다.
байх
хүн, амьтан аль нэг газар амьдрах.

-는 것 : 명사가 아닌 것을 문장에서 명사처럼 쓰이게 하거나 '이다' 앞에 쓰일 수 있게 할 때 쓰는 표현.
Тохирох Үг хэллэг байхгҮй байна
өгҮҮлбэрт нэр Үгийн ҮҮргээр орж өгҮҮлэгдэхҮҮн буюу тусагдахуун гишҮҮний ҮҮрэг гҮйцэтгэх буюу '이다'-н өмнө ирэх боломжтой болгодог Үг хэллэг.

이다 : 주어가 지시하는 대상의 속성이나 부류를 지정하는 뜻을 나타내는 서술격 조사.
Тохирох Үг хэллэг байхгҮй байна
эзэн биеийн зааж буй обьектын шинж чанар, төрөл зҮйлийг тодорхойлох утгыг илэрхийлэх өгҮҮлэхҮҮний тийн ялгалын нөхцөл.

-겠- : 미래의 일이나 추측을 나타내는 어미.
Тохирох Үг хэллэг байхгҮй байна
ирээдҮйн явдал буюу таамаглалыг илэрхийлдэг нөхцөл.

-군요 : (두루높임으로) 새롭게 알게 된 사실에 주목하거나 감탄함을 나타내는 표현.
Тохирох Үг хэллэг байхгҮй байна
(хҮндэтгэлийн энгийн Үг хэллэг) ямар нэгэн зҮйлийн талаар шинээр магадлах буюу ухаараад гайхан шагшрахад хэрэглэдэг илэрхийлэл.

그 사이+에 갇히+어 [지지고 볶]+으며 오늘+도 나+는 살아가+[고 있]+네요.
갇혀

그 (тодотгол Үг) : 앞에서 이미 이야기한 대상을 가리킬 때 쓰는 말.
тэр, нөгөө
өмнө нь ярьж дурдсан зҮйлийг заах Үед хэрэглэдэг Үг.

사이 (нэр Үг) : 한 물체에서 다른 물체까지 또는 한곳에서 다른 곳까지의 거리나 공간.
зай
нэг зҮйлээс нөгөө зҮйл хҮртэл, нэг газраас нөгөө газар хҮртэлх зай хэмжээ.

에 : 앞말이 어떤 장소나 자리임을 나타내는 조사.
-д/-т
өмнөх Үг ямар нэгэн газар буюу байр болохыг илэрхийлж буй нөхцөл.

갇히다 (Үйл Үг) : 어떤 공간이나 상황에서 나가지 못하게 되다.
гацах, хоригдох, хөл хоригдох
ямар нэг орон зай, байдал нөхцөлөөс гарч чадахгҮй болох.

-어 : 앞의 말이 뒤의 말보다 먼저 일어났거나 뒤의 말에 대한 방법이나 수단이 됨을 나타내는 연결 어미.
Тохирох Үг хэллэг байхгҮй байна
өмнө ирэх Үг ард ирэх Үгээс тҮрҮҮлж бий болсон буюу ардах Үгийн талаарх арга барил болохыг илэрхийлдэг холбох нөхцөл.

지지고 볶다 (хэлц Үг) : 온갖 것을 겪으며 함께 살아가다.
Тохирох Үг хэллэг байхгҮй байна
олон янзын юмыг даван гарч хамтдаа амьдрах.

-으며 : 두 가지 이상의 동작이나 상태가 함께 일어남을 나타내는 연결 어미.
Тохирох Үг хэллэг байхгҮй байна
хоёроос дээш Үйл хөдлөл буюу байр байдал зэрэг болж буйг илэрхийлдэг холбох нөхцөл.

오늘 (нэр Үг) : 지금 지나가고 있는 이날.
өнөөдөр
одоо өнгөрөн одож буй энэ өдөр.

도 : 이미 있는 어떤 것에 다른 것을 더하거나 포함함을 나타내는 조사.
ч
нэгэнт байгаа зҮйл дээр өөр зҮйлийг нэмэх буюу хамруулсныг илэрхийлж буй нөхцөл.

나 (төлөөний Үг) : 말하는 사람이 친구나 아랫사람에게 자기를 가리키는 말.
би
өгҮҮлэгч этгээд найз буюу өөрөөсөө дҮҮ хҮнтэй ярихад өөрийг заасан Үг.

는 : 문장 속에서 어떤 대상이 화제임을 나타내는 조사.
Тохирох Үг хэллэг байхгҮй байна
өгҮҮлбэрт ярианы сэдэв болж буйг илэрхийлдэг нөхцөл.

살아가다 (Үйл Үг) : 어떤 종류의 삶이나 시대 등을 견디며 생활해 나가다.
амьдрах, амь зуух
ямар нэг хэв маягийн амьдрал буюу цаг Үеийг тэвчин аж төрөх.

-고 있다 : 앞의 말이 나타내는 행동이 계속 진행됨을 나타내는 표현.
Тохирох Үг хэллэг байхгҮй байна
өмнөх Үгийн илэрхийлж буй Үйлдэл Үргэлжилж буйг илэрхийлдэг Үг хэллэг.

-네요 : (두루높임으로) 말하는 사람이 직접 경험하여 새롭게 알게 된 사실에 대해 감탄함을 나타낼 때 쓰는 표현.
Тохирох Үг хэллэг байхгҮй байна
(хҮндэтгэлийн энгийн Үг хэллэг) өгҮҮлэгч өөрийн биеэр Үзэж өнгөрҮҮлж, шинээр мэдсэн зҮйлийнхээ талаар гайхан бишрч байгааг илэрхийлэхэд хэрэглэдэг хэлбэр.

땅+에 갇히+어 살(사)+[는 것]+은 이제 너무 지겹(지겨우)+어요.
갇혀 사는 것은 지겨워요

땅 (нэр Үг) : 지구에서 물로 된 부분이 아닌 흙이나 돌로 된 부분.
газар
дэлхийн бөмбөрцөгийн устай хэсэг бус шороо, чулуугаар бҮрхэгдсэн хэсэг.

에 : 앞말이 어떤 장소나 자리임을 나타내는 조사.
-д/-т
өмнөх Үг ямар нэгэн газар буюу байр болохыг илэрхийлж буй нөхцөл.

갇히다 (Үйл Үг) : 어떤 공간이나 상황에서 나가지 못하게 되다.
гацах, хоригдох, хөл хоригдох
ямар нэг орон зай, байдал нөхцөлөөс гарч чадахгҮй болох.

-어 : 앞의 말이 뒤의 말보다 먼저 일어났거나 뒤의 말에 대한 방법이나 수단이 됨을 나타내는 연결 어미.
Тохирох Үг хэллэг байхгҮй байна
өмнө ирэх Үг ард ирэх Үгээс тҮрҮҮлж бий болсон буюу ардах Үгийн талаарх арга барил болохыг илэрхийлдэг холбох нөхцөл.

살다 (Үйл Үг) : 사람이 생활을 하다.
амьдрах, аж төрөх
хҮн аж төрөх.

-는 것 : 명사가 아닌 것을 문장에서 명사처럼 쓰이게 하거나 '이다' 앞에 쓰일 수 있게 할 때 쓰는 표현.
Тохирох Үг хэллэг байхгҮй байна
өгҮҮлбэрт нэр Үгийн ҮҮргээр орж өгҮҮлэгдэхҮҮн буюу тусагдахуун гишҮҮний ҮҮрэг гҮйцэтгэх буюу '이다'-н өмнө ирэх боломжтой болгодог Үг хэллэг.

은 : 문장 속에서 어떤 대상이 화제임을 나타내는 조사.
Тохирох Үг хэллэг байхгҮй байна
өгҮҮлбэрт ямар зҮйл ярианы сэдэв болж буйг илэрхийлдэг нөхцөл.

이제 (дайвар Үг) : 지금의 시기가 되어.
одоо, эдҮгээ
одоогийн цаг Үе тохиож.

너무 (дайвар Үг) : 일정한 정도나 한계를 훨씬 넘어선 상태로.
дэндҮҮ, хэтэрхий, хэт
тогтсон хэмжээ болон хязгаарыг маш их хэтэрсэн байдал.

지겹다 (тэмдэг нэр) : 같은 상태나 일이 반복되어 재미가 없고 지루하고 싫다.
залхах, уйдах
ижилхэн нөхцөл байдал болон ажил хэрэг давтагдаж сонирхолгҮй болж дургҮй болох.

-어요 : (두루높임으로) 어떤 사실을 서술하거나 질문, 명령, 권유함을 나타내는 종결 어미.
Тохирох Үг хэллэг байхгҮй байна
(хҮндэтгэлийн энгийн Үг хэллэг) ямар нэгэн зҮйлийг хҮҮрнэх, асуух, тушаах, уриалах явдлыг илэрхийлдэг төгсгөх нөхцөл. **<дҮрслэл>**

움츠리+ㄴ 가슴+을 펴+고 하늘 끝+까지 날아오르(날아올ㄹ)+[아 보]+아요.
움츠린 날아올라 봐요

움츠리다 (Үйл Үг) : 몸이나 몸의 일부를 오그려 작아지게 하다.
атирах
бие ба биеийн нэг хэсэг атирч жижгэрэх.

-ㄴ : 앞의 말이 관형어의 기능을 하게 만들고 사건이나 동작이 완료되어 그 상태가 유지되고 있음을 나타내는 어미.
Тохирох Үг хэллэг байхгҮй байна
өмнөх Үгийг тодотгол гишҮҮний ҮҮрэгтэй болгож, хэрэг явдал буюу Үйлдэл нь бҮрэн төгс болсон, тухайн байдал Үргэлжилж буйг илэрхийлдэг нөхцөл.

가슴 (нэр Үг) : 인간이나 동물의 목과 배 사이에 있는 몸의 앞 부분.
цээж
хҮн, амьтны хҮзҮҮ ба хэвлийн хооронд орших биеийн хэсэг.

을 : 동작이 직접적으로 영향을 미치는 대상을 나타내는 조사.
-ыг/-ийг/-г
Үйл хөдлөл шууд нөлөөлж буй тусагдахууныг илэрхийлэх нөхцөл.

펴다 (Үйл Үг) : 굽은 것을 곧게 하다. 또는 움츠리거나 오므라든 것을 벌리다.
дэлгэх, тэнийлгэх
тахийсан зҮйлийг тэнийлгэх. мөн атирсан ба хумирсан зҮйлийг дэлгэх.

-고 : 앞의 말이 나타내는 행동이나 그 결과가 뒤에 오는 행동이 일어나는 동안에 그대로 지속됨을 나타내는 연결 어미.
Тохирох Үг хэллэг байхгҮй байна
өмнөх Үгийн илэрхийлж буй Үйлдэл буюу тухайн Үр дҮн нь арын Үйлдэл бий болох хугацаанд тэр хэвээрээ Үргэлжлэх явдлыг илэрхийлдэг холбох нөхцөл.

하늘 (нэр Үг) : 땅 위로 펼쳐진 무한히 넓은 공간.
тэнгэр
газрын дээгҮҮр Үргэлжлэн орших хязгааргҮй орон зай.

끝 (нэр Үг) : 공간에서의 마지막 장소.
орой, зах, хязгаар, сҮҮл
орон зайны төгсгөл газар.

까지 : 어떤 범위의 끝임을 나타내는 조사.
хҮртэл
ямар нэгэн зҮйлийн төгсгөх болохыг илэрхийлдэг нөхцөл.

날아오르다 (Үйл Үг) : 날아서 위로 높이 올라가다.
дҮҮлэх, дээш хөөрөх, дэгдэн нисэх, дэгдэн хөөрөх
өндөрт нисэх.

-아 보다 : 앞의 말이 나타내는 행동을 시험 삼아 함을 나타내는 표현.
Тохирох Үг хэллэг байхгҮй байна
өмнөх Үгийн илэрхийлж буй Үйлдлийг турших Үзэх явдлыг илэрхийлдэг Үг хэллэг.

-아요 : (두루높임으로) 어떤 사실을 서술하거나 질문, 명령, 권유함을 나타내는 종결 어미.
Тохирох Үг хэллэг байхгҮй байна
(хҮндэтгэлийн энгийн Үг хэллэг) ямар нэгэн зҮйлийг хҮҮрнэх, асуух, тушаах, уриалах явдлыг илэрхийлдэг төгсгөх нөхцөл. **<санал>**

우리 모두 거기+서 행복하+게 살+[아 보]+아요.

살아 봐요

우리 (төлөөний Үг) : 말하는 사람이 자기와 듣는 사람 또는 이를 포함한 여러 사람들을 가리키는 말.
бид, манай, хэдҮҮлээ
ярьж байгаа хҮн өөрөө болон тҮҮнийг сонсож байгаа хҮн, мөн энд хамрагдаж байгаа хэд хэдэн хҮнийг заах Үг.

모두 (дайвар Үг) : 빠짐없이 다.
бҮгд, бҮгдээрээ, цөмөөрөө, хамт
юу ч ҮлдэлгҮй бҮгд хамт.

거기 (төлөөний Үг) : 앞에서 이미 이야기한 곳을 가리키는 말.
тэнд
өмнө нь хэлсэн газар байрыг зааж нэрлэх Үг хэллэг.

서 : 앞말이 행동이 이루어지고 있는 장소임을 나타내는 조사.
дээр, -д/-т
Үйл хөдлөл болж байгаа орон байрыг илэрхийлдэг нөхцөл.

행복하다 (тэмдэг нэр) : 삶에서 충분한 만족과 기쁨을 느껴 흐뭇하다.
аз жаргалтай
амьдралаас хангалттай сэтгэл ханамж, баяр баяслыг мэдэрч хангалуун байх явдал.

-게 : 앞의 말이 뒤에서 가리키는 일의 목적이나 결과, 방식, 정도 등이 됨을 나타내는 연결 어미.
Тохирох Үг хэллэг байхгҮй байна
өмнөх агуулга ард нь зааж буй байдал, зорилго, Үр дҮн, арга барил, хэмжээ зэрэг болохыг илэрхийлдэг холбох нөхцөл. **<арга маяг>**

살다 (Үйл Үг) : 사람이 생활을 하다.
амьдрах, аж төрөх
хҮн аж төрөх.

-아 보다 : 앞의 말이 나타내는 행동을 시험 삼아 함을 나타내는 표현.
Тохирох Үг хэллэг байхгҮй байна
өмнөх Үгийн илэрхийлж буй Үйлдлийг турших Үзэх явдлыг илэрхийлдэг Үг хэллэг.

-아요 : (두루높임으로) 어떤 사실을 서술하거나 질문, 명령, 권유함을 나타내는 종결 어미.
Тохирох Үг хэллэг байхгҮй байна
(хҮндэтгэлийн энгийн Үг хэллэг) ямар нэгэн зҮйлийг хҮҮрнэх, асуух, тушаах, уриалах явдлыг илэрхийлдэг төгсгөх нөхцөл. **<санал>**

< 후렴(дууны дахилт) >

이제+부터+는 지금+부터+는

이제 (нэр Үг) : 지금의 시기.
одоо
одоо цаг Үе.

부터 : 어떤 일의 시작이나 처음을 나타내는 조사.
-аас, -ээс, -оос, -өөс
ямар нэгэн ажлын эхлэлийг илэрхийлдэг нэрийн нөхцөл.

는 : 어떤 대상이 다른 것과 대조됨을 나타내는 조사.
бол
ямар нэг зҮйлийг өөр зҮйлтэй харьцуулах, шалтгаан заах Үг

지금 (нэр Үг) : 말을 하고 있는 바로 이때.
одоо, одоо цаг
юм ярьж буй энэ цаг мөч.

부터 : 어떤 일의 시작이나 처음을 나타내는 조사.
-аас, -ээс, -оос, -өөс
ямар нэгэн ажлын эхлэлийг илэрхийлдэг нэрийн нөхцөл.

는 : 어떤 대상이 다른 것과 대조됨을 나타내는 조사.
бол
ямар нэг зүйлийг өөр зүйлтэй харьцуулах, шалтгаан заах үг

가슴+이 시키+[는 대로] 살+[아 보]+아요.
살아 봐요

가슴 (нэр үг) : 마음이나 느낌.
зүрх сэтгэл
сэтгэл ба мэдрэмж.

이 : 어떤 상태나 상황의 대상이나 동작의 주체를 나타내는 조사.
Тохирох үг хэллэг байхгүй байна
ямар нэгэн төлөв, байдлын субъект, мөн үйл хөдлөлийн эзэн болохыг илэрхийлэх нөхцөл.

시키다 (үйл үг) : 어떤 일이나 행동을 하게 하다.
даалгах, хийлгэх
ямар нэг ажил хэрэг болон үйлдэл хийхэд хүргэх.

-는 대로 : 앞에 오는 말이 뜻하는 현재의 행동이나 상황과 같음을 나타내는 표현.
Тохирох үг хэллэг байхгүй байна
өмнөх үгийн утга нь өнөөгийн үйл болон байдалтай адилаар гэсэн утгыг илэрхийлдэг үг хэллэг.

살다 (үйл үг) : 사람이 생활을 하다.
амьдрах, аж төрөх
хүн аж төрөх.

-아 보다 : 앞의 말이 나타내는 행동을 시험 삼아 함을 나타내는 표현.
Тохирох үг хэллэг байхгүй байна
өмнөх үгийн илэрхийлж буй үйлдлийг турших үзэх явдлыг илэрхийлдэг үг хэллэг.

-아요 : (두루높임으로) 어떤 사실을 서술하거나 질문, 명령, 권유함을 나타내는 종결 어미.
Тохирох үг хэллэг байхгүй байна
(хүндэтгэлийн энгийн үг хэллэг) ямар нэгэн зүйлийг хүүрнэх, асуух, тушаах, уриалах явдлыг илэрхийлдэг төгсгөх нөхцөл. **<санал>**

이제+부터+는 지금+부터+는

이제 (нэр Үг) : 지금의 시기.
одоо
одоо цаг Үе.

부터 : 어떤 일의 시작이나 처음을 나타내는 조사.
-аас, -ээс, -оос, -өөс
ямар нэгэн ажлын эхлэлийг илэрхийлдэг нэрийн нөхцөл.

는 : 어떤 대상이 다른 것과 대조됨을 나타내는 조사.
бол
ямар нэг зҮйлийг өөр зҮйлтэй харьцуулах, шалтгаан заах Үг

지금 (нэр Үг) : 말을 하고 있는 바로 이때.
одоо, одоо цаг
юм ярьж буй энэ цаг мөч.

부터 : 어떤 일의 시작이나 처음을 나타내는 조사.
-аас, -ээс, -оос, -өөс
ямар нэгэн ажлын эхлэлийг илэрхийлдэг нэрийн нөхцөл.

는 : 어떤 대상이 다른 것과 대조됨을 나타내는 조사.
бол
ямар нэг зҮйлийг өөр зҮйлтэй харьцуулах, шалтгаан заах Үг

가슴+이 느끼+[는 대로] 자유롭+게

가슴 (нэр Үг) : 마음이나 느낌.
зҮрх сэтгэл
сэтгэл ба мэдрэмж.

이 : 어떤 상태나 상황의 대상이나 동작의 주체를 나타내는 조사.
Тохирох Үг хэллэг байхгҮй байна
ямар нэгэн төлөв, байдлын субьект, мөн Үйл хөдлөлийн эзэн болохыг илэрхийлэх нөхцөл.

느끼다 (Үйл Үг) : 특정한 대상이나 상황을 어떻다고 생각하거나 인식하다.
мэдрэх
аль нэгэн объект буюу нөхцөл байдлыг тийм хэмээн бодох буюу мэдрэх.

-는 대로 : 앞에 오는 말이 뜻하는 현재의 행동이나 상황과 같음을 나타내는 표현.
Тохирох Үг хэллэг байхгҮй байна
өмнөх Үгийн утга нь өнөөгийн Үйл болон байдалтай адилаар гэсэн утгыг илэрхийлдэг Үг хэллэг.

자유롭다 (тэмдэг нэр) : 무엇에 얽매이거나 구속되지 않고 자기 생각과 의지대로 할 수 있다.
чөлөөтэй, дураараа
хөндлөнгийн оролцоо буюу хориг хязгааргҮй өөрийн дураар хийж болох.

-게 : 앞의 말이 뒤에서 가리키는 일의 목적이나 결과, 방식, 정도 등이 됨을 나타내는 연결 어미.
Тохирох Үг хэллэг байхгҮй байна
өмнөх агуулга ард нь зааж буй байдал, зорилго, Үр дҮн, арга барил, хэмжээ зэрэг болохыг илэрхийлдэг холбох нөхцөл. **<арга маяг>**

아무것+도 [신경 쓰]+[지 말(마)]+(아)요.

신경 쓰지 마요

아무것 (нэр Үг) : 어떤 것의 조금이나 일부분.
юу ч, өчҮҮхэн ч
ямар нэг зҮйлийн өчҮҮхэн нэг хэсэг.

도 : 극단적인 경우를 들어 다른 경우는 말할 것도 없음을 나타내는 조사.
ч
туйлын тохиолдлыг авч Үзэн өөр тохиолдолд ярихын ч хэрэггҮй болохыг илэрхийлж буй нөхцөл.

신경 쓰다 (хэлц Үг) : 사소한 일까지 세심하게 생각하다.
анхаарах, санаа зовох
аар саар зҮйлийг ч нягт нямбай бодох.

-지 말다 : 앞의 말이 나타내는 행동을 하지 못하게 함을 나타내는 표현.
Тохирох Үг хэллэг байхгҮй байна
өмнөх Үгийн илэрхийлж буй Үйлдлийг хийлгэхгҮй байх явдлыг илэрхийлдэг Үг хэллэг.

-아요 : (두루높임으로) 어떤 사실을 서술하거나 질문, 명령, 권유함을 나타내는 종결 어미.
Тохирох Үг хэллэг байхгҮй байна
(хҮндэтгэлийн энгийн Үг хэллэг) ямар нэгэн зҮйлийг хҮҮрнэх, асуух, тушаах, уриалах явдлыг илэрхийлдэг төгсгөх нөхцөл. **<тушаал>**

< 2 절(бадаг) >

아직+까지 해+가 뜨+고 지+[ㄴ 적+은 한 번+도 없]+었+어요.
진 적은 한 번도 없었어요

아직 (дайвар Үг) : 어떤 일이나 상태 또는 어떻게 되기까지 시간이 더 지나야 함을 나타내거나, 어떤 일이나 상태가 끝나지 않고 계속 이어지고 있음을 나타내는 말.
хараахан
аливаа явдал, нөхцөл байдал мөн хэрхэн өөрчлөгдөх хҮртэл хэдий хугацаа өнгөрөх хэрэгтэйг илэрхийлэх буюу дуусаагҮй Үргэлжилж байгааг илэрхийлдэг хэллэг.

까지 : 어떤 범위의 끝임을 나타내는 조사.
хҮртэл
ямар нэгэн зҮйлийн төгсгөх болохыг илэрхийлдэг нөхцөл.

해 (нэр Үг) : 태양계의 중심에 있으며 온도가 매우 높고 스스로 빛을 내는 항성.
нар
нарны аймгийн гол төвд байдаг, маш өндөр хэмийн халуунтай, өөрөө гэрэлтдэг од.

가 : 어떤 상태나 상황에 놓인 대상이나 동작의 주체를 나타내는 조사.
Тохирох Үг хэллэг байхгҮй байна
ямар нэгэн төлөв, байдлын субьект, мөн Үйл хөдлөлийн эзэн болохыг илэрхийлэх нөхцөл.

뜨다 (Үйл Үг) : 물 위나 공중에 있거나 위쪽으로 솟아오르다.
хөөрөх, хөвөх
усан дээр буюу агаарт байх болон дээшээ хөөрөх.

-고 : 두 가지 이상의 대등한 사실을 나열할 때 쓰는 연결 어미.
Тохирох Үг хэллэг байхгҮй байна
хоёроос дээш тооны хэрэг явдлыг зэрэгцҮҮлэн холбоход хэрэглэдэг холбох нөхцөл.

지다 (Үйл Үг) : 해나 달이 서쪽으로 넘어가다.
шингэх, жаргах
нар, сар баруун зҮгт далд орох.

-ㄴ 적 없다 : 앞의 말이 나타내는 동작이 일어나거나 그 상태가 나타난 때가 없음을 나타내는 표현.
Тохирох Үг хэллэг байхгҮй байна
өмнөх Үгийн илэрхийлж буй Үйлдэл Үргэлжлэх буюу тухайн байдал нь илрэх тохиолдол байхгҮй болохыг илэрхийлдэг Үг хэллэг.

은 : 문장 속에서 어떤 대상이 화제임을 나타내는 조사.
Тохирох Үг хэллэг байхгҮй байна
өгҮҮлбэрт ямар зҮйл ярианы сэдэв болж буйг илэрхийлдэг нөхцөл.

한 (тодотгол Үг) : 하나의.
нэг
нэгэн.

번 (нэр Үг) : 일의 횟수를 세는 단위.
удаа
юмны давтамж илэрхийлэх Үг.

도 : 극단적인 경우를 들어 다른 경우는 말할 것도 없음을 나타내는 조사.
ч
туйлын тохиолдлыг авч Үзэн өөр тохиолдолд ярихын ч хэрэггҮй болохыг илэрхийлж буй нөхцөл.

-었- : 어떤 사건이 과거에 완료되었거나 그 사건의 결과가 현재까지 지속되는 상황을 나타내는 어미.
Тохирох Үг хэллэг байхгҮй байна
ямар нэгэн хэрэг явдал өнгөрсөн Үед болж өнгөрсөн буюу тухайн Үйлийн Үр дҮн өнөөг хҮртэл Үргэлжилж буй нөхцөл байдлыг илэрхийлдэг нөхцөл.

-어요 : (두루높임으로) 어떤 사실을 서술하거나 질문, 명령, 권유함을 나타내는 종결 어미.
Тохирох Үг хэллэг байхгҮй байна
(хҮндэтгэлийн энгийн Үг хэллэг) ямар нэгэн зҮйлийг хҮҮрнэх, асуух, тушаах, уриалах явдлыг илэрхийлдэг төгсгөх нөхцөл. **<дҮрслэл>**

이 땅+에 살(사)+는 우리+들+만 어제+도 오늘+도
사는

이 (тодотгол Үг) : 바로 앞에서 이야기한 대상을 가리킬 때 쓰는 말.
энэ
өмнө ярьсан зҮйлийг заасан Үг.

땅 (нэр Үг) : 지구에서 물로 된 부분이 아닌 흙이나 돌로 된 부분.
газар
дэлхийн бөмбөрцөгийн устай хэсэг бус шороо, чулуугаар бҮрхэгдсэн хэсэг.

에 : 앞말이 어떤 장소나 자리임을 나타내는 조사.
-д/-т
өмнөх Үг ямар нэгэн газар буюу байр болохыг илэрхийлж буй нөхцөл.

살다 (Үйл Үг) : 사람이 생활을 하다.
амьдрах, аж төрөх
хүн аж төрөх.

-는 : 앞의 말이 관형어의 기능을 하게 만들고 사건이나 동작이 현재 일어남을 나타내는 어미.
Тохирох Үг хэллэг байхгүй байна
өмнөх Үгийг тодотгол гишүүний үүрэгтэй болгож, хэрэг явдал буюу Үйлдэл нь одоо өрнөж байгааг илэрхийлдэг нөхцөл.

우리 (төлөөний Үг) : 말하는 사람이 자기와 듣는 사람 또는 이를 포함한 여러 사람들을 가리키는 말.
бид, манай, хэдүүлээ
ярьж байгаа хүн өөрөө болон түүнийг сонсож байгаа хүн, мөн энд хамрагдаж байгаа хэд хэдэн хүнийг заах Үг.

들 : '복수'의 뜻을 더하는 접미사.
Тохирох Үг хэллэг байхгүй байна
олон тооны утга нэмдэг дагавар.

만 : 다른 것은 제외하고 어느 것을 한정함을 나타내는 조사.
л, зөвхөн
өөр бусад зүйлийг эс тооцон тогтсон нэг зүйлийг л илэрхийлж буй нөхцөл.

어제 (нэр Үг) : 오늘의 하루 전날.
өчигдөр
өнөөдрийн өмнөх өдөр.

도 : 둘 이상의 것을 나열함을 나타내는 조사.
ч
хоёроос дээш зүйлийг цувруулан хэлэхийг илэрхийлж буй нөхцөл.

오늘 (нэр Үг) : 지금 지나가고 있는 이날.
өнөөдөр
одоо өнгөрөн одож буй энэ өдөр.

도 : 둘 이상의 것을 나열함을 나타내는 조사.
ч
хоёроос дээш зүйлийг цувруулан хэлэхийг илэрхийлж буй нөхцөл.

<u>쉬+ㅁ</u> 없이 돌+고 돌+고 또 돌+아요.
쉼

쉬다 (Yйл Yг) : 하던 일이나 활동 등을 잠시 멈추다. 또는 그렇게 하다.
зогсох, амрах
хийж байсан зYйлээ тYр зогсох. мөн зогсоох.

-ㅁ : 앞의 말이 명사의 기능을 하게 하는 어미.
Тохирох Yг хэллэг байхгYй байна
өмнөх Yгийг нэр Yгийн YYрэгтэй болгож хувиргадаг нөхцөл.

없이 (дайвар Yг) : 어떤 일이나 증상 등이 나타나지 않게.
YгYй, байхгYй
ямар нэгэн хэрэг явдал юм уу шинж тэмдэг зэрэг илрэхгYй байх.

돌다 (Yйл Yг) : 무엇을 중심으로 원을 그리면서 움직이다.
эргэх, тойрох
ямар нэгэн юмыг төвөө болгож тойрог зуран хөдлөх.

-고 : 두 가지 이상의 대등한 사실을 나열할 때 쓰는 연결 어미.
Тохирох Yг хэллэг байхгYй байна
хоёроос дээш тооны хэрэг явдлыг зэрэгцYYлэн холбоход хэрэглэдэг холбох нөхцөл.

돌다 (Yйл Yг) : 무엇을 중심으로 원을 그리면서 움직이다.
эргэх, тойрох
ямар нэгэн юмыг төвөө болгож тойрог зуран хөдлөх.

-고 : 두 가지 이상의 대등한 사실을 나열할 때 쓰는 연결 어미.
Тохирох Yг хэллэг байхгYй байна
хоёроос дээш тооны хэрэг явдлыг зэрэгцYYлэн холбоход хэрэглэдэг холбох нөхцөл.

또 (дайвар Yг) : 어떤 일이나 행동이 다시.
бас, дахин
ямар нэг явдал ба Yйл хөдлөл дахин.

돌다 (Yйл Yг) : 무엇을 중심으로 원을 그리면서 움직이다.
эргэх, тойрох
ямар нэгэн юмыг төвөө болгож тойрог зуран хөдлөх.

-아요 : (두루높임으로) 어떤 사실을 서술하거나 질문, 명령, 권유함을 나타내는 종결 어미.
Тохирох Yг хэллэг байхгYй байна
(хYндэтгэлийн энгийн Yг хэллэг) ямар нэгэн зYйлийг хYYрнэх, асуух, тушаах, уриалах явдлыг илэрхийлдэг төгсгөх нөхцөл. **<дYрслэл>**

배우+[ㄴ 대로] 남+들+이 시키+[는 대로]

배운 대로

배우다 (Үйл Үг) : 남의 행동이나 태도를 그대로 따르다.
сурах, дуурайх
бусдын Үйлдэл, хандлагыг тэр хэвээр нь дагах.

-ㄴ 대로 : 앞에 오는 말이 뜻하는 과거의 행동이나 상황과 같음을 나타내는 표현.
Тохирох Үг хэллэг байхгҮй байна
өмнөх Үгийн утга нь өнгөрсөн Үйл буюу байдалтай адилаар хэмээх утгыг илэрхийлдэг Үг хэллэг.

남 (нэр Үг) : 내가 아닌 다른 사람.
бусад хҮн
би биш өөр хҮн.

들 : '복수'의 뜻을 더하는 접미사.
Тохирох Үг хэллэг байхгҮй байна
олон тооны утга нэмдэг дагавар.

이 : 어떤 상태나 상황의 대상이나 동작의 주체를 나타내는 조사.
Тохирох Үг хэллэг байхгҮй байна
ямар нэгэн төлөв, байдлын субьект, мөн Үйл хөдлөлийн эзэн болохыг илэрхийлэх нөхцөл.

시키다 (Үйл Үг) : 어떤 일이나 행동을 하게 하다.
даалгах, хийлгэх
ямар нэг ажил хэрэг болон Үйлдэл хийхэд хҮргэх.

-는 대로 : 앞에 오는 말이 뜻하는 현재의 행동이나 상황과 같음을 나타내는 표현.
Тохирох Үг хэллэг байхгҮй байна
өмнөх Үгийн утга нь өнөөгийн Үйл болон байдалтай адилаар гэсэн утгыг илэрхийлдэг Үг хэллэг.

그렇+게 사람+들 사이+에 숨+어 살아가+[고 있]+죠.

그렇다 (тэмдэг нэр) : 상태, 모양, 성질 등이 그와 같다.
тийм, тиймэрхҮҮ
нөхцөл байдал, хэлбэр дҮрс, шинж чанар нь дараагийн хэлсэн Үгтэй адил байх.

-게 : 앞의 말이 뒤에서 가리키는 일의 목적이나 결과, 방식, 정도 등이 됨을 나타내는 연결 어미.
Тохирох Үг хэллэг байхгҮй байна
өмнөх агуулга ард нь зааж буй байдал, зорилго, Үр дҮн, арга барил, хэмжээ зэрэг болохыг илэрхийлдэг холбох нөхцөл. **<арга маяг>**

사람 (нэр Үг) : 특별히 정해지지 않은 자기 외의 남을 가리키는 말.
хҮн
онцгойлон тогтоогҮй өөрөөсөө гаднах бусдыг заадаг Үг.

들 : '복수'의 뜻을 더하는 접미사.
Тохирох Үг хэллэг байхгҮй байна
олон тооны утга нэмдэг дагавар.

사이 (нэр Үг) : 한 물체에서 다른 물체까지 또는 한곳에서 다른 곳까지의 거리나 공간.
зай
нэг зҮйлээс нөгөө зҮйл хҮртэл, нэг газраас нөгөө газар хҮртэлх зай хэмжээ.

에 : 앞말이 어떤 장소나 자리임을 나타내는 조사.
-д/-т
өмнөх Үг ямар нэгэн газар буюу байр болохыг илэрхийлж буй нөхцөл.

숨다 (Үйл Үг) : 남이 볼 수 없게 몸을 감추다.
нуугдах
бусдад харагдахгҮйгээр биеэ далдлах.

-어 : 앞의 말이 뒤의 말보다 먼저 일어났거나 뒤의 말에 대한 방법이나 수단이 됨을 나타내는 연결 어미.
Тохирох Үг хэллэг байхгҮй байна
өмнө ирэх Үг ард ирэх Үгээс тҮрҮҮлж бий болсон буюу ардах Үгийн талаарх арга барил болохыг илэрхийлдэг холбох нөхцөл.

살아가다 (Үйл Үг) : 어떤 종류의 삶이나 시대 등을 견디며 생활해 나가다.
амьдрах, амь зуух
ямар нэг хэв маягийн амьдрал буюу цаг Үеийг тэвчин аж төрөх.

-고 있다 : 앞의 말이 나타내는 행동이 계속 진행됨을 나타내는 표현.
Тохирох Үг хэллэг байхгҮй байна
өмнөх Үгийн илэрхийлж буй Үйлдэл Үргэлжилж буйг илэрхийлдэг Үг хэллэг.

-죠 : (두루높임으로) 말하는 사람이 자신에 대한 이야기나 자신의 생각을 친근하게 말할 때 쓰는 종결 어미.
Тохирох Үг хэллэг байхгҮй байна
(хҮндэтгэлийн энгийн Үг хэллэг) өгҮҮлэгч этгээд өөрийнхөө тухай ярих буюу өөрийн бодлыг найрсгаар илэрхийлэхэд хэрэглэдэг төгсгөх нөхцөл.

그 사이+에 갇히+어 [지지고 볶]+으며 오늘+도 나+는 살아가+[고 있]+네요.
갇혀

그 (тодотгол Үг) : 앞에서 이미 이야기한 대상을 가리킬 때 쓰는 말.
тэр, нөгөө
өмнө нь ярьж дурдсан зҮйлийг заах Үед хэрэглэдэг Үг.

사이 (нэр Үг) : 한 물체에서 다른 물체까지 또는 한곳에서 다른 곳까지의 거리나 공간.
зай
нэг зҮйлээс нөгөө зҮйл хҮртэл, нэг газраас нөгөө газар хҮртэлх зай хэмжээ.

에 : 앞말이 어떤 장소나 자리임을 나타내는 조사.
-д/-т
өмнөх Үг ямар нэгэн газар буюу байр болохыг илэрхийлж буй нөхцөл.

갇히다 (Үйл Үг) : 어떤 공간이나 상황에서 나가지 못하게 되다.
гацах, хоригдох, хөл хоригдох
ямар нэг орон зай, байдал нөхцөлөөс гарч чадахгҮй болох.

-어 : 앞의 말이 뒤의 말보다 먼저 일어났거나 뒤의 말에 대한 방법이나 수단이 됨을 나타내는 연결 어미.
Тохирох Үг хэллэг байхгҮй байна
өмнө ирэх Үг ард ирэх Үгээс тҮрҮҮлж бий болсон буюу ардах Үгийн талаарх арга барил болохыг илэрхийлдэг холбох нөхцөл.

지지고 볶다 (хэлц Үг) : 온갖 것을 겪으며 함께 살아가다.
Тохирох Үг хэллэг байхгҮй байна)
олон янзын юмыг даван гарч хамтдаа амьдрах.

-으며 : 두 가지 이상의 동작이나 상태가 함께 일어남을 나타내는 연결 어미.
Тохирох Үг хэллэг байхгҮй байна
хоёроос дээш Үйл хөдлөл буюу байр байдал зэрэг болж буйг илэрхийлдэг холбох нөхцөл.

오늘 (нэр Үг) : 지금 지나가고 있는 이날.
өнөөдөр
одоо өнгөрөн одож буй энэ өдөр.

도 : 이미 있는 어떤 것에 다른 것을 더하거나 포함함을 나타내는 조사.
ч
нэгэнт байгаа зҮйл дээр өөр зҮйлийг нэмэх буюу хамруулсныг илэрхийлж буй нөхцөл.

나 (төлөөний Үг) : 말하는 사람이 친구나 아랫사람에게 자기를 가리키는 말.
би
өгҮҮлэгч этгээд найз буюу өөрөөсөө дҮҮ хҮнтэй ярихад өөрийг заасан Үг.

는 : 문장 속에서 어떤 대상이 화제임을 나타내는 조사.
Тохирох Үг хэллэг байхгҮй байна
өгҮҮлбэрт ярианы сэдэв болж буйг илэрхийлдэг нөхцөл.

살아가다 (Үйл Үг) : 어떤 종류의 삶이나 시대 등을 견디며 생활해 나가다.
амьдрах, амь зуух
ямар нэг хэв маягийн амьдрал буюу цаг Үеийг тэвчин аж төрөх.

-고 있다 : 앞의 말이 나타내는 행동이 계속 진행됨을 나타내는 표현.
Тохирох Үг хэллэг байхгҮй байна
өмнөх Үгийн илэрхийлж буй Үйлдэл Үргэлжилж буйг илэрхийлдэг Үг хэллэг.

-네요 : (두루높임으로) 말하는 사람이 직접 경험하여 새롭게 알게 된 사실에 대해 감탄함을 나타낼 때 쓰는 표현.
Тохирох Үг хэллэг байхгҮй байна
(хҮндэтгэлийн энгийн Үг хэллэг) өгҮҮлэгч өөрийн биеэр Үзэж өнгөрҮҮлж, шинээр мэдсэн зҮйлийнхээ талаар гайхан бишрч байгааг илэрхийлэхэд хэрэглэдэг хэлбэр.

누(구)+가 시키+[는 대로] 살(사)+[는 것]+은 이제 너무 짜증+이 나+(아)요.

누가 사는 것은 나요

누구 (төлөөний Үг) : 굳이 이름을 밝힐 필요가 없는 사람을 가리키는 말.
хэн
заавал нэрийг нь мэдэгдэх шаардлагагҮй хҮнийг нэрлэн заасан Үг.

가 : 어떤 상태나 상황에 놓인 대상이나 동작의 주체를 나타내는 조사.
Тохирох Үг хэллэг байхгҮй байна
ямар нэгэн төлөв, байдлын субьект, мөн Үйл хөдлөлийн эзэн болохыг илэрхийлэх нөхцөл.

시키다 (Үйл Үг) : 어떤 일이나 행동을 하게 하다.
даалгах, хийлгэх
ямар нэг ажил хэрэг болон Үйлдэл хийхэд хҮргэх.

-는 대로 : 앞에 오는 말이 뜻하는 현재의 행동이나 상황과 같음을 나타내는 표현.
Тохирох Үг хэллэг байхгҮй байна
өмнөх Үгийн утга нь өнөөгийн Үйл болон байдалтай адилаар гэсэн утгыг илэрхийлдэг Үг хэллэг.

살다 (Үйл Үг) : 사람이 생활을 하다.
амьдрах, аж төрөх
хҮн аж төрөх.

-는 것 : 명사가 아닌 것을 문장에서 명사처럼 쓰이게 하거나 '이다' 앞에 쓰일 수 있게 할 때 쓰는 표현.
Тохирох Үг хэллэг байхгҮй байна
өгҮҮлбэрт нэр Үгийн ҮҮргээр орж өгҮҮлэгдэхҮҮн буюу тусагдахуун гишҮҮний ҮҮрэг гҮйцэтгэх буюу '이다'-н өмнө ирэх боломжтой болгодог Үг хэллэг.

은 : 문장 속에서 어떤 대상이 화제임을 나타내는 조사.
Тохирох Yг хэллэг байхгYй байна
өгYYлбэрт ямар зYйлярианы сэдэв болж буйг илэрхийлдэг нөхцөл.

이제 (дайвар Yг) : 지금의 시기가 되어.
одоо, эдYгээ
одоогийн цаг Yе тохиож.

너무 (дайвар Yг) : 일정한 정도나 한계를 훨씬 넘어선 상태로.
дэндYY, хэтэрхий, хэт
тогтсон хэмжээ болон хязгаарыг маш их хэтэрсэн байдал.

짜증 (нэр Yг) : 마음에 들지 않아서 화를 내거나 싫은 느낌을 겉으로 드러내는 일. 또는 그런 성미.
уур уцаар
сэтгэлд нийцэхгYй уур хYрэх юмуу дургYйцэх мэдрэмжээ гадагш ил гаргах явдал. мөн тийм зан байдал.

이 : 어떤 상태나 상황의 대상이나 동작의 주체를 나타내는 조사.
Тохирох Yг хэллэг байхгYй байна
ямар нэгэн төлөв, байдлын субъект, мөн Yйл хөдлөлийн эзэн болохыг илэрхийлэх нөхцөл.

나다 (Yйл Yг) : 어떤 감정이나 느낌이 생기다.
төрөх, хYрэх
ямар нэг сэтгэл хөдлөл мэдрэмж бий болох.

-아요 : (두루높임으로) 어떤 사실을 서술하거나 질문, 명령, 권유함을 나타내는 종결 어미.
Тохирох Yг хэллэг байхгYй байна
(хYндэтгэлийн энгийн Yг хэллэг) ямар нэгэн зYйлийг хYYрнэх, асуух, тушаах, уриалах явдлыг илэрхийлдэг төгсгөх нөхцөл. **<дYрслэл>**

바라+고 원하+는 생각+들+을 하늘 너머+로 떠나보내+(어)요.

떠나보내요

바라다 (Yйл Yг) : 생각이나 희망대로 어떤 일이 이루어지기를 기대하다.
хYсэх, мөрөөдөх, тэмYYлэх
бодол санаа, хYсэл мөрөөдлийн дагуу ямар нэг Yйл хэрэг биелэхийг хYсч найдах.

-고 : 두 가지 이상의 대등한 사실을 나열할 때 쓰는 연결 어미.
Тохирох Yг хэллэг байхгYй байна
хоёроос дээш тооны хэрэг явдлыг зэрэгцYYлэн холбоход хэрэглэдэг холбох нөхцөл.

원하다 (Үйл Үг) : 무엇을 바라거나 하고자 하다.
хүсэх
ямар нэг зүйлийг хүсэх юмуу хийх гэх.

-는 : 앞의 말이 관형어의 기능을 하게 만들고 사건이나 동작이 현재 일어남을 나타내는 어미.
Тохирох Үг хэллэг байхгүй байна
өмнөх үгийг тодотгол гишүүний үүрэгтэй болгож, хэрэг явдал буюу үйлдэл нь одоо өрнөж байгааг илэрхийлдэг нөхцөл.

생각 (нэр Үг) : 사람이 머리를 써서 판단하거나 인식하는 것.
бодол, санаа
хүн сэтгэн бодох үйл ажиллагааны явцад дүгнэх ба ойлгох явдал.

들 : '복수'의 뜻을 더하는 접미사.
Тохирох Үг хэллэг байхгүй байна
олон тооны утга нэмдэг дагавар.

을 : 동작이 직접적으로 영향을 미치는 대상을 나타내는 조사.
-ыг/-ийг/-г
Үйл хөдлөл шууд нөлөөлж буй тусагдахууныг илэрхийлэх нөхцөл.

하늘 (нэр Үг) : 땅 위로 펼쳐진 무한히 넓은 공간.
тэнгэр
газрын дээгүүр үргэлжлэн орших хязгааргүй орон зай.

너머 (нэр Үг) : 경계나 가로막은 것을 넘어선 건너편.
ар тал, цаад тал, эсрэг тал, дээгүүр, давах
хил хязгаар буюу хөндлөн зүйлийг даван гарсан цаад тал.

로 : 움직임의 방향을 나타내는 조사.
-руу/-рүү, -луу/-лүү
хөдөлгөөний зүг чигийг илэрхийлж буй нөхцөл.

떠나보내다 (Үйл Үг) : 있던 곳을 떠나 다른 곳으로 가게 하다.
явуулах, үдэх, мордуулах
байсан газраас нь өөр газар луу явуулах.

-어요 : (두루높임으로) 어떤 사실을 서술하거나 질문, 명령, 권유함을 나타내는 종결 어미.
Тохирох Үг хэллэг байхгүй байна
(хүндэтгэлийн энгийн үг хэллэг) ямар нэгэн зүйлийг хүүрнэх, асуух, тушаах, уриалах явдлыг илэрхийлдэг төгсгөх нөхцөл. **<санал>**

우리 모두 거기+서 자유롭+게 살+[아 보]+아요.

살아 봐요

우리 (төлөөний Үг) : 말하는 사람이 자기와 듣는 사람 또는 이를 포함한 여러 사람들을 가리키는 말.
бид, манай, хэдҮҮлээ
ярьж байгаа хҮн өөрөө болон тҮҮнийг сонсож байгаа хҮн, мөн энд хамрагдаж байгаа хэд хэдэн хҮнийг заах Үг.

모두 (дайвар Үг) : 빠짐없이 다.
бҮгд, бҮгдээрээ, цөмөөрөө, хамт
юу ч ҮлдэлгҮй бҮгд хамт.

거기 (төлөөний Үг) : 앞에서 이미 이야기한 곳을 가리키는 말.
тэнд
өмнө нь хэлсэн газар байрыг зааж нэрлэх Үг хэллэг.

서 : 앞말이 행동이 이루어지고 있는 장소임을 나타내는 조사.
дээр, -д/-т
Үйл хөдлөл болж байгаа орон байрыг илэрхийлдэг нөхцөл.

자유롭다 (тэмдэг нэр) : 무엇에 얽매이거나 구속되지 않고 자기 생각과 의지대로 할 수 있다.
чөлөөтэй, дураараа
хөндлөнгийн оролцоо буюу хориг хязгааргҮй өөрийн дураар хийж болох.

-게 : 앞의 말이 뒤에서 가리키는 일의 목적이나 결과, 방식, 정도 등이 됨을 나타내는 연결 어미.
Тохирох Үг хэллэг байхгҮй байна
өмнөх агуулга ард нь зааж буй байдал, зорилго, Үр дҮн, арга барил, хэмжээ зэрэг болохыг илэрхийлдэг холбох нөхцөл. **<арга маяг>**

살다 (Үйл Үг) : 사람이 생활을 하다.
амьдрах, аж төрөх
хҮн аж төрөх.

-아 보다 : 앞의 말이 나타내는 행동을 시험 삼아 함을 나타내는 표현.
Тохирох Үг хэллэг байхгҮй байна
өмнөх Үгийн илэрхийлж буй Үйлдлийг туршиж Үзэх явдлыг илэрхийлдэг Үг хэллэг.

-아요 : (두루높임으로) 어떤 사실을 서술하거나 질문, 명령, 권유함을 나타내는 종결 어미.
Тохирох Үг хэллэг байхгҮй байна
(хҮндэтгэлийн энгийн Үг хэллэг) ямар нэгэн зҮйлийг хҮҮрнэх, асуух, тушаах, уриалах явдлыг илэрхийлдэг төгсгөх нөхцөл. **<санал>**

< 후렴(дууны дахилт) >

이제+부터+는 지금+부터+는

이제 (нэр Үг) : 지금의 시기.
одоо
одоо цаг Үе.

부터 : 어떤 일의 시작이나 처음을 나타내는 조사.
-аас, -ээс, -оос, -өөс
ямар нэгэн ажлын эхлэлийг илэрхийлдэг нэрийн нөхцөл.

는 : 어떤 대상이 다른 것과 대조됨을 나타내는 조사.
бол
ямар нэг зҮйлийг өөр зҮйлтэй харьцуулах, шалтгаан заах Үг

지금 (нэр Үг) : 말을 하고 있는 바로 이때.
одоо, одоо цаг
юм ярьж буй энэ цаг мөч.

부터 : 어떤 일의 시작이나 처음을 나타내는 조사.
-аас, -ээс, -оос, -өөс
ямар нэгэн ажлын эхлэлийг илэрхийлдэг нэрийн нөхцөл.

는 : 어떤 대상이 다른 것과 대조됨을 나타내는 조사.
бол
ямар нэг зҮйлийг өөр зҮйлтэй харьцуулах, шалтгаан заах Үг

이제+부터+는 지금+부터+는

이제 (нэр Үг) : 지금의 시기.
одоо
одоо цаг Үе.

부터 : 어떤 일의 시작이나 처음을 나타내는 조사.
-аас, -ээс, -оос, -өөс
ямар нэгэн ажлын эхлэлийг илэрхийлдэг нэрийн нөхцөл.

는 : 어떤 대상이 다른 것과 대조됨을 나타내는 조사.
бол
ямар нэг зҮйлийг өөр зҮйлтэй харьцуулах, шалтгаан заах Үг

지금 (нэр Үг) : 말을 하고 있는 바로 이때.
одоо, одоо цаг
юм ярьж буй энэ цаг мөч.

부터 : 어떤 일의 시작이나 처음을 나타내는 조사.
-аас, -ээс, -оос, -өөс
ямар нэгэн ажлын эхлэлийг илэрхийлдэг нэрийн нөхцөл.

는 : 어떤 대상이 다른 것과 대조됨을 나타내는 조사.
бол
ямар нэг зҮйлийг өөр зҮйлтэй харьцуулах, шалтгаан заах Үг

가슴+이 시키+[는 대로] 살+[아 보]+아요.
살아 봐요

가슴 (нэр Үг) : 마음이나 느낌.
зҮрх сэтгэл
сэтгэл ба мэдрэмж.

이 : 어떤 상태나 상황의 대상이나 동작의 주체를 나타내는 조사.
Тохирох Үг хэллэг байхгҮй байна
ямар нэгэн төлөв, байдлын субьект, мөн Үйл хөдлөлийн эзэн болохыг илэрхийлэх нөхцөл.

시키다 (Үйл Үг) : 어떤 일이나 행동을 하게 하다.
даалгах, хийлгэх
ямар нэг ажил хэрэг болон Үйлдэл хийхэд хҮргэх.

-는 대로 : 앞에 오는 말이 뜻하는 현재의 행동이나 상황과 같음을 나타내는 표현.
Тохирох Үг хэллэг байхгҮй байна
өмнөх Үгийн утга нь өнөөгийн Үйл болон байдалтай адилаар гэсэн утгыг илэрхийлдэг Үг хэллэг.

살다 (Үйл Үг) : 사람이 생활을 하다.
амьдрах, аж төрөх
хҮн аж төрөх.

-아 보다 : 앞의 말이 나타내는 행동을 시험 삼아 함을 나타내는 표현.
Тохирох Yг хэллэг байхгYй байна
өмнөх Yгийн илэрхийлж буй Yйлдлийг турших Yзэх явдлыг илэрхийлдэг Yг хэллэг.

-아요 : (두루높임으로) 어떤 사실을 서술하거나 질문, 명령, 권유함을 나타내는 종결 어미.
Тохирох Yг хэллэг байхгYй байна
(хYндэтгэлийн энгийн Yг хэллэг) ямар нэгэн зYйлийг хYYрнэх, асуух, тушаах, уриалах явдлыг илэрхийлдэг төгсгөх нөхцөл. **<санал>**

이제+부터+는 지금+부터+는

이제 (нэр Yг) : 지금의 시기.
одоо
одоо цаг Yе.

부터 : 어떤 일의 시작이나 처음을 나타내는 조사.
-аас, -ээс, -оос, -өөс
ямар нэгэн ажлын эхлэлийг илэрхийлдэг нэрийн нөхцөл.

는 : 어떤 대상이 다른 것과 대조됨을 나타내는 조사.
бол
ямар нэг зYйлийг өөр зYйлтэй харьцуулах, шалтгаан заах Yг

지금 (нэр Yг) : 말을 하고 있는 바로 이때.
одоо, одоо цаг
юм ярьж буй энэ цаг мөч.

부터 : 어떤 일의 시작이나 처음을 나타내는 조사.
-аас, -ээс, -оос, -өөс
ямар нэгэн ажлын эхлэлийг илэрхийлдэг нэрийн нөхцөл.

는 : 어떤 대상이 다른 것과 대조됨을 나타내는 조사.
бол
ямар нэг зYйлийг өөр зYйлтэй харьцуулах, шалтгаан заах Yг

가슴+이 느끼+[는 대로] 자유롭+게

가슴 (нэр Yг) : 마음이나 느낌.
зYрх сэтгэл
сэтгэл ба мэдрэмж.

이 : 어떤 상태나 상황의 대상이나 동작의 주체를 나타내는 조사.
Тохирох Үг хэллэг байхгҮй байна
ямар нэгэн төлөв, байдлын субьект, мөн Үйл хөдлөлийн эзэн болохыг илэрхийлэх нөхцөл.

느끼다 (Үйл Үг) : 특정한 대상이나 상황을 어떻다고 생각하거나 인식하다.
мэдрэх
аль нэгэн объект буюу нөхцөл байдлыг тийм хэмээн бодох буюу мэдрэх.

-는 대로 : 앞에 오는 말이 뜻하는 현재의 행동이나 상황과 같음을 나타내는 표현.
Тохирох Үг хэллэг байхгҮй байна
өмнөх Үгийн утга нь өнөөгийн Үйл болон байдалтай адилаар гэсэн утгыг илэрхийлдэг Үг хэллэг.

자유롭다 (тэмдэг нэр) : 무엇에 얽매이거나 구속되지 않고 자기 생각과 의지대로 할 수 있다.
чөлөөтэй, дураараа
хөндлөнгийн оролцоо буюу хориг хязгааргҮй өөрийн дураар хийж болох.

-게 : 앞의 말이 뒤에서 가리키는 일의 목적이나 결과, 방식, 정도 등이 됨을 나타내는 연결 어미.
Тохирох Үг хэллэг байхгҮй байна
өмнөх агуулга ард нь зааж буй байдал, зорилго, Үр дҮн, арга барил, хэмжээ зэрэг болохыг илэрхийлдэг холбох нөхцөл. **<арга маяг>**

이제+부터+는 지금+부터+는

이제 (нэр Үг) : 지금의 시기.
одоо
одоо цаг Үе.

부터 : 어떤 일의 시작이나 처음을 나타내는 조사.
-аас, -ээс, -оос, -өөс
ямар нэгэн ажлын эхлэлийг илэрхийлдэг нэрийн нөхцөл.

는 : 어떤 대상이 다른 것과 대조됨을 나타내는 조사.
бол
ямар нэг зҮйлийг өөр зҮйлтэй харьцуулах, шалтгаан заах Үг

지금 (нэр Үг) : 말을 하고 있는 바로 이때.
одоо, одоо цаг
юм ярьж буй энэ цаг мөч.

부터 : 어떤 일의 시작이나 처음을 나타내는 조사.
-аас, -ээс, -оос, -өөс
ямар нэгэн ажлын эхлэлийг илэрхийлдэг нэрийн нөхцөл.

는 : 어떤 대상이 다른 것과 대조됨을 나타내는 조사.
бол
ямар нэг зҮйлийг өөр зҮйлтэй харьцуулах, шалтгаан заах Үг

(우리 모두 거기+서)

우리 (төлөөний Үг) : 말하는 사람이 자기와 듣는 사람 또는 이를 포함한 여러 사람들을 가리키는 말.
бид, манай, хэдҮҮлээ
ярьж байгаа хҮн өөрөө болон тҮҮнийг сонсож байгаа хҮн, мөн энд хамрагдаж байгаа хэд хэдэн хҮнийг заах Үг.

모두 (дайвар Үг) : 빠짐없이 다.
бҮгд, бҮгдээрээ, цөмөөрөө, хамт
юу ч ҮлдэлгҮй бҮгд хамт.

거기 (төлөөний Үг) : 앞에서 이미 이야기한 곳을 가리키는 말.
тэнд
өмнө нь хэлсэн газар байрыг зааж нэрлэх Үг хэллэг.

서 : 앞말이 행동이 이루어지고 있는 장소임을 나타내는 조사.
дээр, -д/-т
Үйл хөдлөл болж байгаа орон байрыг илэрхийлдэг нөхцөл.

가슴+이 시키+[는 대로] 살+[아 보]+아요.

살아 봐요

가슴 (нэр Үг) : 마음이나 느낌.
зҮрх сэтгэл
сэтгэл ба мэдрэмж.

이 : 어떤 상태나 상황의 대상이나 동작의 주체를 나타내는 조사.
Тохирох Үг хэллэг байхгҮй байна
ямар нэгэн төлөв, байдлын субьект, мөн Үйл хөдлөлийн эзэн болохыг илэрхийлэх нөхцөл.

시키다 (Үйл Үг) : 어떤 일이나 행동을 하게 하다.
даалгах, хийлгэх
ямар нэг ажил хэрэг болон Үйлдэл хийхэд хҮргэх.

-는 대로 : 앞에 오는 말이 뜻하는 현재의 행동이나 상황과 같음을 나타내는 표현.
Тохирох Үг хэллэг байхгҮй байна
өмнөх Үгийн утга нь өнөөгийн Үйл болон байдалтай адилаар гэсэн утгыг илэрхийлдэг Үг хэллэг.

살다 (Үйл Үг) : 사람이 생활을 하다.
амьдрах, аж төрөх
хҮн аж төрөх.

-아 보다 : 앞의 말이 나타내는 행동을 시험 삼아 함을 나타내는 표현.
Тохирох Үг хэллэг байхгҮй байна
өмнөх Үгийн илэрхийлж буй Үйлдлийг турших Үзэх явдлыг илэрхийлдэг Үг хэллэг.

-아요 : (두루높임으로) 어떤 사실을 서술하거나 질문, 명령, 권유함을 나타내는 종결 어미.
Тохирох Үг хэллэг байхгҮй байна
(хҮндэтгэлийн энгийн Үг хэллэг) ямар нэгэн зҮйлийг хҮҮрнэх, асуух, тушаах, уриалах явдлыг илэрхийлдэг төгсгөх нөхцөл. **<санал>**

(자유롭+게 살+아요)

자유롭다 (тэмдэг нэр) : 무엇에 얽매이거나 구속되지 않고 자기 생각과 의지대로 할 수 있다.
чөлөөтэй, дураараа
хөндлөнгийн оролцоо буюу хориг хязгааргҮй өөрийн дураар хийж болох.

-게 : 앞의 말이 뒤에서 가리키는 일의 목적이나 결과, 방식, 정도 등이 됨을 나타내는 연결 어미.
Тохирох Үг хэллэг байхгҮй байна
өмнөх агуулга ард нь зааж буй байдал, зорилго, Үр дҮн, арга барил, хэмжээ зэрэг болохыг илэрхийлдэг холбох нөхцөл. **<арга маяг>**

살다 (Үйл Үг) : 사람이 생활을 하다.
амьдрах, аж төрөх
хҮн аж төрөх.

-아요 : (두루높임으로) 어떤 사실을 서술하거나 질문, 명령, 권유함을 나타내는 종결 어미.
Тохирох Үг хэллэг байхгҮй байна
(хҮндэтгэлийн энгийн Үг хэллэг) ямар нэгэн зҮйлийг хҮҮрнэх, асуух, тушаах, уриалах явдлыг илэрхийлдэг төгсгөх нөхцөл. **<санал>**

이제+부터+는 지금+부터+는

이제 (нэр Үг) : 지금의 시기.
одоо
одоо цаг Үе.

부터 : 어떤 일의 시작이나 처음을 나타내는 조사.
-аас, -ээс, -оос, -өөс
ямар нэгэн ажлын эхлэлийг илэрхийлдэг нэрийн нөхцөл.

는 : 어떤 대상이 다른 것과 대조됨을 나타내는 조사.
бол
ямар нэг зҮйлийг өөр зҮйлтэй харьцуулах, шалтгаан заах Үг

지금 (нэр Үг) : 말을 하고 있는 바로 이때.
одоо, одоо цаг
юм ярьж буй энэ цаг мөч.

부터 : 어떤 일의 시작이나 처음을 나타내는 조사.
-аас, -ээс, -оос, -өөс
ямар нэгэн ажлын эхлэлийг илэрхийлдэг нэрийн нөхцөл.

는 : 어떤 대상이 다른 것과 대조됨을 나타내는 조사.
бол
ямар нэг зҮйлийг өөр зҮйлтэй харьцуулах, шалтгаан заах Үг

(우리 모두 거기+서)

우리 (төлөөний Үг) : 말하는 사람이 자기와 듣는 사람 또는 이를 포함한 여러 사람들을 가리키는 말.
бид, манай, хэдҮҮлээ
ярьж байгаа хҮн өөрөө болон тҮҮнийг сонсож байгаа хҮн, мөн энд хамрагдаж байгаа хэд хэдэн хҮнийг заах Үг.

모두 (дайвар Үг) : 빠짐없이 다.
бҮгд, бҮгдээрээ, цөмөөрөө, хамт
юу ч ҮлдэлгҮй бҮгд хамт.

거기 (төлөөний Үг) : 앞에서 이미 이야기한 곳을 가리키는 말.
тэнд
өмнө нь хэлсэн газар байрыг зааж нэрлэх Үг хэллэг.

서 : 앞말이 행동이 이루어지고 있는 장소임을 나타내는 조사.
дээр, -д/-т
Үйл хөдлөл болж байгаа орон байрыг илэрхийлдэг нөхцөл.

가슴+이 느끼+[는 대로] 자유롭+게

가슴 (нэр Үг) : 마음이나 느낌.
зҮрх сэтгэл
сэтгэл ба мэдрэмж.

이 : 어떤 상태나 상황의 대상이나 동작의 주체를 나타내는 조사.
Тохирох Үг хэллэг байхгҮй байна
ямар нэгэн төлөв, байдлын субьект, мөн Үйл хөдлөлийн эзэн болохыг илэрхийлэх нөхцөл.

느끼다 (Үйл Үг) : 특정한 대상이나 상황을 어떻다고 생각하거나 인식하다.
мэдрэх
аль нэгэн объект буюу нөхцөл байдлыг тийм хэмээн бодох буюу мэдрэх.

-는 대로 : 앞에 오는 말이 뜻하는 현재의 행동이나 상황과 같음을 나타내는 표현.
Тохирох Үг хэллэг байхгҮй байна
өмнөх Үгийн утга нь өнөөгийн Үйл болон байдалтай адилаар гэсэн утгыг илэрхийлдэг Үг хэллэг.

자유롭다 (тэмдэг нэр) : 무엇에 얽매이거나 구속되지 않고 자기 생각과 의지대로 할 수 있다.
чөлөөтэй, дураараа
хөндлөнгийн оролцоо буюу хориг хязгааргҮй өөрийн дураар хийж болох.

-게 : 앞의 말이 뒤에서 가리키는 일의 목적이나 결과, 방식, 정도 등이 됨을 나타내는 연결 어미.
Тохирох Үг хэллэг байхгҮй байна
өмнөх агуулга ард нь зааж буй байдал, зорилго, Үр дҮн, арга барил, хэмжээ зэрэг болохыг илэрхийлдэг холбох нөхцөл. **<арга маяг>**

(자유롭+게)

자유롭다 (тэмдэг нэр) : 무엇에 얽매이거나 구속되지 않고 자기 생각과 의지대로 할 수 있다.
чөлөөтэй, дураараа
хөндлөнгийн оролцоо буюу хориг хязгааргҮй өөрийн дураар хийж болох.

-게 : 앞의 말이 뒤에서 가리키는 일의 목적이나 결과, 방식, 정도 등이 됨을 나타내는 연결 어미.
Тохирох Yг хэллэг байхгYй байна
өмнөх агуулга ард нь зааж буй байдал, зорилго, Yр дYн, арга барил, хэмжээ зэрэг болохыг илэрхийлдэг холбох нөхцөл. **<арга маяг>**

그런 사람+이+었+어요.

그런 (тодотгол Yг) : 상태, 모양, 성질 등이 그러한.
тийм
байдал, хэлбэр, шинж чанар зэрэг тийм.

사람 (нэр Yг) : 생각할 수 있으며 언어와 도구를 만들어 사용하고 사회를 이루어 사는 존재.
хYн
сэтгэх чадвартай хэл болон багаж хэрэгсэл зохион ашиглаж нийгмийг бYтээн амьдардаг бие бодь.

이다 : 주어가 지시하는 대상의 속성이나 부류를 지정하는 뜻을 나타내는 서술격 조사.
Тохирох Yг хэллэг байхгYй байна
эзэн биеийн зааж буй обьектын шинж чанар, төрөл зYйлийг тодорхойлох утгыг илэрхийлэх өгYYлэхYYний тийн ялгалын нөхцөл.

-었- : 어떤 사건이 과거에 완료되었거나 그 사건의 결과가 현재까지 지속되는 상황을 나타내는 어미.
Тохирох Yг хэллэг байхгYй байна
ямар нэгэн хэрэг явдал өнгөрсөн Yед болж өнгөрсөн буюу тухайн Yйлийн Yр дYн өнөөг хYртэл Yргэлжилж буй нөхцөл байдлыг илэрхийлдэг нөхцөл.

-어요 : (두루높임으로) 어떤 사실을 서술하거나 질문, 명령, 권유함을 나타내는 종결 어미.
Тохирох Yг хэллэг байхгYй байна
(хYндэтгэлийн энгийн Yг хэллэг) ямар нэгэн зYйлийг хYYрнэх, асуух, тушаах, уриалах явдлыг илэрхийлдэг төгсгөх нөхцөл. **<дYрслэл>**

그런 인생+이+었+어요.

그런 (тодотгол Yг) : 상태, 모양, 성질 등이 그러한.
тийм
байдал, хэлбэр, шинж чанар зэрэг тийм.

인생 (нэр Yг) : 사람이 세상을 살아가는 일.
амьдрал, хYний амьдрал
хYн хорвоо дэлхийд амьдрах амьдрал.

이다 : 주어가 지시하는 대상의 속성이나 부류를 지정하는 뜻을 나타내는 서술격 조사.
Тохирох Үг хэллэг байхгҮй байна
эзэн биеийн зааж буй обьектын шинж чанар, төрөл зҮйлийг тодорхойлох утгыг илэрхийлэх өгҮҮлэхҮҮний тийн ялгалын нөхцөл.

-었- : 어떤 사건이 과거에 완료되었거나 그 사건의 결과가 현재까지 지속되는 상황을 나타내는 어미.
Тохирох Үг хэллэг байхгҮй байна
ямар нэгэн хэрэг явдал өнгөрсөн Үед болж өнгөрсөн буюу тухайн Үйлийн Үр дҮн өнөөг хҮртэл Үргэлжилж буй нөхцөл байдлыг илэрхийлдэг нөхцөл.

-어요 : (두루높임으로) 어떤 사실을 서술하거나 질문, 명령, 권유함을 나타내는 종결 어미.
Тохирох Үг хэллэг байхгҮй байна
(хҮндэтгэлийн энгийн Үг хэллэг) ямар нэгэн зҮйлийг хҮҮрнэх, асуух, тушаах, уриалах явдлыг илэрхийлдэг төгсгөх нөхцөл. **<дҮрслэл>**

그렇+게 기억하+[여 주]+어요.

기억해 줘요

그렇다 (тэмдэг нэр) : 상태, 모양, 성질 등이 그와 같다.
тийм, тиймэрхҮҮ
нөхцөл байдал, хэлбэр дҮрс, шинж чанар нь дараагийн хэлсэн Үгтэй адил байх.

-게 : 앞의 말이 뒤에서 가리키는 일의 목적이나 결과, 방식, 정도 등이 됨을 나타내는 연결 어미.
Тохирох Үг хэллэг байхгҮй байна
өмнөх агуулга ард нь зааж буй байдал, зорилго, Үр дҮн, арга барил, хэмжээ зэрэг болохыг илэрхийлдэг холбох нөхцөл. **<арга маяг>**

기억하다 (Үйл Үг) : 이전의 모습, 사실, 지식, 경험 등을 잊지 않거나 다시 생각해 내다.
санах, дурсаж бодох, бодох, мартахгҮй байх
урьдын дҮр төрх, Үнэн явдал, мэдлэг, туршлага зэргийг мартахгҮй байх юмуу дахин санах.

-여 주다 : 남을 위해 앞의 말이 나타내는 행동을 함을 나타내는 표현.
Тохирох Үг хэллэг байхгҮй байна
бусдад зориулж өмнөх Үгийн илэрхийлж буй Үйлдлийг хийх явдлыг илэрхийлдэг Үг хэллэг.

-어요 : (두루높임으로) 어떤 사실을 서술하거나 질문, 명령, 권유함을 나타내는 종결 어미.
Тохирох Үг хэллэг байхгҮй байна
(хҮндэтгэлийн энгийн Үг хэллэг) ямар нэгэн зҮйлийг хҮҮрнэх, асуух, тушаах, уриалах явдлыг илэрхийлдэг төгсгөх нөхцөл. **<тушаал>**

< 6 >

독주
(хатуу архи)

[발음(дуудлага)]

< 1 절(бадаг) >

누구라도 한 잔 술을 따라 줘요
누구라도 한 잔 수를 따라 줘요
nugurado han jan sureul ttara jwoyo

비우고 싶은 것이 많아서
비우고 시픈 거시 마나서
biugo sipeun geosi manaseo

이 한 잔 마시고 나면 잊을 수 있을까요?
이 한 잔 마시고 나면 이즐 쑤 이쓸까요?
i han jan masigo namyeon ijeul su isseulkkayo?

버리고 싶은 것이 가득해서
버리고 시픈 거시 가드캐서
beorigo sipeun geosi gadeukaeseo

뜨거웠던 가슴, 마지막 온기가 사라지기 전에
뜨거월떤 가슴, 마지막 온기가 사라지기 저네
tteugeowotdeon gaseum, majimak ongiga sarajigi jeone

누구라도 독한 술 한 잔 따라 줘요.
누구라도 도칸 술 한 잔 따라 줘요.
nugurado dokan sul han jan ttara jwoyo.

< 후렴(дууны дахилт) >

이제부터 하얀 여백에 가득 찬
이제부터 하얀 여배게 가득 찬
ijebuteo hayan yeobaege gadeuk chan

내가 모르는 나를 지울 거예요
내가 모르는 나를 지울 꺼예요
naega moreuneun nareul jiul geoyeyo

오늘은 꼭 당신이 따라 준
오느른 꼭 당시니 따라 준
oneureun kkok dangsini ttara jun

한 잔의 가득한 독주를 비울 거예요.
한 자네 가드칸 독쭈를 비울 꺼예요.
han jane gadeukan dokjureul biul geoyeyo.

< 2 절(бадаг) >

누구라도 술 한 잔 따라 줘요
누구라도 술 한 잔 따라 줘요
nugurado sul han jan ttara jwoyo

추억에 취해 비틀거리기 전에
추어게 취해 비틀거리기 저네
chueoge chwihae biteulgeorigi jeone

이 한 잔 마시고 나면 지울 수 있을까요?
이 한 잔 마시고 나면 지울 쑤 이쓸까요?
i han jan masigo namyeon jiul su isseulkkayo?

그리움에 취해 잠들기 전에
그리우메 취해 잠들기 저네
geuriume chwihae jamdeulgi jeone

아직 어제를 살고 있는 이 꿈속에서 깨지 않도록
아직 어제를 살고 인는 이 꿈쏘게서 깨지 안토록
ajik eojereul salgo inneun i kkumsogeseo kkaeji antorok

누구라도 지독한 술 한 잔 따라 줘요.
누구라도 지도칸 술 한 잔 따라 줘요.
nugurado jidokan sul han jan ttara jwoyo.

< 후렴(дууны дахилт) >

이제부터 하얀 여백에 가득 찬
이제부터 하얀 여배게 가득 찬
ijebuteo hayan yeobaege gadeuk chan

내가 모르는 나를 지울 거예요
내가 모르는 나를 지울 꺼예요
naega moreuneun nareul jiul geoyeyo

오늘은 꼭 당신이 따라 준
오느른 꼭 당시니 따라 준
oneureun kkok dangsini ttara jun

한 잔의 가득한 독주를 비울 거예요.
한 자네 가드칸 독쭈를 비울 꺼예요.
han jane gadeukan dokjureul biul geoyeyo.

이제부터 하얀 여백에 가득 찬
이제부터 하얀 여배게 가득 찬
ijebuteo hayan yeobaege gadeuk chan

내가 모르는 나를 지울 거예요
내가 모르는 나를 지울 꺼예요
naega moreuneun nareul jiul geoyeyo

오늘은 꼭 당신이 따라 준
오느른 꼭 당시니 따라 준
oneureun kkok dangsini ttara jun

한 잔의 가득한 독주를 비울 거예요.
한 자네 가드칸 독쭈를 비울 꺼예요.
han jane gadeukan dokjureul biul geoyeyo.

< 1 절(бадаг) >

누구+라도 한 잔 술+을 따르(따ㄹ)+[아 주]+어요.

따라 줘요

누구 (төлөөний Үг) : 정해지지 않은 어떤 사람을 가리키는 말.
хэн
тодорхой тогтоогҮй хэн нэгэн хҮнийг нэрлэн заасан Үг.

라도 : 그것이 최선은 아니나 여럿 중에서는 그런대로 괜찮음을 나타내는 조사.
ч болтугай
шилдэг нь биш боловч тэр дундаас гайгҮй нь болохыг илэрхийлж буй нөхцөл.

한 (тодотгол Үг) : 하나의.
нэг
нэгэн.

잔 (нэр Үг) : 음료나 술 등을 담은 그릇을 기준으로 그 분량을 세는 단위.
аяга, хундага
ундаа, архи хийж уудаг аягыг хэмжҮҮр болгон тэр хэмжээг тоолох Үг

술 (нэр Үг) : 맥주나 소주 등과 같이 알코올 성분이 들어 있어서 마시면 취하는 음료.
архи, сархад, согтууруулах ундаа
шар айраг, сужҮ,солонгос архи, зэрэг спиртлэг бодис агуулсан, уувал согтдог ундаа.

을 : 동작이 직접적으로 영향을 미치는 대상을 나타내는 조사.
-ыг/-ийг/-г
Үйл хөдлөл шууд нөлөөлж буй тусагдахууныг илэрхийлэх нөхцөл.

따르다 (Үйл Үг) : 액체가 담긴 물건을 기울여 액체를 밖으로 조금씩 흐르게 하다.
аягалах, хийж өгөх
шингэн зҮйл хийсэн эд зҮйлийг хазайлган шингэн зҮйлийг гадагш бага багаар урсгах.

-아 주다 : 남을 위해 앞의 말이 나타내는 행동을 함을 나타내는 표현.
Тохирох Үг хэллэг байхгҮй байна
бусдад зориулж өмнөх Үгийн илэрхийлж буй Үйлдлийг хийх явдлыг илэрхийлдэг Үг хэллэг.

-어요 : (두루높임으로) 어떤 사실을 서술하거나 질문, 명령, 권유함을 나타내는 종결 어미.
Тохирох Үг хэллэг байхгҮй байна
(хҮндэтгэлийн энгийн Үг хэллэг) ямар нэгэн зҮйлийг хҮҮрнэх, асуух, тушаах, уриалах явдлыг илэрхийлдэг төгсгөх нөхцөл. **<тушаал>**

비우+[고 싶]+[은 것]+이 많+아서

비우다 (Үйл Үг) : 욕심이나 집착을 버리다.
хоослох
шунал буюу улангасан татагдах сэтгэлээ орхих.

-고 싶다 : 앞의 말이 나타내는 행동을 하기를 원함을 나타내는 표현.
Тохирох Үг хэллэг байхгҮй байна
өмнөх Үгийн илэрхийлж буй Үйлдлийг хийхийг хҮсэх явдлыг илэрхийлдэг Үг хэллэг.

-은 것 : 명사가 아닌 것을 문장에서 명사처럼 쓰이게 하거나 '이다' 앞에 쓰일 수 있게 할 때 쓰는 표현.
Тохирох Үг хэллэг байхгҮй байна
өгҮҮлбэрт нэр Үгийн ҮҮргээр орж өгҮҮлэгдэхҮҮн буюу тусагдахуун гишҮҮний ҮҮрэг гҮйцэтгэх буюу '이다'-н өмнө ирэх боломжтой болгодог Үг хэллэг.

이 : 어떤 상태나 상황의 대상이나 동작의 주체를 나타내는 조사.
Тохирох Үг хэллэг байхгҮй байна
ямар нэгэн төлөв, байдлын субьект, мөн Үйл хөдлөлийн эзэн болохыг илэрхийлэх нөхцөл.

많다 (тэмдэг нэр) : 수나 양, 정도 등이 일정한 기준을 넘다.
олон, их, арвин
тоо хэмжээ, тҮвшин тодорхой нэг хэмжээг давах.

-아서 : 이유나 근거를 나타내는 연결 어미.
Тохирох Үг хэллэг байхгҮй байна
учир шалтгаан буюу Үндэслэлийг илэрхийлдэг холбох нөхцөл.

이 한 잔 마시+[고 나]+면 잊+[을 수 있]+을까요?

이 (тодотгол Үг) : 바로 앞에서 이야기한 대상을 가리킬 때 쓰는 말.
энэ
өмнө ярьсан зҮйлийг заасан Үг.

한 (тодотгол Үг) : 하나의.
нэг
нэгэн.

잔 (нэр Үг) : 음료나 술 등을 담은 그릇을 기준으로 그 분량을 세는 단위.
аяга, хундага
ундаа, архи хийж уудаг аягыг хэмжҮҮр болгон тэр хэмжээг тоолох Үг

마시다 (Үйл Үг) : 물 등의 액체를 목구멍으로 넘어가게 하다.
уух
ус зэргийн зҮйлийг амнаас хоолойгоор оруулах.

-고 나다 : 앞에 오는 말이 나타내는 행동이 끝났음을 나타내는 표현.
Тохирох Үг хэллэг байхгҮй байна
өмнөх Үгийн илэрхийлж буй Үйлдэл дууссан болохыг илэрхийлдэг Үг хэллэг.

-면 : 뒤에 오는 말에 대한 근거나 조건이 됨을 나타내는 연결 어미.
Тохирох Үг хэллэг байхгҮй байна
ард ирэх агуулгын талаарх учир шалтгаан буюу болзол болохыг илэрхийлдэг холбох нөхцөл.

잊다 (Үйл Үг) : 어려움이나 고통, 또는 좋지 않은 지난 일을 마음속에 두지 않거나 신경 쓰지 않다.
мартах, тоохгҮй байх, ойшоохгҮй байх
хҮнд хэцҮҮ зҮйл ба өвдөлт, мөн таагҮй өнгөрсөн явдал зэргийг сэтгэлдээ хадгалахгҮй буюу тоохгҮй байх.

-을 수 있다 : 어떤 행동이나 상태가 가능함을 나타내는 표현.
-ж болох, -ж мэдэх
ямар нэгэн Үйл хөдлөл, байдал өрнөх боломжтой болохыг илэрхийлэх хэллэг.

-을까요 : (두루높임으로) 아직 일어나지 않았거나 모르는 일에 대해서 말하는 사람이 추측하며 질문할 때 쓰는 표현.
Тохирох Үг хэллэг байхгҮй байна
(хҮндэтгэлийн энгийн Үг хэллэг) одоохондоо болоогҮй байгаа юм уу мэдэхгҮй байгаа зҮйлийн талаар өгҮҮлж байгаа хҮн таамаглан асуухдаа хэрэглэдэг илэрхийлэл.

버리+[고 싶]+[은 것]+이 가득하+여서
가득해서

버리다 (Үйл Үг) : 마음속에 가졌던 생각을 스스로 잊다.
хаях, орхих, болих
сэтгэл дотроо агуулж байсан бодол санаагаа өөрөө мартах.

-고 싶다 : 앞의 말이 나타내는 행동을 하기를 원함을 나타내는 표현.
Тохирох Үг хэллэг байхгҮй байна
өмнөх Үгийн илэрхийлж буй Үйлдлийг хийхийг хҮсэх явдлыг илэрхийлдэг Үг хэллэг.

-은 것 : 명사가 아닌 것을 문장에서 명사처럼 쓰이게 하거나 '이다' 앞에 쓰일 수 있게 할 때 쓰는 표현.
Тохирох Үг хэллэг байхгҮй байна
өгҮҮлбэрт нэр Үгийн ҮҮргээр орж өгҮҮлэгдэхҮҮн буюу тусагдахуун гишҮҮний ҮҮрэг гҮйцэтгэх буюу '이다'-н өмнө ирэх боломжтой болгодог Үг хэллэг.

이 : 어떤 상태나 상황의 대상이나 동작의 주체를 나타내는 조사.
Тохирох Үг хэллэг байхгҮй байна
ямар нэгэн төлөв, байдлын субьект, мөн Үйл хөдлөлийн эзэн болохыг илэрхийлэх нөхцөл.

가득하다 (тэмдэг нэр) : 어떤 감정이나 생각이 강하다.
дҮҮрэх, цалгих
ямар нэг сэтгэл хөдлөл, бодол мэт зҮйл хҮчтэй байх.

-여서 : 이유나 근거를 나타내는 연결 어미.
Тохирох Үг хэллэг байхгҮй байна
учир шалтгаан буюу Үндэслэлийг илэрхийлдэг холбох нөхцөл.

뜨겁(뜨거우)+었던 가슴, 마지막 온기+가 사라지+[기 전에]
뜨거웠던

뜨겁다 (тэмдэг нэр) : (비유적으로) 감정이나 열정 등이 격렬하고 강하다.
халуун
(зҮйрлэх Үг) сэтгэл хөдлөл, идэвхи зҮтгэл Үлэмж их, хҮчтэй байх.

-었던 : 과거의 사건이나 상태를 다시 떠올리거나 그 사건이나 상태가 완료되지 않고 중단되었다는 의미를 나타내는 표현.
Тохирох Үг хэллэг байхгҮй байна
өнгөрсөн явдал ба байдлыг дахин санах буюу уг явдал ба байдал бҮрэн төгсөөгҮй тҮр зогссон гэсэн утгыг илэрхийлдэг Үг хэллэг.

가슴 (нэр Үг) : 마음이나 느낌.
зҮрх сэтгэл
сэтгэл ба мэдрэмж.

마지막 (нэр Үг) : 시간이나 순서의 맨 끝.
сҮҮлчийн, эцсийн, төгсгөлийн
цаг хугацаа, дарааллын төгсгөл.

온기 (нэр Үг) : (비유적으로) 다정하거나 따뜻하게 베푸는 분위기나 마음.
халуун, дулаан уур амьсгал
(зҮйрлэх Үг) элгэсэг буюу халуун дулаан, найрсаг уур амьсгал буюу сэтгэл.

가 : 어떤 상태나 상황에 놓인 대상이나 동작의 주체를 나타내는 조사.
Тохирох Үг хэллэг байхгҮй байна
ямар нэгэн төлөв, байдлын субьект, мөн Үйл хөдлөлийн эзэн болохыг илэрхийлэх нөхцөл.

사라지다 (Үйл Үг) : 생각이나 감정 등이 없어지다.
арилах, алга болох, ҮгҮй болох
бодол санаа, сэтгэлийн хөдлөл зэрэг ҮгҮй болох.

-기 전에 : 뒤에 오는 말이 나타내는 행동이 앞에 오는 말이 나타내는 행동보다 앞서는 것을 나타내는 표현.
Тохирох Үг хэллэг байхгҮй байна
ямар нэгэн Үйл хөдлөл буюу байр байдал өмнө өгҮҮлж буй Үйлээс тҮрҮҮлэхийг утгыг илэрхийлнэ.

누구+라도 독하+ㄴ 술 한 잔 따르(따ㄹ)+[아 주]+어요.
독한 따라 줘요

누구 (төлөөний Үг) : 정해지지 않은 어떤 사람을 가리키는 말.
хэн
тодорхой тогтоогҮй хэн нэгэн хҮнийг нэрлэн заасан Үг.

라도 : 그것이 최선은 아니나 여럿 중에서는 그런대로 괜찮음을 나타내는 조사.
ч болтугай
шилдэг нь биш боловч тэр дундаас гайгҮй нь болохыг илэрхийлж буй нөхцөл.

독하다 (тэмдэг нэр) : 맛이나 냄새 등이 지나치게 자극적이다.
хурц, хатуу
амт болон Үнэр зэрэг хэтэрхий хурц.

-ㄴ : 앞의 말이 관형어의 기능을 하게 만들고 현재의 상태를 나타내는 어미.
Тохирох Үг хэллэг байхгҮй байна
өмнөх Үгийг тодотгол гишҮҮний ҮҮрэгтэй болгож, одоогийн байдлыг илэрхийлдэг нөхцөл.

술 (нэр Үг) : 맥주나 소주 등과 같이 알코올 성분이 들어 있어서 마시면 취하는 음료.
архи, сархад, согтууруулах ундаа
шар айраг, сужҮ,солонгос архи, зэрэг спиртлэг бодис агуулсан, уувал согтдог ундаа.

한 (тодотгол Үг) : 하나의.
нэг
нэгэн.

잔 (нэр Үг) : 음료나 술 등을 담은 그릇을 기준으로 그 분량을 세는 단위.
аяга, хундага
ундаа, архи хийж уудаг аягыг хэмжҮҮр болгон тэр хэмжээг тоолох Үг

따르다 (Үйл Үг) : 액체가 담긴 물건을 기울여 액체를 밖으로 조금씩 흐르게 하다.
аягалах, хийж өгөх
шингэн зҮйл хийсэн эд зҮйлийг хазайлган шингэн зҮйлийг гадагш бага багаар урсгах.

-아 주다 : 남을 위해 앞의 말이 나타내는 행동을 함을 나타내는 표현.
Тохирох Үг хэллэг байхгҮй байна
бусдад зориулж өмнөх Үгийн илэрхийлж буй Үйлдлийг хийх явдлыг илэрхийлдэг Үг хэллэг.

-어요 : (두루높임으로) 어떤 사실을 서술하거나 질문, 명령, 권유함을 나타내는 종결 어미.
Тохирох Үг хэллэг байхгҮй байна
(хҮндэтгэлийн энгийн Үг хэллэг) ямар нэгэн зҮйлийг хҮҮрнэх, асуух, тушаах, уриалах явдлыг илэрхийлдэг төгсгөх нөхцөл. **<тушаал>**

< 후렴(дууны дахилт) >

이제+부터 하얗(하야)+ㄴ 여백+에 가득 차+ㄴ
하얀 찬

이제 (нэр Үг) : 말하고 있는 바로 이때.
одоо
ярьж буй яг энэ Үеэ.

부터 : 어떤 일의 시작이나 처음을 나타내는 조사.
-аас, -ээс, -оос, -өөс
ямар нэгэн ажлын эхлэлийг илэрхийлдэг нэрийн нөхцөл.

하얗다 (тэмдэг нэр) : 눈이나 우유의 빛깔과 같이 밝고 선명하게 희다.
цагаан
цас, сҮҮний өнгөтэй ижил гэгээлэг тод цагаан.

-ㄴ : 앞의 말이 관형어의 기능을 하게 만들고 현재의 상태를 나타내는 어미.
Тохирох Үг хэллэг байхгҮй байна
өмнөх Үгийг тодотгол гишҮҮний ҮҮрэгтэй болгож, одоогийн байдлыг илэрхийлдэг нөхцөл.

여백 (нэр Үг) : 종이 등에 글씨를 쓰거나 그림을 그리고 남은 빈 자리.
хоосон зай, сул зай, цагаан зай
цаас мэт зҮйл дээр бичиг бичих буюу зураг зураад Үлдсэн хоосон зай.

에 : 앞말이 어떤 장소나 자리임을 나타내는 조사.
-д/-т
өмнөх Үг ямар нэгэн газар буюу байр болохыг илэрхийлж буй нөхцөл.

가득 (дайвар Үг) : 어떤 감정이나 생각이 강한 모양.
дҮҮрэн, дҮҮрсэн
ямар нэгэн сэтгэлийн хөдөлгөөн буюу бодол санаа хҮчтэй байх байдал.

차다 (Үйл Үг) : 감정이나 느낌 등이 가득하게 되다.
дҮҮрэх, бялхах
сэтгэл, мэдрэмж зэрэг дҮҮрэн болон.

-ㄴ : 앞의 말이 관형어의 기능을 하게 만들고 사건이나 동작이 완료되어 그 상태가 유지되고 있음을 나타내는 어미.
Тохирох Үг хэллэг байхгҮй байна
өмнөх Үгийг тодотгол гишҮҮний ҮҮрэгтэй болгож, хэрэг явдал буюу Үйлдэл нь бҮрэн төгс болсон, тухайн байдал Үргэлжилж буйг илэрхийлдэг нөхцөл.

내+가 모르+는 나+를 지우+[ㄹ 것(거)]+이+에요.

지울 거예요

내 (төлөөний Үг) : '나'에 조사 '가'가 붙을 때의 형태.
би
төлөөний Үг "나" дээр нэрлэхийн тийн ялгалын нөхцөл "가" залгахад хувирсан хэлбэр.

가 : 어떤 상태나 상황에 놓인 대상이나 동작의 주체를 나타내는 조사.
Тохирох Үг хэллэг байхгҮй байна
ямар нэгэн төлөв, байдлын субьект, мөн Үйл хөдлөлийн эзэн болохыг илэрхийлэх нөхцөл.

모르다 (Үйл Үг) : 사람이나 사물, 사실 등을 알지 못하거나 이해하지 못하다.
мэдэхгҮй байх, мэдэхгҮй
хҮн, эд юм, Үнэн зҮйлийн талаар мэдээгҮй буюу ойлгохгҮй байх.

-는 : 앞의 말이 관형어의 기능을 하게 만들고 사건이나 동작이 현재 일어남을 나타내는 어미.
Тохирох Yг хэллэг байхгYй байна
өмнөх Yгийг тодотгол гишYYний YYрэгтэй болгож, хэрэг явдал буюу Yйлдэл нь одоо өрнөж байгааг илэрхийлдэг нөхцөл.

나 (төлөөний Yг) : 말하는 사람이 친구나 아랫사람에게 자기를 가리키는 말.
би
өгYYлэгч этгээд найз буюу өөрөөсөө дYY хYнтэй ярихад өөрийг заасан Yг.

를 : 동작이 직접적으로 영향을 미치는 대상을 나타내는 조사.
-ыг/-ийг/-г
Yйл хөдлөл шууд нөлөөлж буй тусагдахууныг илэрхийлэх нөхцөл.

지우다 (Yйл Yг) : 생각이나 기억을 없애거나 잊다.
арчих, мартах
бодол санаа, дурсамж зэргийг YгYй болгож мартах.

-ㄹ 것 : 명사가 아닌 것을 문장에서 명사처럼 쓰이게 하거나 '이다' 앞에 쓰일 수 있게 할 때 쓰는 표현.
Тохирох Yг хэллэг байхгYй байна
нэр Yг биш боловч өгYYлбэрт нэр Yгийн YYргээр орж, өгYYлэгдэхYYн ба тусагдахуун гишYYний YYрэг гYйцэтгэх буюу '<ида>(байх)'-н өмнө орох боломжтой болгодог Yг хэллэг.

이다 : 주어가 지시하는 대상의 속성이나 부류를 지정하는 뜻을 나타내는 서술격 조사.
Тохирох Yг хэллэг байхгYй байна
эзэн биеийн зааж буй обьектын шинж чанар, төрөл зYйлийг тодорхойлох утгыг илэрхийлэх өгYYлэхYYний тийн ялгалын нөхцөл.

-에요 : (두루높임으로) 어떤 사실을 서술하거나 질문함을 나타내는 종결 어미.
Тохирох Yг хэллэг байхгYй байна
(хYндэтгэлийн энгийн Yг хэллэг) ямар нэгэн зYйлийг хYYрнэх, асуух явдлыг илэрхийлдэг төгсгөх нөхцөл. **<дYрслэл>**

오늘+은 꼭 당신+이 따르(따르)+[아 주]+ㄴ

따라 준

오늘 (нэр Yг) : 지금 지나가고 있는 이날.
өнөөдөр
одоо өнгөрөн одож буй энэ өдөр.

은 : 문장 속에서 어떤 대상이 화제임을 나타내는 조사.
Тохирох Yг хэллэг байхгYй байна
өгYYлбэрт ямар зYйл ярианы сэдэв болж буйг илэрхийлдэг нөхцөл.

꼭 (дайвар Yг) : 어떤 일이 있어도 반드시.
заавал, гарцаагYй
юу ч болж байсан заавал.

당신 (төлөөний Yг) : (조금 높이는 말로) 듣는 사람을 가리키는 말.
та
(бага зэрэг хYндэтгэх Yг) сонсож буй хYнийг заах Yг.

이 : 어떤 상태나 상황의 대상이나 동작의 주체를 나타내는 조사.
Тохирох Yг хэллэг байхгYй байна
ямар нэгэн төлөв, байдлын субьект, мөн Yйл хөдлөлийн эзэн болохыг илэрхийлэх нөхцөл.

따르다 (Yйл Yг) : 액체가 담긴 물건을 기울여 액체를 밖으로 조금씩 흐르게 하다.
аягалах, хийж өгөх
шингэн зYйл хийсэн эд зYйлийг хазайлган шингэн зYйлийг гадагш бага багаар урсгах.

-아 주다 : 남을 위해 앞의 말이 나타내는 행동을 함을 나타내는 표현.
Тохирох Yг хэллэг байхгYй байна
бусдад зориулж өмнөх Yгийн илэрхийлж буй Yйлдлийг хийх явдлыг илэрхийлдэг Yг хэллэг.

-ㄴ : 앞의 말이 관형어의 기능을 하게 만들고 사건이나 동작이 완료되어 그 상태가 유지되고 있음을 나타내는 어미.
Тохирох Yг хэллэг байхгYй байна
өмнөх Yгийг тодотгол гишYYний YYрэгтэй болгож, хэрэг явдал буюу Yйлдэл нь бYрэн төгс болсон, тухайн байдал Yргэлжилж буйг илэрхийлдэг нөхцөл.

한 잔+의 가득하+ㄴ 독주+를 비우+[ㄹ 것(거)]+이+에요.

가득한 비울 거예요

한 (тодотгол Yг) : 하나의.
нэг
нэгэн.

잔 (нэр Yг) : 음료나 술 등을 담은 그릇을 기준으로 그 분량을 세는 단위.
аяга, хундага
ундаа, архи хийж уудаг аягыг хэмжYYр болгон тэр хэмжээг тоолох Yг

의 : 앞의 말이 뒤의 말에 대하여 속성이나 수량을 한정하거나 같은 자격임을 나타내는 조사.
-н/-ийн/-ын/-ий/-ы
өмнөх Yг хойдох Yгийн шинж чанар, тоо хэмжээг зааглаж байгааг илэрхийлдэг нөхцөл.

가득하다 (тэмдэг нэр) : 양이나 수가 정해진 범위에 꽉 차 있다.
дYYрэх, бялхах, цалгих
тоо хэмжээ тогтсон хYрээнд бYрэн дYYрэн байх.

-ㄴ : 앞의 말이 관형어의 기능을 하게 만들고 현재의 상태를 나타내는 어미.
Тохирох Yг хэллэг байхгYй байна
өмнөх Yгийг тодотгол гишYYний YYрэгтэй болгож, одоогийн байдлыг илэрхийлдэг нөхцөл.

독주 (нэр Yг) : 매우 독한 술.
хатуу архи, хорз
маш хатуу архи.

를 : 동작이 직접적으로 영향을 미치는 대상을 나타내는 조사.
-ыг/-ийг/-г
Yйл хөдлөл шууд нөлөөлж буй тусагдахууныг илэрхийлэх нөхцөл.

비우다 (Yйл Yг) : 안에 든 것을 없애 속을 비게 하다.
хооcлох
дотор нь байсан зYйлийг байхгYй болгож хоосон болгох.

-ㄹ 것 : 명사가 아닌 것을 문장에서 명사처럼 쓰이게 하거나 '이다' 앞에 쓰일 수 있게 할 때 쓰는 표현.
Тохирох Yг хэллэг байхгYй байна
нэр Yг биш боловч өгYYлбэрт нэр Yгийн YYргээр орж, өгYYлэгдэхYYн ба тусагдахуун гишYYний YYрэг гYйцэтгэх буюу '<ида>(байх)'-н өмнө орох боломжтой болгодог Yг хэллэг.

이다 : 주어가 지시하는 대상의 속성이나 부류를 지정하는 뜻을 나타내는 서술격 조사.
Тохирох Yг хэллэг байхгYй байна
эзэн биеийн зааж буй обьектын шинж чанар, төрөл зYйлийг тодорхойлох утгыг илэрхийлэх өгYYлэхYYний тийн ялгалын нөхцөл.

-에요 : (두루높임으로) 어떤 사실을 서술하거나 질문함을 나타내는 종결 어미.
Тохирох Yг хэллэг байхгYй байна
(хYндэтгэлийн энгийн Yг хэллэг) ямар нэгэн зYйлийг хYYрнэх, асуух явдлыг илэрхийлдэг төгсгөх нөхцөл. **<дYрслэл>**

< 2 절(бадаг) >

누구+라도 술 한 잔 따르(따ㄹ)+[아 주]+어요.

따라 줘요

누구 (төлөөний Үг) : 정해지지 않은 어떤 사람을 가리키는 말.
хэн
тодорхой тогтоогҮй хэн нэгэн хҮнийг нэрлэн заасан Үг.

라도 : 그것이 최선은 아니나 여럿 중에서는 그런대로 괜찮음을 나타내는 조사.
ч болтугай
шилдэг нь биш боловч тэр дундаас гайгҮй нь болохыг илэрхийлж буй нөхцөл.

술 (нэр Үг) : 맥주나 소주 등과 같이 알코올 성분이 들어 있어서 마시면 취하는 음료.
архи, сархад, согтууруулах ундаа
шар айраг, сужҮ,солонгос архи, зэрэг спиртлэг бодис агуулсан, уувал согтдог ундаа.

한 (тодотгол Үг) : 하나의.
нэг
нэгэн.

잔 (нэр Үг) : 음료나 술 등을 담은 그릇을 기준으로 그 분량을 세는 단위.
аяга, хундага
ундаа, архи хийж уудаг аягыг хэмжҮҮр болгон тэр хэмжээг тоолох Үг

따르다 (Үйл Үг) : 액체가 담긴 물건을 기울여 액체를 밖으로 조금씩 흐르게 하다.
аягалах, хийж өгөх
шингэн зҮйл хийсэн эд зҮйлийг хазайлган шингэн зҮйлийг гадагш бага багаар урсгах.

-아 주다 : 남을 위해 앞의 말이 나타내는 행동을 함을 나타내는 표현.
Тохирох Үг хэллэг байхгҮй байна
бусдад зориулж өмнөх Үгийн илэрхийлж буй Үйлдлийг хийх явдлыг илэрхийлдэг Үг хэллэг.

-어요 : (두루높임으로) 어떤 사실을 서술하거나 질문, 명령, 권유함을 나타내는 종결 어미.
Тохирох Үг хэллэг байхгҮй байна
(хҮндэтгэлийн энгийн Үг хэллэг) ямар нэгэн зҮйлийг хҮҮрнэх, асуух, тушаах, уриалах явдлыг илэрхийлдэг төгсгөх нөхцөл.

추억+에 취하+여 비틀거리+[기 전에]
취해

추억 (нэр Үг) : 지나간 일을 생각함. 또는 그런 생각이나 일.
дурсамж
өнгөрсөн явдлыг бодох явдал. мөн тухайн бодол.

에 : 앞말이 어떤 행위나 감정 등의 대상임을 나타내는 조사.
-д/-т
өмнөх Үг ямар нэгэн Үйлдэл буюу сэтгэл хөдлөлийн тусагдахуун болохыг илэрхийлж буй Үг.

취하다 (Үйл Үг) : 무엇에 매우 깊이 빠져 마음을 빼앗기다.
автах, мансуурах
ямар нэгэн юманд маш гҮнзгий автан сэтгэлээ булаалгах.

-여 : 앞에 오는 말이 뒤에 오는 말에 대한 원인이나 이유임을 나타내는 연결 어미.
Тохирох Үг хэллэг байхгҮй байна
өмнө ирэх Үг ард ирэх Үгийн талаарх учир шалтгаан болохыг илэрхийлдэг холбох нөхцөл.

비틀거리다 (Үйл Үг) : 몸을 가누지 못하고 계속 이리저리 쓰러질 듯이 걷다.
гуйвах, найгах, гуйвж дайвах
биеэ удирдаж чадахгҮй тувт ийш тийшээ унах гэж байгаа мэт алхах.

-기 전에 : 뒤에 오는 말이 나타내는 행동이 앞에 오는 말이 나타내는 행동보다 앞서는 것을 나타내는 표현.
Тохирох Үг хэллэг байхгҮй байна
ямар нэгэн Үйл хөдлөл буюу байр байдал өмнө өгҮҮлж буй Үйлээс тҮрҮҮлэхийг утгыг илэрхийлнэ.

이 한 잔 마시+[고 나]+면 지우+[ㄹ 수 있]+을까요?
지울 수 있을까요

이 (тодотгол Үг) : 바로 앞에서 이야기한 대상을 가리킬 때 쓰는 말.
энэ
өмнө ярьсан зҮйлийг заасан Үг.

한 (тодотгол Үг) : 하나의.
нэг
нэгэн.

잔 (нэр Үг) : 음료나 술 등을 담은 그릇을 기준으로 그 분량을 세는 단위.
аяга, хундага
ундаа, архи хийж уудаг аягыг хэмжҮҮр болгон тэр хэмжээг тоолох Үг

마시다 (Үйл Үг) : 물 등의 액체를 목구멍으로 넘어가게 하다.
уух
ус зэргийн зҮйлийг амнаас хоолойгоор оруулах.

-고 나다 : 앞에 오는 말이 나타내는 행동이 끝났음을 나타내는 표현.
Тохирох Үг хэллэг байхгҮй байна
өмнөх Үгийн илэрхийлж буй Үйлдэл дууссан болохыг илэрхийлдэг Үг хэллэг.

-면 : 뒤에 오는 말에 대한 근거나 조건이 됨을 나타내는 연결 어미.
Тохирох Үг хэллэг байхгҮй байна
ард ирэх агуулгын талаарх учир шалтгаан буюу болзол болохыг илэрхийлдэг холбох нөхцөл.

지우다 (Үйл Үг) : 생각이나 기억을 없애거나 잊다.
арчих, мартах
бодол санаа, дурсамж зэргийг ҮгҮй болгож мартах.

-ㄹ 수 있다 : 어떤 행동이나 상태가 가능함을 나타내는 표현.
-ж болох, -ж мэдэх
ямар нэгэн Үйл хөдлөл, байдал өрнөх боломжтой болохыг илэрхийлэх хэллэг.

-을까요 : (두루높임으로) 아직 일어나지 않았거나 모르는 일에 대해서 말하는 사람이 추측하며 질문할 때 쓰는 표현.
Тохирох Үг хэллэг байхгҮй байна
(хҮндэтгэлийн энгийн Үг хэллэг) одоохондоо болоогҮй байгаа юм уу мэдэхгҮй байгаа зҮйлийн талаар өгҮҮлж байгаа хҮн таамаглан асуухдаа хэрэглэдэг илэрхийлэл.

그리움+에 <u>취하+여</u> 잠들+[기 전에]
취해

그리움 (нэр Үг) : 어떤 대상을 몹시 보고 싶어 하는 안타까운 마음.
санагалзал
хэн нэгнийг ихээр санагалзан ҮгҮйлэх сэтгэл.

에 : 앞말이 어떤 행위나 감정 등의 대상임을 나타내는 조사.
-д/-т
өмнөх Үг ямар нэгэн Үйлдэл буюу сэтгэл хөдлөлийн тусагдахуун болохыг илэрхийлж буй Үг.

취하다 (Үйл Үг) : 무엇에 매우 깊이 빠져 마음을 빼앗기다.
автах, мансуурах
ямар нэгэн юманд маш гҮнзгий автан сэтгэлээ булаалгах.

-여 : 앞에 오는 말이 뒤에 오는 말에 대한 원인이나 이유임을 나타내는 연결 어미.
Тохирох Үг хэллэг байхгҮй байна
өмнө ирэх Үг ард ирэх Үгийн талаарх учир шалтгаан болохыг илэрхийлдэг холбох нөхцөл.

잠들다 (Үйл Үг) : 잠을 자는 상태가 되다.
унтах, нойрсох
унталтын байдалтай болох.

-기 전에 : 뒤에 오는 말이 나타내는 행동이 앞에 오는 말이 나타내는 행동보다 앞서는 것을 나타내는 표현.
Тохирох Үг хэллэг байхгҮй байна
ямар нэгэн Үйл хөдлөл буюу байр байдал өмнө өгҮҮлж буй Үйлээс тҮрҮҮлэхийг утгыг илэрхийлнэ.

아직 어제+를 살+[고 있]+는 이 꿈속+에서 깨+[지 않]+도록

아직 (дайвар Үг) : 어떤 일이나 상태 또는 어떻게 되기까지 시간이 더 지나야 함을 나타내거나, 어떤 일이나 상태가 끝나지 않고 계속 이어지고 있음을 나타내는 말.
хараахан
аливаа явдал, нөхцөл байдал мөн хэрхэн өөрчлөгдөх хҮртэл хэдий хугацаа өнгөрөх хэрэгтэйг илэрхийлэх буюу дуусаагҮй Үргэлжилж байгааг илэрхийлдэг хэллэг.

어제 (нэр Үг) : 지나간 때.
өчигдөр
өнгөрсөн Үе.

를 : 동작이 직접적으로 영향을 미치는 대상을 나타내는 조사.
-ыг/-ийг/-г
Үйл хөдлөл шууд нөлөөлж буй тусагдахууныг илэрхийлэх нөхцөл.

살다 (Үйл Үг) : 사람이 생활을 하다.
амьдрах, аж төрөх
хҮн аж төрөх.

-고 있다 : 앞의 말이 나타내는 행동이 계속 진행됨을 나타내는 표현.
Тохирох Үг хэллэг байхгҮй байна
өмнөх Үгийн илэрхийлж буй Үйлдэл Үргэлжилж буйг илэрхийлдэг Үг хэллэг.

-는 : 앞의 말이 관형어의 기능을 하게 만들고 사건이나 동작이 현재 일어남을 나타내는 어미.
Тохирох Үг хэллэг байхгҮй байна
өмнөх Үгийг тодотгол гишҮҮний ҮҮрэгтэй болгож, хэрэг явдал буюу Үйлдэл нь одоо өрнөж байгааг илэрхийлдэг нөхцөл.

이 (тодотгол Үг) : 말하는 사람에게 가까이 있거나 말하는 사람이 생각하고 있는 대상을 가리킬 때 쓰는 말.
энэ
өгҮҮлэгч этгээдэд ойр байгаа зҮйл ба өгҮҮлэгч этгээдийн бодож байгаа зҮйлийг заасан Үг.

꿈속 (нэр Үг) : 현실과 동떨어진 환상 속.
зҮҮд зэрэглээн дунд
бодит байдлаас хол тасархай хий хоосон дунд.

에서 : 앞말이 행동이 이루어지고 있는 장소임을 나타내는 조사.
-аас(-ээс, -оос, -өөс)
өмнөх Үг нь Үйлдэл нь биелж буй газар болохыг илэрхийлдэг нөхцөл.

깨다 (Үйл Үг) : 잠이 든 상태에서 벗어나 정신을 차리다. 또는 그렇게 하다.
сэрэх
унтаа байдлаас сэрж ухаан санаагаа төвлөрҮҮлэх. мөн тийм болох.

-지 않다 : 앞의 말이 나타내는 행위나 상태를 부정하는 뜻을 나타내는 표현.
Тохирох Үг хэллэг байхгҮй байна
өмнөх Үгийн илэрхийлж буй Үйлдэл буюу байдлыг ҮгҮйсгэх утгыг илэрхийлдэг Үг хэллэг.

-도록 : 앞에 오는 말이 뒤에 오는 말에 대한 목적이나 결과, 방식, 정도임을 나타내는 연결 어미.
Тохирох Үг хэллэг байхгҮй байна
өмнө ирэх Үг, ард ирэх Үгийн талаарх зорилго, Үр дҮн, арга барил, хэмжээ зэргийг илэрхийлдэг холбох нөхцөл.

누구+라도 지독하+ㄴ 술 한 잔 따르(따르)+[아 주]+어요.

지독한 따라 줘요

누구 (төлөөний Үг) : 정해지지 않은 어떤 사람을 가리키는 말.
хэн
тодорхой тогтоогҮй хэн нэгэн хҮнийг нэрлэн заасан Үг.

라도 : 그것이 최선은 아니나 여럿 중에서는 그런대로 괜찮음을 나타내는 조사.
ч болтугай
шилдэг нь биш боловч тэр дундаас гайгҮй нь болохыг илэрхийлж буй нөхцөл.

지독하다 (тэмдэг нэр) : 맛이나 냄새 등이 해롭거나 참기 어려울 정도로 심하다.
тэсэхийн аргагҮй муухай
амт болон Үнэр зэрэг хортой ба тэвчихийн аргагҮй байх.

-ㄴ : 앞의 말이 관형어의 기능을 하게 만들고 현재의 상태를 나타내는 어미.
Тохирох Үг хэллэг байхгҮй байна
өмнөх Үгийг тодотгол гишҮҮний ҮҮрэгтэй болгож, одоогийн байдлыг илэрхийлдэг нөхцөл.

술 (нэр Үг) : 맥주나 소주 등과 같이 알코올 성분이 들어 있어서 마시면 취하는 음료.
архи, сархад, согтуууруулах ундаа
шар айраг, сужҮ,солонгос архи, зэрэг спиртлэг бодис агуулсан, уувал согтдог ундаа.

한 (тодотгол Үг) : 하나의.
нэг
нэгэн.

잔 (нэр Үг) : 음료나 술 등을 담은 그릇을 기준으로 그 분량을 세는 단위.
аяга, хундага
ундаа, архи хийж уудаг аягыг хэмжҮҮр болгон тэр хэмжээг тоолох Үг.

따르다 (Үйл Үг) : 액체가 담긴 물건을 기울여 액체를 밖으로 조금씩 흐르게 하다.
аягалах, хийж өгөх
шингэн зҮйл хийсэн эд зҮйлийг хазайлган шингэн зҮйлийг гадагш бага багаар урсгах.

-아 주다 : 남을 위해 앞의 말이 나타내는 행동을 함을 나타내는 표현.
Тохирох Үг хэллэг байхгҮй байна
бусдад зориулж өмнөх Үгийн илэрхийлж буй Үйлдлийг хийх явдлыг илэрхийлдэг Үг хэллэг.

-어요 : (두루높임으로) 어떤 사실을 서술하거나 질문, 명령, 권유함을 나타내는 종결 어미.
Тохирох Үг хэллэг байхгҮй байна
(хҮндэтгэлийн энгийн Үг хэллэг) ямар нэгэн зҮйлийг хҮҮрнэх, асуух, тушаах, уриалах явдлыг илэрхийлдэг төгсгөх нөхцөл. **<тушаал>**

< 후렴(дууны дахилт) >

이제+부터 하얗(하야)+ㄴ 여백+에 가득 차+ㄴ
하얀 찬

이제 (нэр Үг) : 말하고 있는 바로 이때.
одоо
ярьж буй яг энэ Үеэ.

부터 : 어떤 일의 시작이나 처음을 나타내는 조사.
-аас, -ээс, -оос, -өөс
ямар нэгэн ажлын эхлэлийг илэрхийлдэг нэрийн нөхцөл.

하얗다 (тэмдэг нэр) : 눈이나 우유의 빛깔과 같이 밝고 선명하게 희다.
цагаан
цас, сҮҮний өнгөтэй ижил гэгээлэг тод цагаан.

-ㄴ : 앞의 말이 관형어의 기능을 하게 만들고 현재의 상태를 나타내는 어미.
Тохирох Үг хэллэг байхгҮй байна
өмнөх Үгийг тодотгол гишҮҮний ҮҮрэгтэй болгож, одоогийн байдлыг илэрхийлдэг нөхцөл.

여백 (нэр Үг) : 종이 등에 글씨를 쓰거나 그림을 그리고 남은 빈 자리.
хоосон зай, сул зай, цагаан зай
цаас мэт зҮйл дээр бичиг бичих буюу зураг зураад Үлдсэн хоосон зай.

에 : 앞말이 어떤 장소나 자리임을 나타내는 조사.
-д/-т
өмнөх Үг ямар нэгэн газар буюу байр болохыг илэрхийлж буй нөхцөл.

가득 (дайвар Үг) : 어떤 감정이나 생각이 강한 모양.
дҮҮрэн, дҮҮрсэн
ямар нэгэн сэтгэлийн хөдөлгөөн буюу бодол санаа хҮчтэй байх байдал.

차다 (Үйл Үг) : 감정이나 느낌 등이 가득하게 되다.
дҮҮрэх, бялхах
сэтгэл, мэдрэмж зэрэг дҮҮрэн болон.

-ㄴ : 앞의 말이 관형어의 기능을 하게 만들고 사건이나 동작이 완료되어 그 상태가 유지되고 있음을 나타내는 어미.
Тохирох Үг хэллэг байхгҮй байна
өмнөх Үгийг тодотгол гишҮҮний ҮҮрэгтэй болгож, хэрэг явдал буюу Үйлдэл нь бҮрэн төгс болсон, тухайн байдал Үргэлжилж буйг илэрхийлдэг нөхцөл.

내+가 모르+는 나+를 지우+[ㄹ 것(거)]+이+에요.

지울 거예요

내 (төлөөний Yг) : '나'에 조사 '가'가 붙을 때의 형태.
би
төлөөний Yг "나" дээр нэрлэхийн тийн ялгалын нөхцөл "가" залгахад хувирсан хэлбэр.

가 : 어떤 상태나 상황에 놓인 대상이나 동작의 주체를 나타내는 조사.
Тохирох Yг хэллэг байхгYй байна
ямар нэгэн төлөв, байдлын субьект, мөн Yйл хөдлөлийн эзэн болохыг илэрхийлэх нөхцөл.

모르다 (Yйл Yг) : 사람이나 사물, 사실 등을 알지 못하거나 이해하지 못하다.
мэдэхгYй байх, мэдэхгYй
хYн, эд юм, Yнэн зYйлийн талаар мэдээгYй буюу ойлгохгYй байх.

-는 : 앞의 말이 관형어의 기능을 하게 만들고 사건이나 동작이 현재 일어남을 나타내는 어미.
Тохирох Yг хэллэг байхгYй байна
өмнөх Yгийг тодотгол гишYYний YYрэгтэй болгож, хэрэг явдал буюу Yйлдэл нь одоо өрнөж байгааг илэрхийлдэг нөхцөл.

나 (төлөөний Yг) : 말하는 사람이 친구나 아랫사람에게 자기를 가리키는 말.
би
өгYYлэгч этгээд найз буюу өөрөөсөө дYY хYнтэй ярихад өөрийг заасан Yг.

를 : 동작이 직접적으로 영향을 미치는 대상을 나타내는 조사.
-ыг/-ийг/-г
Yйл хөдлөл шууд нөлөөлж буй тусагдахууныг илэрхийлэх нөхцөл.

지우다 (Yйл Yг) : 생각이나 기억을 없애거나 잊다.
арчих, мартах
бодол санаа, дурсамж зэргийг YгYй болгож мартах.

-ㄹ 것 : 명사가 아닌 것을 문장에서 명사처럼 쓰이게 하거나 '이다' 앞에 쓰일 수 있게 할 때 쓰는 표현.
Тохирох Yг хэллэг байхгYй байна
нэр Yг биш болович өгYYлбэрт нэр Yгийн YYргээр орж, өгYYлэгдэхYYн ба тусагдахуун гишYYний YYрэг гYйцэтгэх буюу '<ида>(байх)'-н өмнө орох боломжтой болгодог Yг хэллэг.

이다 : 주어가 지시하는 대상의 속성이나 부류를 지정하는 뜻을 나타내는 서술격 조사.
Тохирох Yг хэллэг байхгYй байна
эзэн биеийн зааж буй обьектын шинж чанар, төрөл зYйлийг тодорхойлох утгыг илэрхийлэх өгYYлэхYYний тийн ялгалын нөхцөл.

-에요 : (두루높임으로) 어떤 사실을 서술하거나 질문함을 나타내는 종결 어미.
Тохирох Yг хэллэг байхгYй байна
(хYндэтгэлийн энгийн Yг хэллэг) ямар нэгэн зYйлийг хYYрнэх, асуух явдлыг илэрхийлдэг төгсгөх нөхцөл. **<дYрслэл>**

오늘+은 꼭 당신+이 따르(따르)+[아 주]+ㄴ
따라 준

오늘 (нэр Үг) : 지금 지나가고 있는 이날.
өнөөдөр
одоо өнгөрөн одож буй энэ өдөр.

은 : 문장 속에서 어떤 대상이 화제임을 나타내는 조사.
Тохирох Үг хэллэг байхгҮй байна
өгҮҮлбэрт ямар зҮйл ярианы сэдэв болж буйг илэрхийлдэг нөхцөл.

꼭 (дайвар Үг) : 어떤 일이 있어도 반드시.
заавал, гарцаагҮй
юу ч болж байсан заавал.

당신 (төлөөний Үг) : (조금 높이는 말로) 듣는 사람을 가리키는 말.
та
(бага зэрэг хҮндэтгэх Үг) сонсож буй хҮнийг заах Үг.

이 : 어떤 상태나 상황의 대상이나 동작의 주체를 나타내는 조사.
Тохирох Үг хэллэг байхгҮй байна
ямар нэгэн төлөв, байдлын субьект, мөн Үйл хөдлөлийн эзэн болохыг илэрхийлэх нөхцөл.

따르다 (Үйл Үг) : 액체가 담긴 물건을 기울여 액체를 밖으로 조금씩 흐르게 하다.
аягалах, хийж өгөх
шингэн зҮйл хийсэн эд зҮйлийг хазайлган шингэн зҮйлийг гадагш бага багаар урсгах.

-아 주다 : 남을 위해 앞의 말이 나타내는 행동을 함을 나타내는 표현.
Тохирох Үг хэллэг байхгҮй байна
бусдад зориулж өмнөх Үгийн илэрхийлж буй Үйлдлийг хийх явдлыг илэрхийлдэг Үг хэллэг.

-ㄴ : 앞의 말이 관형어의 기능을 하게 만들고 사건이나 동작이 완료되어 그 상태가 유지되고 있음을 나타내는 어미.
Тохирох Үг хэллэг байхгҮй байна
өмнөх Үгийг тодотгол гишҮҮний ҮҮрэгтэй болгож, хэрэг явдал буюу Үйлдэл нь бҮрэн төгс болсон, тухайн байдал Үргэлжилж буйг илэрхийлдэг нөхцөл.

한 잔+의 가득하+ㄴ 독주+를 비우+[ㄹ 것(거)]+이+에요.
가득한 비울 거예요

한 (тодотгол Үг) : 하나의.
нэг
нэгэн.

잔 (нэр Үг) : 음료나 술 등을 담은 그릇을 기준으로 그 분량을 세는 단위.
аяга, хундага
ундаа, архи хийж уудаг аягыг хэмжҮҮр болгон тэр хэмжээг тоолох Үг

의 : 앞의 말이 뒤의 말에 대하여 속성이나 수량을 한정하거나 같은 자격임을 나타내는 조사.
-н/-ийн/-ын/-ий/-ы
өмнөх Үг хойдох Үгийн шинж чанар, тоо хэмжээг зааглаж байгааг илэрхийлдэг нөхцөл.

가득하다 (тэмдэг нэр) : 양이나 수가 정해진 범위에 꽉 차 있다.
дҮҮрэх, бялхах, цалгих
тоо хэмжээ тогтсон хҮрээнд бҮрэн дҮҮрэн байх.

-ㄴ : 앞의 말이 관형어의 기능을 하게 만들고 현재의 상태를 나타내는 어미.
Тохирох Үг хэллэг байхгҮй байна
өмнөх Үгийг тодотгол гишҮҮний ҮҮрэгтэй болгож, одоогийн байдлыг илэрхийлдэг нөхцөл.

독주 (нэр Үг) : 매우 독한 술.
хатуу архи, хорз
маш хатуу архи.

를 : 동작이 직접적으로 영향을 미치는 대상을 나타내는 조사.
-ыг/-ийг/-г
Үйл хөдлөл шууд нөлөөлж буй тусагдахууныг илэрхийлэх нөхцөл.

비우다 (Үйл Үг) : 안에 든 것을 없애 속을 비게 하다.
хоослох
дотор нь байсан зҮйлийг байхгҮй болгож хоосон болгох.

-ㄹ 것 : 명사가 아닌 것을 문장에서 명사처럼 쓰이게 하거나 '이다' 앞에 쓰일 수 있게 할 때 쓰는 표현.
Тохирох Үг хэллэг байхгҮй байна
нэр Үг биш боловч өгҮҮлбэрт нэр Үгийн ҮҮргээр орж, өгҮҮлэгдэхҮҮн ба тусагдахуун гишҮҮний ҮҮрэг гҮйцэтгэх буюу '<ида>(байх)'-н өмнө орох боломжтой болгодог Үг хэллэг.

이다 : 주어가 지시하는 대상의 속성이나 부류를 지정하는 뜻을 나타내는 서술격 조사.
Тохирох Үг хэллэг байхгҮй байна
эзэн биеийн зааж буй обьектын шинж чанар, төрөл зҮйлийг тодорхойлох утгыг илэрхий лэх өгҮҮлэхҮҮний тийн ялгалын нөхцөл.

-에요 : (두루높임으로) 어떤 사실을 서술하거나 질문함을 나타내는 종결 어미.
Тохирох Үг хэллэг байхгҮй байна
(хҮндэтгэлийн энгийн Үг хэллэг) ямар нэгэн зҮйлийг хҮҮрнэх, асуух явдлыг илэрхийлдэг төгсгөх нөхцөл. **<дҮрслэл>**

이제+부터 하얗(하야)+ㄴ 여백+에 가득 차+ㄴ
하얀 찬

이제 (нэр Үг) : 말하고 있는 바로 이때.
одоо
ярьж буй яг энэ Үеэ.

부터 : 어떤 일의 시작이나 처음을 나타내는 조사.
-аас, -ээс, -оос, -өөс
ямар нэгэн ажлын эхлэлийг илэрхийлдэг нэрийн нөхцөл.

하얗다 (тэмдэг нэр) : 눈이나 우유의 빛깔과 같이 밝고 선명하게 희다.
цагаан
цас, сҮҮний өнгөтэй ижил гэгээлэг тод цагаан.

-ㄴ : 앞의 말이 관형어의 기능을 하게 만들고 현재의 상태를 나타내는 어미.
Тохирох Үг хэллэг байхгҮй байна
өмнөх Үгийг тодотгол гишҮҮний ҮҮрэгтэй болгож, одоогийн байдлыг илэрхийлдэг нөхцөл.

여백 (нэр Үг) : 종이 등에 글씨를 쓰거나 그림을 그리고 남은 빈 자리.
хоосон зай, сул зай, цагаан зай
цаас мэт зҮйл дээр бичиг бичих буюу зураг зураад Үлдсэн хоосон зай.

에 : 앞말이 어떤 장소나 자리임을 나타내는 조사.
-д/-т
өмнөх Үг ямар нэгэн газар буюу байр болохыг илэрхийлж буй нөхцөл.

가득 (дайвар Үг) : 어떤 감정이나 생각이 강한 모양.
дҮҮрэн, дҮҮрсэн
ямар нэгэн сэтгэлийн хөдөлгөөн буюу бодол санаа хҮчтэй байх байдал.

차다 (Үйл Үг) : 감정이나 느낌 등이 가득하게 되다.
дҮҮрэх, бялхах
сэтгэл, мэдрэмж зэрэг дҮҮрэн болон.

-ㄴ : 앞의 말이 관형어의 기능을 하게 만들고 사건이나 동작이 완료되어 그 상태가 유지되고 있음을 나타내는 어미.

Тохирох Үг хэллэг байхгҮй байна

өмнөх Үгийг тодотгол гишҮҮний ҮҮрэгтэй болгож, хэрэг явдал буюу Үйлдэл нь бҮрэн төгс болсон, тухайн байдал Үргэлжилж буйг илэрхийлдэг нөхцөл.

내+가 모르+는 나+를 <u>지우+[ㄹ 것(거)]+이+에요</u>.

지울 거예요

내 (төлөөний Үг) : '나'에 조사 '가'가 붙을 때의 형태.

би

төлөөний Үг "나" дээр нэрлэхийн тийн ялгалын нөхцөл "가" залгахад хувирсан хэлбэр.

가 : 어떤 상태나 상황에 놓인 대상이나 동작의 주체를 나타내는 조사.

Тохирох Үг хэллэг байхгҮй байна

ямар нэгэн төлөв, байдлын субьект, мөн Үйл хөдлөлийн эзэн болохыг илэрхийлэх нөхцөл.

모르다 (Үйл Үг) : 사람이나 사물, 사실 등을 알지 못하거나 이해하지 못하다.

мэдэхгҮй байх, мэдэхгҮй

хҮн, эд юм, Үнэн зҮйлийн талаар мэдээгҮй буюу ойлгохгҮй байх.

-는 : 앞의 말이 관형어의 기능을 하게 만들고 사건이나 동작이 현재 일어남을 나타내는 어미.

Тохирох Үг хэллэг байхгҮй байна

өмнөх Үгийг тодотгол гишҮҮний ҮҮрэгтэй болгож, хэрэг явдал буюу Үйлдэл нь одоо өрнөж байгааг илэрхийлдэг нөхцөл.

나 (төлөөний Үг) : 말하는 사람이 친구나 아랫사람에게 자기를 가리키는 말.

би

өгҮҮлэгч этгээд найз буюу өөрөөсөө дҮҮ хҮнтэй ярихад өөрийг заасан Үг.

를 : 동작이 직접적으로 영향을 미치는 대상을 나타내는 조사.

-ыг/-ийг/-г

Үйл хөдлөл шууд нөлөөлж буй тусагдахууныг илэрхийлэх нөхцөл.

지우다 (Үйл Үг) : 생각이나 기억을 없애거나 잊다.

арчих, мартах

бодол санаа, дурсамж зэргийг ҮгҮй болгож мартах.

-ㄹ 것 : 명사가 아닌 것을 문장에서 명사처럼 쓰이게 하거나 '이다' 앞에 쓰일 수 있게 할 때 쓰는 표현.
Тохирох Үг хэллэг байхгҮй байна
нэр Үг биш боловч өгҮҮлбэрт нэр Үгийн ҮҮргээр орж, өгҮҮлэгдэхҮҮн ба тусагдахуун гишҮҮний ҮҮрэг гҮйцэтгэх буюу '<ида>(байх)'-н өмнө орох боломжтой болгодог Үг хэллэг.

이다 : 주어가 지시하는 대상의 속성이나 부류를 지정하는 뜻을 나타내는 서술격 조사.
Тохирох Үг хэллэг байхгҮй байна
эзэн биеийн зааж буй обьектын шинж чанар, төрөл зҮйлийг тодорхойлох утгыг илэрхийлэх өгҮҮлэхҮҮний тийн ялгалын нөхцөл.

-에요 : (두루높임으로) 어떤 사실을 서술하거나 질문함을 나타내는 종결 어미.
Тохирох Үг хэллэг байхгҮй байна
(хҮндэтгэлийн энгийн Үг хэллэг) ямар нэгэн зҮйлийг хҮҮрнэх, асуух явдлыг илэрхийлдэг төгсгөх нөхцөл. **<дҮрслэл>**

오늘+은 꼭 당신+이 따르(따르)+[아 주]+ㄴ

따라 준

오늘 (нэр Үг) : 지금 지나가고 있는 이날.
өнөөдөр
одоо өнгөрөн одож буй энэ өдөр.

은 : 문장 속에서 어떤 대상이 화제임을 나타내는 조사.
Тохирох Үг хэллэг байхгҮй байна
өгҮҮлбэрт ямар зҮйл ярианы сэдэв болж буйг илэрхийлдэг нөхцөл.

꼭 (дайвар Үг) : 어떤 일이 있어도 반드시.
заавал, гарцаагҮй
юу ч болж байсан заавал.

당신 (төлөөний Үг) : (조금 높이는 말로) 듣는 사람을 가리키는 말.
та
(бага зэрэг хҮндэтгэх Үг) сонсож буй хҮнийг заах Үг.

이 : 어떤 상태나 상황의 대상이나 동작의 주체를 나타내는 조사.
Тохирох Үг хэллэг байхгҮй байна
ямар нэгэн төлөв, байдлын субьект, мөн Үйл хөдлөлийн эзэн болохыг илэрхийлэх нөхцөл.

따르다 (Үйл Үг) : 액체가 담긴 물건을 기울여 액체를 밖으로 조금씩 흐르게 하다.
аягалах, хийж өгөх
шингэн зҮйл хийсэн эд зҮйлийг хазайлган шингэн зҮйлийг гадагш бага багаар урсгах.

-아 주다 : 남을 위해 앞의 말이 나타내는 행동을 함을 나타내는 표현.
Тохирох Үг хэллэг байхгҮй байна
бусдад зориулж өмнөх Үгийн илэрхийлж буй Үйлдлийг хийх явдлыг илэрхийлдэг Үг хэллэг.

-ㄴ : 앞의 말이 관형어의 기능을 하게 만들고 사건이나 동작이 완료되어 그 상태가 유지되고 있음을 나타내는 어미.
Тохирох Үг хэллэг байхгҮй байна
өмнөх Үгийг тодотгол гишҮҮний ҮҮрэгтэй болгож, хэрэг явдал буюу Үйлдэл нь бҮрэн төгс болсон, тухайн байдал Үргэлжилж буйг илэрхийлдэг нөхцөл.

한 잔+의 가득하+ㄴ 독주+를 비우+[ㄹ 것(거)]+이+에요.
가득한 비울 거예요

한 (тодотгол Үг) : 하나의.
нэг
нэгэн.

잔 (нэр Үг) : 음료나 술 등을 담은 그릇을 기준으로 그 분량을 세는 단위.
аяга, хундага
ундаа, архи хийж уудаг аягыг хэмжҮҮр болгон тэр хэмжээг тоолох Үг

의 : 앞의 말이 뒤의 말에 대하여 속성이나 수량을 한정하거나 같은 자격임을 나타내는 조사.
-н/-ийн/-ын/-ий/-ы
өмнөх Үг хойдох Үгийн шинж чанар, тоо хэмжээг зааглаж байгааг илэрхийлдэг нөхцөл.

가득하다 (тэмдэг нэр) : 양이나 수가 정해진 범위에 꽉 차 있다.
дҮҮрэх, бялхах, цалгих
тоо хэмжээ тогтсон хҮрээнд бҮрэн дҮҮрэн байх.

-ㄴ : 앞의 말이 관형어의 기능을 하게 만들고 현재의 상태를 나타내는 어미.
Тохирох Үг хэллэг байхгҮй байна
өмнөх Үгийг тодотгол гишҮҮний ҮҮрэгтэй болгож, одоогийн байдлыг илэрхийлдэг нөхцөл.

독주 (нэр Үг) : 매우 독한 술.
хатуу архи, хорз
маш хатуу архи.

를 : 동작이 직접적으로 영향을 미치는 대상을 나타내는 조사.
-ыг/-ийг/-г
Үйл хөдлөл шууд нөлөөлж буй тусагдахууныг илэрхийлэх нөхцөл.

비우다 (Үйл Үг) : 안에 든 것을 없애 속을 비게 하다.
хоослох
дотор нь байсан зүйлийг байхгүй болгож хоосон болгох.

-ㄹ 것 : 명사가 아닌 것을 문장에서 명사처럼 쓰이게 하거나 '이다' 앞에 쓰일 수 있게 할 때 쓰는 표현.
Тохирох Үг хэллэг байхгҮй байна
нэр Үг биш боловч өгҮҮлбэрт нэр Үгийн ҮҮргээр орж, өгҮҮлэгдэхҮҮн ба тусагдахуун гишҮҮний ҮҮрэг гҮйцэтгэх буюу '<ида>(байх)'-н өмнө орох боломжтой болгодог Үг хэллэг.

이다 : 주어가 지시하는 대상의 속성이나 부류를 지정하는 뜻을 나타내는 서술격 조사.
Тохирох Үг хэллэг байхгҮй байна
эзэн биеийн зааж буй обьектын шинж чанар, төрөл зҮйлийг тодорхойлох утгыг илэрхий лэх өгҮҮлэхҮҮний тийн ялгалын нөхцөл.

-에요 : (두루높임으로) 어떤 사실을 서술하거나 질문함을 나타내는 종결 어미.
Тохирох Үг хэллэг байхгҮй байна
(хҮндэтгэлийн энгийн Үг хэллэг) ямар нэгэн зҮйлийг хҮҮрнэх, асуух явдлыг илэрхийлдэг төгсгөх нөхцөл. **<дҮрслэл>**

< 7 >

애창곡
(дуртай дуу)

[발음(дуудлага)]

< 1 절(бадаг) >

내가 부르는 이 노래
내가 부르는 이 노래
naega bureuneun i norae

너에게 아직 다 못다 한 말
너에게 아직 다 몯따 한 말
neoege ajik da motda han mal

이 곡조엔 우리만 아는 속삭임
이 곡쪼엔 우리만 아는 속싸김
i gokjoen uriman aneun soksagim

내가 부르는 이 노래
내가 부르는 이 노래
naega bureuneun i norae

너에게 꼭 하고 싶은 말
너에게 꼭 하고 시픈 말
neoege kkok hago sipeun mal

이 선율엔 우리만 아는 귓속말
이 서뉴렌 우리만 아는 귇쏭말
i seonyuren uriman aneun gwitsongmal

아무리 화가 나도 삐져 있어도
아무리 화가 나도 삐저 이써도
amuri hwaga nado ppijeo isseodo

이 가락에 취해
이 가라게 취해
i garage chwihae

우린 서로 남몰래 눈을 맞춰요.
우린 서로 남몰래 누늘 맏춰요.
urin seoro nammollae nuneul matchwoyo.

내가 즐겨 부르는 이 노래
내가 즐겨 부르는 이 노래
naega jeulgyeo bureuneun i norae

이 음악이 흐르면
이 으마기 흐르면
i eumagi heureumyeon

너의 눈빛, 너의 표정
너에 눈삗, 너에 표정
neoe nunbit, neoe pyojeong

내 가슴이 살살 녹아요.
내 가스미 살살 노가요.
nae gaseumi salsal nogayo.

< 2 절(бадаг) >

내가 부르는 이 노래
내가 부르는 이 노래
naega bureuneun i norae

너에게만 들려줬던 말
너에게만 들려줟떤 말
neoegeman deullyeojwotdeon mal

이 곡조엔 둘이만 아는 짜릿함
이 곡쪼엔 두리만 아는 짜리탐
i gokjoen duriman aneun jjaritam

내가 부르는 이 노래
내가 부르는 이 노래
naega bureuneun i norae

너에게만 속삭였던 말
너에게만 속싸겯떤 말
neoegeman soksagyeotdeon mal

이 선율엔 둘이만 아는 아찔함
이 서뉴렌 두리만 아는 아찔함
i seonyuren duriman aneun ajjilham

아무리 토라져도 삐져 있어도
아무리 토라저도 삐저 이써도
amuri torajeodo ppijeo isseodo

이 노랫말에 잠겨
이 노랜마레 잠겨
i noraenmare jamgyeo

우린 서로 남몰래 눈을 맞춰요.
우린 서로 남몰래 누늘 맏춰요.
urin seoro nammollae nuneul matchwoyo.

내가 즐겨 부르는 이 노래
내가 즐겨 부르는 이 노래
naega jeulgyeo bureuneun i norae

이 음악이 흐르면
이 으마기 흐르면
i eumagi heureumyeon

너의 눈빛, 너의 표정
너에 눈삗, 너에 표정
neoe nunbit, neoe pyojeong

내 가슴이 살살 녹아요.
내 가스미 살살 노가요.
nae gaseumi salsal nogayo.

< 3 절(бадаг) >

우리 둘이 부르는 이 노래
우리 두리 부르는 이 노래
uri duri bureuneun i norae

우리 둘만 아는 이 노래
우리 둘만 아는 이 노래
uri dulman aneun i norae

우리 둘이 영원히 함께 불러요
우리 두리 영원히 함께 불러요
uri duri yeongwonhi hamkke bulleoyo

이 음표에 우리 사랑 싣고
이 음표에 우리 사랑 싣꼬
i eumpyoe uri sarang sitgo

높고 낮게 길고 짧은 리듬
놉꼬 낟께 길고 짤븐 리듬
nopgo natge gilgo jjalbeun rideum

이 가락에 밤새도록 취해 봐요.
이 가라게 밤새도록 취해 봐요.
i garage bamsaedorok chwihae bwayo.

< 1 절(бадаг) >

내+가 부르+는 이 노래

내 (төлөөний Үг) : '나'에 조사 '가'가 붙을 때의 형태.
би
төлөөний Үг "나" дээр нэрлэхийн тийн ялгалын нөхцөл "가" залгахад хувирсан хэлбэр.

가 : 어떤 상태나 상황에 놓인 대상이나 동작의 주체를 나타내는 조사.
Тохирох Үг хэллэг байхгҮй байна
ямар нэгэн төлөв, байдлын субьект, мөн Үйл хөдлөлийн эзэн болохыг илэрхийлэх нөхцөл.

부르다 (Үйл Үг) : 곡조에 따라 노래하다.
дуулах
нотны дагуу дуу дуулах.

-는 : 앞의 말이 관형어의 기능을 하게 만들고 사건이나 동작이 현재 일어남을 나타내는 어미.
Тохирох Үг хэллэг байхгҮй байна
өмнөх Үгийг тодотгол гишҮҮний ҮҮрэгтэй болгож, хэрэг явдал буюу Үйлдэл нь одоо өрнөж байгааг илэрхийлдэг нөхцөл.

이 (тодотгол Үг) : 말하는 사람에게 가까이 있거나 말하는 사람이 생각하고 있는 대상을 가리킬 때 쓰는 말.
энэ
өгҮҮлэгч этгээдэд ойр байгаа зҮйл ба өгҮҮлэгч этгээдийн бодож байгаа зҮйлийг заасан Үг.

노래 (нэр Үг) : 운율에 맞게 지은 가사에 곡을 붙인 음악. 또는 그런 음악을 소리 내어 부름.
дуу
аялан дуулахад зориулсан шҮлгэнд аяыг тааруулсан хөгжим. мөн тэр хөгжмийг дуу гаргаж дуулах.

너+에게 아직 다 못다 하+ㄴ 말

한

너 (төлөөний Үг) : 듣는 사람이 친구나 아랫사람일 때, 그 사람을 가리키는 말.
чи
сонсогч нь найз буюу дҮҮ байх тохиолдолд, тухайн хҮнийг заадаг Үг.

에게 : 어떤 행동이 미치는 대상임을 나타내는 조사.
-д, -т
ямар нэгэн Үйлдлийн нөлөөг авч буй зҮйлийг илэрхийлдэг нөхцөл.

아직 (дайвар Үг) : 어떤 일이나 상태 또는 어떻게 되기까지 시간이 더 지나야 함을 나타내거나, 어떤 일이나 상태가 끝나지 않고 계속 이어지고 있음을 나타내는 말.
хараахан
аливаа явдал, нөхцөл байдал мөн хэрхэн өөрчлөгдөх хҮртэл хэдий хугацаа өнгөрөх хэрэгтэйг илэрхийлэх буюу дуусаагҮй Үргэлжилж байгааг илэрхийлдэг хэллэг.

다 (дайвар Үг) : 남거나 빠진 것이 없이 모두.
бҮгд, цөм, бҮх, булт
Үлдэж гээгдсэн зҮйлгҮй бҮгд.

못다 (дайвар Үг) : '어떤 행동을 완전히 다하지 못함'을 나타내는 말.
-ж дуусаагҮй
ямар нэг зҮйлийг бҮрэн гҮйцэд хийж дуусгаагҮй байхыг илэрхийлэх Үг.

하다 (Үйл Үг) : 어떤 행동이나 동작, 활동 등을 행하다.
Үйлдэх, хийх, гҮйцэтгэх
аливаа Үйл хөдлөл, хөдөлгөөн, ажиллагаа зэргийг гҮйцэтгэх.

-ㄴ : 앞의 말이 관형어의 기능을 하게 만들고 사건이나 동작이 완료되어 그 상태가 유지되고 있음을 나타내는 어미.
Тохирох Үг хэллэг байхгҮй байна
өмнөх Үгийг тодотгол гишҮҮний ҮҮрэгтэй болгож, хэрэг явдал буюу Үйлдэл нь бҮрэн төгс болсон, тухайн байдал Үргэлжилж буйг илэрхийлдэг нөхцөл.

말 (нэр Үг) : 생각이나 느낌을 표현하고 전달하는 사람의 소리.
яриа, Үг
бодол санаа, сэтгэлээ илэрхийлэх хҮний дуу хоолой.

이 곡조+에+는 우리+만 알(아)+는 속삭임
곡조엔 아는

이 (тодотгол Үг) : 말하는 사람에게 가까이 있거나 말하는 사람이 생각하고 있는 대상을 가리킬 때 쓰는 말.
энэ
өгҮҮлэгч этгээдэд ойр байгаа зҮйл ба өгҮҮлэгч этгээдийн бодож байгаа зҮйлийг заасан Үг.

곡조 (нэр Yг) : 음악이나 노래의 흐름.
ая, аялгуу
дуу хөгжмийн айзамт эгшиг аялгуу.

에 : 앞말이 어떤 장소나 자리임을 나타내는 조사.
-д/-т
өмнөх Yг ямар нэгэн газар буюу байр болохыг илэрхийлж буй нөхцөл.

는 : 문장 속에서 어떤 대상이 화제임을 나타내는 조사.
Тохирох Yг хэллэг байхгYй байна
өгYYлбэрт ярианы сэдэв болж буйг илэрхийлдэг нөхцөл.

우리 (төлөөний Yг) : 말하는 사람이 자기보다 높지 않은 사람에게 자기를 포함한 여러 사람들을 가리키는 말.
бид, манай
ярьж байгаа хYн өөрөөсөө дYYмэд хYнд, өөрийгөө болон өөрийг нь оруулсан хэд хэдэн хYнийг заан хэлэх Yг.

만 : 다른 것은 제외하고 어느 것을 한정함을 나타내는 조사.
л, зөвхөн
өөр бусад зYйлийг эс тооцон тогтсон нэг зYйлийг л илэрхийлж буй нөхцөл.

알다 (Yйл Yг) : 교육이나 경험, 생각 등을 통해 사물이나 상황에 대한 정보 또는 지식을 갖추다.
мэдэх
боловсрол, туршлага, бодол зэргээр дамжуулан юмс Yзэгдэл, нөхцөл байдлын талаарх мэдээлэл болон мэдлэгийг олж авах.

-는 : 앞의 말이 관형어의 기능을 하게 만들고 사건이나 동작이 현재 일어남을 나타내는 어미.
Тохирох Yг хэллэг байхгYй байна
өмнөх Yгийг тодотгол гишYYний YYрэгтэй болгож, хэрэг явдал буюу Yйлдэл нь одоо өрнөж байгааг илэрхийлдэг нөхцөл.

속삭임 (нэр Yг) : 작고 낮은 목소리로 가만가만히 하는 이야기.
шивнээ яриа
аяархан, сул дуугаар YргэлжлYYлэн ярих яриа.

내+가 부르+는 이 노래

내 (төлөөний Yг) : '나'에 조사 '가'가 붙을 때의 형태.
би
төлөөний Yг "나" дээр нэрлэхийн тийн ялгалын нөхцөл "가" залгахад хувирсан хэлбэр.

가 : 어떤 상태나 상황에 놓인 대상이나 동작의 주체를 나타내는 조사.
Тохирох Үг хэллэг байхгҮй байна
ямар нэгэн төлөв, байдлын субьект, мөн Үйл хөдлөлийн эзэн болохыг илэрхийлэх нөхцөл.

부르다 (Үйл Үг) : 곡조에 따라 노래하다.
дуулах
нотны дагуу дуу дуулах.

-는 : 앞의 말이 관형어의 기능을 하게 만들고 사건이나 동작이 현재 일어남을 나타내는 어미.
Тохирох Үг хэллэг байхгҮй байна
өмнөх Үгийг тодотгол гишҮҮний ҮҮрэгтэй болгож, хэрэг явдал буюу Үйлдэл нь одоо өрнөж байгааг илэрхийлдэг нөхцөл.

이 (тодотгол Үг) : 말하는 사람에게 가까이 있거나 말하는 사람이 생각하고 있는 대상을 가리킬 때 쓰는 말.
энэ
өгҮҮлэгч этгээдэд ойр байгаа зҮйл ба өгҮҮлэгч этгээдийн бодож байгаа зҮйлийг заасан Үг.

노래 (нэр Үг) : 운율에 맞게 지은 가사에 곡을 붙인 음악. 또는 그런 음악을 소리 내어 부름.
дуу
аялан дуулахад зориулсан шҮлгэнд аяыг тааруулсан хөгжим. мөн тэр хөгжмийг дуу гаргаж дуулах.

너+에게 꼭 하+[고 싶]+은 말

너 (төлөөний Үг) : 듣는 사람이 친구나 아랫사람일 때, 그 사람을 가리키는 말.
чи
сонсогч нь найз буюу дҮҮ байх тохиолдолд, тухайн хҮнийг заадаг Үг.

에게 : 어떤 행동이 미치는 대상임을 나타내는 조사.
-д, -т
ямар нэгэн Үйлдлийн нөлөөг авч буй зҮйлийг илэрхийлдэг нөхцөл.

꼭 (дайвар Үг) : 어떤 일이 있어도 반드시.
заавал, гарцаагҮй
юу ч болж байсан заавал.

하다 (Үйл Үг) : 어떤 행동이나 동작, 활동 등을 행하다.
Үйлдэх, хийх, гҮйцэтгэх
аливаа Үйл хөдлөл, хөдөлгөөн, ажиллагаа зэргийг гҮйцэтгэх.

-고 싶다 : 앞의 말이 나타내는 행동을 하기를 원함을 나타내는 표현.
Тохирох Үг хэллэг байхгҮй байна
өмнөх Үгийн илэрхийлж буй Үйлдлийг хийхийг хҮсэх явдлыг илэрхийлдэг Үг хэллэг.

-은 : 앞의 말이 관형어의 기능을 하게 만들고 현재의 상태를 나타내는 어미.
Тохирох Үг хэллэг байхгҮй байна
өмнөх Үгийг тодотгол гишҮҮний ҮҮрэгтэй болгож одоогийн нөхцөл байдлыг илэрхийлж буй нөхцөл.

말 (нэр Үг) : 생각이나 느낌을 표현하고 전달하는 사람의 소리.
яриа, Үг
бодол санаа, сэтгэлээ илэрхийлэх хҮний дуу хоолой.

이 선율+에+는 우리+만 알(아)+는 귓속말
선율엔 아는

이 (тодотгол Үг) : 말하는 사람에게 가까이 있거나 말하는 사람이 생각하고 있는 대상을 가리킬 때 쓰는 말.
энэ
өгҮҮлэгч этгээдэд ойр байгаа зҮйл ба өгҮҮлэгч этгээдийн бодож байгаа зҮйлийг заасан Үг.

선율 (нэр Үг) : 길고 짧거나 높고 낮은 소리가 어우러진 음의 흐름.
аялгуу, эгшиг, уянга
урт богино, өндөр нам дуу авиа холилдон нийлсэн аялга чимээний хөг.

에 : 앞말이 어떤 장소나 자리임을 나타내는 조사.
-д/-т
өмнөх Үг ямар нэгэн газар буюу байр болохыг илэрхийлж буй нөхцөл.

는 : 문장 속에서 어떤 대상이 화제임을 나타내는 조사.
Тохирох Үг хэллэг байхгҮй байна
өгҮҮлбэрт ярианы сэдэв болж буйг илэрхийлдэг нөхцөл.

우리 (төлөөний Үг) : 말하는 사람이 자기보다 높지 않은 사람에게 자기를 포함한 여러 사람들을 가리키는 말.
бид, манай
ярьж байгаа хҮн өөрөөсөө дҮҮмэд хҮнд, өөрийгөө болон өөрийг нь оруулсан хэд хэдэн хҮнийг заан хэлэх Үг.

만 : 다른 것은 제외하고 어느 것을 한정함을 나타내는 조사.
л, зөвхөн
өөр бусад зҮйлийг эс тооцон тогтсон нэг зҮйлийг л илэрхийлж буй нөхцөл.

알다 (Үйл Үг) : 교육이나 경험, 생각 등을 통해 사물이나 상황에 대한 정보 또는 지식을 갖추다.
мэдэх
боловсрол, туршлага, бодол зэргээр дамжуулан юмс Үзэгдэл, нөхцөл байдлын талаарх мэдээлэл болон мэдлэгийг олж авах.

-는 : 앞의 말이 관형어의 기능을 하게 만들고 사건이나 동작이 현재 일어남을 나타내는 어미.
Тохирох Үг хэллэг байхгҮй байна
өмнөх Үгийг тодотгол гишҮҮний ҮҮрэгтэй болгож, хэрэг явдал буюу Үйлдэл нь одоо өрнөж байгааг илэрхийлдэг нөхцөл.

귓속말 (нэр Үг) : 남의 귀에 입을 가까이 대고 작은 소리로 말함. 또는 그런 말.
шивнээ, шивнээ Үг, шивнэж хэлсэн Үг
бусдын чихэнд хошуугаа ойртуулан нааж аяархан дуугаар ярих байдал. мөн тийнхҮҮ хэлсэн Үг.

아무리 화+가 나+(아)도 삐지+[어 있]+어도
나도 삐져 있어도

아무리 (дайвар Үг) : 비록 그렇다 하더라도.
хичнээн
хэдийгээр тийм байлаа ч гэсэн.

화 (нэр Үг) : 몹시 못마땅하거나 노여워하는 감정.
уур, хилэн
ихэд бачимдах юмуу цухалдан уурлах сэтгэлийн хөдөлгөөн.

가 : 어떤 상태나 상황에 놓인 대상이나 동작의 주체를 나타내는 조사.
Тохирох Үг хэллэг байхгҮй байна
ямар нэгэн төлөв, байдлын субьект, мөн Үйл хөдлөлийн эзэн болохыг илэрхийлэх нөхцөл.

나다 (Үйл Үг) : 어떤 감정이나 느낌이 생기다.
төрөх, хҮрэх
ямар нэг сэтгэл хөдлөл мэдрэмж бий болох.

-아도 : 앞에 오는 말을 가정하거나 인정하지만 뒤에 오는 말에는 관계가 없거나 영향을 끼치지 않음을 나타내는 연결 어미.
Тохирох Үг хэллэг байхгҮй байна
өмнөх агуулгыг тооцоолох буюу хҮлээн зөвшөөрч байгаа боловч, ардах агуулгад нь хамааралгҮй буюу нөлөө ҮзҮҮлэхгҮй болохыг илэрхийлдэг холбох нөхцөл.

삐지다 (Үйл Үг) : 화가 나거나 서운해서 마음이 뒤틀리다.
туних
уурлам гоморхон туних.

-어 있다 : 앞의 말이 나타내는 상태가 계속됨을 나타내는 표현.
Тохирох Үг хэллэг байхгҮй байна
өмнөх Үгийн илэрхийлж буй байдал Үргэлжлэх явдлыг илэрхийлдэг Үг хэллэг.

-어도 : 앞에 오는 말을 가정하거나 인정하지만 뒤에 오는 말에는 관계가 없거나 영향을 끼치지 않음을 나타내는 연결 어미.
Тохирох Үг хэллэг байхгҮй байна
өмнөх агуулгыг тооцоолох буюу хҮлээн зөвшөөрч байгаа ч ардах агуулгад нь хамааралгҮй буюу нөлөө ҮзҮҮлэхгҮй болохыг илэрхийлдэг холбох нөхцөл.

이 가락+에 취하+여
취해

이 (тодотгол Үг) : 말하는 사람에게 가까이 있거나 말하는 사람이 생각하고 있는 대상을 가리킬 때 쓰는 말.
энэ
өгҮҮлэгч этгээдэд ойр байгаа зҮйл ба өгҮҮлэгч этгээдийн бодож байгаа зҮйлийг заасан Үг.

가락 (нэр Үг) : 음악에서 음의 높낮이의 흐름.
ая, айзам
дуу хөгжмийн авианы өндөр нам хэмнэл.

에 : 앞말이 어떤 행위나 감정 등의 대상임을 나타내는 조사.
-д/-т
өмнөх Үг ямар нэгэн Үйлдэл буюу сэтгэл хөдлөлийн тусагдахуун болохыг илэрхийлж буй Үг.

취하다 (Үйл Үг) : 무엇에 매우 깊이 빠져 마음을 빼앗기다.
автах, мансуурах
ямар нэгэн юманд маш гҮнзгий автан сэтгэлээ булаалгах.

-여 : 앞의 말이 뒤의 말보다 먼저 일어났거나 뒤의 말에 대한 방법이나 수단이 됨을 나타내는 연결 어미.
Тохирох Үг хэллэг байхгҮй байна
өмнө ирэх Үг ард ирэх Үгээс тҮрҮҮлж бий болсон буюу ардах Үгийн талаарх арга барил болохыг илэрхийлдэг холбох нөхцөл.

우리+는 서로 남몰래 [눈을 맞추]+어요.
우린 눈을 맞춰요

우리 (төлөөний Үг) : 말하는 사람이 자기보다 높지 않은 사람에게 자기를 포함한 여러 사람들을 가리키는 말.
бид, манай
ярьж байгаа хҮн өөрөөсөө дҮҮмэд хҮнд, өөрийгөө болон өөрийг нь оруулсан хэд хэдэн хҮнийг заан хэлэх Үг.

는 : 문장 속에서 어떤 대상이 화제임을 나타내는 조사.
Тохирох Үг хэллэг байхгҮй байна
өгҮҮлбэрт ярианы сэдэв болж буйг илэрхийлдэг нөхцөл.

서로 (дайвар Үг) : 관계를 맺고 있는 둘 이상의 대상이 함께. 또는 같이.
бие биедээ, бие биенийгээ, харилцан, нэг нэгнээ, хоорондоо
харилцаа холбоотой хоёроос дээш объект хамт. мөн цуг.

남몰래 (дайвар Үг) : 다른 사람이 모르게.
бусдад мэдэгдэлгҮй, нҮднээс далд
бусдад мэдэгдэхгҮйгээр.

눈을 맞추다 (хэлц Үг) : 서로 눈을 마주 보다.
харц тулгарах
бие биенийхээ нҮдийг харах.

-어요 : (두루높임으로) 어떤 사실을 서술하거나 질문, 명령, 권유함을 나타내는 종결 어미.
Тохирох Үг хэллэг байхгҮй байна
(хҮндэтгэлийн энгийн Үг хэллэг) ямар нэгэн зҮйлийг хҮҮрнэх, асуух, тушаах, уриалах явдлыг илэрхийлдэг төгсгөх нөхцөл.

내+가 즐기+어 부르+는 이 노래
즐겨

내 (төлөөний Үг) : '나'에 조사 '가'가 붙을 때의 형태.
би
төлөөний Үг "나" дээр нэрлэхийн тийн ялгалын нөхцөл "가" залгахад хувирсан хэлбэр.

가 : 어떤 상태나 상황에 놓인 대상이나 동작의 주체를 나타내는 조사.
Тохирох Үг хэллэг байхгҮй байна
ямар нэгэн төлөв, байдлын субъект, мөн Үйл хөдлөлийн эзэн болохыг илэрхийлэх нөхцөл.

즐기다 (Үйл Үг) : 어떤 것을 좋아하여 자주 하다.
дурлах, дуртай байх
ямар нэгэн зҮйлд дурлаж байнга хийх.

-어 : 앞의 말이 뒤의 말보다 먼저 일어났거나 뒤의 말에 대한 방법이나 수단이 됨을 나타내는 연결 어미.
Тохирох Үг хэллэг байхгҮй байна
өмнө ирэх Үг ард ирэх Үгээс тҮрҮҮлж бий болсон буюу ардах Үгийн талаарх арга барил болохыг илэрхийлдэг холбох нөхцөл.

부르다 (Үйл Үг) : 곡조에 따라 노래하다.
дуулах
нотны дагуу дуу дуулах.

-는 : 앞의 말이 관형어의 기능을 하게 만들고 사건이나 동작이 현재 일어남을 나타내는 어미.
Тохирох Үг хэллэг байхгҮй байна
өмнөх Үгийг тодотгол гишҮҮний ҮҮрэгтэй болгож, хэрэг явдал буюу Үйлдэл нь одоо өрнөж байгааг илэрхийлдэг нөхцөл.

이 (тодотгол Үг) : 말하는 사람에게 가까이 있거나 말하는 사람이 생각하고 있는 대상을 가리킬 때 쓰는 말.
энэ
өгҮҮлэгч этгээдэд ойр байгаа зҮйл ба өгҮҮлэгч этгээдийн бодож байгаа зҮйлийг заасан Үг.

노래 (нэр Үг) : 운율에 맞게 지은 가사에 곡을 붙인 음악. 또는 그런 음악을 소리 내어 부름.
дуу
аялан дуулахад зориулсан шҮлгэнд аяыг тааруулсан хөгжим. мөн тэр хөгжмийг дуу гаргаж дуулах.

이 음악+이 흐르+면

이 (тодотгол Үг) : 말하는 사람에게 가까이 있거나 말하는 사람이 생각하고 있는 대상을 가리킬 때 쓰는 말.
энэ
өгҮҮлэгч этгээдэд ойр байгаа зҮйл ба өгҮҮлэгч этгээдийн бодож байгаа зҮйлийг заасан Үг.

음악 (нэр Үг) : 목소리나 악기로 박자와 가락이 있게 소리 내어 생각이나 감정을 표현하는 예술.
дуу хөгжим, ая
дуу хоолой, хөгжмийн зэмсгээр хэмнэл болон аялгуутайгаар дуу гаргаж, бодол санаа, сэтгэл хөдлөлийг илэрхийлдэг урлаг.

이 : 어떤 상태나 상황의 대상이나 동작의 주체를 나타내는 조사.
Тохирох Үг хэллэг байхгҮй байна
ямар нэгэн төлөв, байдлын субьект, мөн Үйл хөдлөлийн эзэн болохыг илэрхийлэх нөхцөл.

흐르다 (Үйл Үг) : 빛, 소리, 향기 등이 부드럽게 퍼지다.
урсах, тархах, гийх
гэрэл, Үнэр, чимээ алгуурхнаар тархах.

-면 : 뒤에 오는 말에 대한 근거나 조건이 됨을 나타내는 연결 어미.
Тохирох Үг хэллэг байхгҮй байна
ард ирэх агуулгын талаарх учир шалтгаан буюу болзол болохыг илэрхийлдэг холбох нөхцөл.

너+의 눈빛, 너+의 표정

너 (төлөөний Үг) : 듣는 사람이 친구나 아랫사람일 때, 그 사람을 가리키는 말.
чи
сонсогч нь найз буюу дҮҮ байх тохиолдолд, тухайн хҮнийг заадаг Үг.

의 : 앞의 말이 뒤의 말에 대하여 소유, 소속, 소재, 관계, 기원, 주체의 관계를 가짐을 나타내는 조사.
-н/-ийн/-ын/-ий/-ы
өмнөх Үг хойдох Үгтэй эзэмшил, харьяа, хэрэглэгдэхҮҮн, сэдвийн хамааралтай болохыг илэрхийлсэн нөхцөл.

눈빛 (нэр Үг) : 눈에 나타나는 감정.
нҮдний өнгө, харц
нҮдэнд илрэх сэтгэл хөдлөл.

너 (төлөөний Үг) : 듣는 사람이 친구나 아랫사람일 때, 그 사람을 가리키는 말.
чи
сонсогч нь найз буюу дҮҮ байх тохиолдолд, тухайн хҮнийг заадаг Үг.

의 : 앞의 말이 뒤의 말에 대하여 소유, 소속, 소재, 관계, 기원, 주체의 관계를 가짐을 나타내는 조사.
-н/-ийн/-ын/-ий/-ы
өмнөх Үг хойдох Үгтэй эзэмшил, харьяа, хэрэглэгдэхҮҮн, сэдвийн хамааралтай болохыг илэрхийлсэн нөхцөл.

표정 (нэр Үг) : 마음속에 품은 감정이나 생각 등이 얼굴에 드러남. 또는 그런 모습.
нҮҮрний хувирал
сэтгэлдээ тээж буй сэтгэл хөдлөл, бодол санаа зэрэг нҮҮрэнд тодрох явдал. мөн тийм дҮр төрх.

나+의 가슴+이 살살 녹+아요.
내

나 (төлөөний Үг) : 말하는 사람이 친구나 아랫사람에게 자기를 가리키는 말.
би
өгҮҮлэгч этгээд найз буюу өөрөөсөө дҮҮ хҮнтэй ярихад өөрийг заасан Үг.

의 : 앞의 말이 뒤의 말에 대하여 소유, 소속, 소재, 관계, 기원, 주체의 관계를 가짐을 나타내는 조사.
-н/-ийн/-ын/-ий/-ы
өмнөх Үг хойдох Үгтэй эзэмшил, харьяа, хэрэглэгдэхҮҮн, сэдвийн хамааралтай болохыг илэрхийлсэн нөхцөл.

가슴 (нэр Үг) : 마음이나 느낌.
зҮрх сэтгэл
сэтгэл ба мэдрэмж.

이 : 어떤 상태나 상황의 대상이나 동작의 주체를 나타내는 조사.
Тохирох Үг хэллэг байхгҮй байна
ямар нэгэн төлөв, байдлын субьект, мөн Үйл хөдлөлийн эзэн болохыг илэрхийлэх нөхцөл.

살살 (дайвар Үг) : 눈이나 설탕 등이 모르는 사이에 저절로 녹는 모양.
аятай
цас, элсэн чихэр зэрэг нэг мэдэхэд аяндаа хайлах байдал.

녹다 (Үйл Үг) : 어떤 대상에게 몹시 반하거나 빠지다.
дурлах, сэтгэл алдрах
ямар нэгэн зҮйлд ихэд сэтгэл алдрах.

-아요 : (두루높임으로) 어떤 사실을 서술하거나 질문, 명령, 권유함을 나타내는 종결 어미.
Тохирох Үг хэллэг байхгҮй байна
(хҮндэтгэлийн энгийн Үг хэллэг) ямар нэгэн зҮйлийг хҮҮрнэх, асуух, тушаах, уриалах явдлыг илэрхийлдэг төгсгөх нөхцөл.

< 2 절(бадаг) >

내+가 부르+는 이 노래

내 (төлөөний Үг) : '나'에 조사 '가'가 붙을 때의 형태.
би
төлөөний Үг "나" дээр нэрлэхийн тийн ялгалын нөхцөл "가" залгахад хувирсан хэлбэр.

가 : 어떤 상태나 상황에 놓인 대상이나 동작의 주체를 나타내는 조사.
Тохирох Үг хэллэг байхгҮй байна
ямар нэгэн төлөв, байдлын субьект, мөн Үйл хөдлөлийн эзэн болохыг илэрхийлэх нөхцөл.

부르다 (Үйл Үг) : 곡조에 따라 노래하다.
дуулах
нотны дагуу дуу дуулах.

-는 : 앞의 말이 관형어의 기능을 하게 만들고 사건이나 동작이 현재 일어남을 나타내는 어미.
Тохирох Үг хэллэг байхгҮй байна
өмнөх Үгийг тодотгол гишҮҮний ҮҮрэгтэй болгож, хэрэг явдал буюу Үйлдэл нь одоо өрнөж байгааг илэрхийлдэг нөхцөл.

이 (тодотгол Үг) : 말하는 사람에게 가까이 있거나 말하는 사람이 생각하고 있는 대상을 가리킬 때 쓰는 말.
энэ
өгҮҮлэгч этгээдэд ойр байгаа зҮйл ба өгҮҮлэгч этгээдийн бодож байгаа зҮйлийг заасан Үг.

노래 (нэр Үг) : 운율에 맞게 지은 가사에 곡을 붙인 음악. 또는 그런 음악을 소리 내어 부름.
дуу
аялан дуулахад зориулсан шҮлгэнд аяыг тааруулсан хөгжим. мөн тэр хөгжмийг дуу гаргаж дуулах.

너+에게+만 <u>들려주+었던</u> 말
들려줬던

너 (төлөөний Үг) : 듣는 사람이 친구나 아랫사람일 때, 그 사람을 가리키는 말.
чи
сонсогч нь найз буюу дҮҮ байх тохиолдолд, тухайн хҮнийг заадаг Үг.

에게 : 어떤 행동이 미치는 대상임을 나타내는 조사.
-д, -т
ямар нэгэн Үйлдлийн нөлөөг авч буй зҮйлийг илэрхийлдэг нөхцөл.

만 : 다른 것은 제외하고 어느 것을 한정함을 나타내는 조사.
л, зөвхөн
өөр бусад зҮйлийг эс тооцон тогтсон нэг зҮйлийг л илэрхийлж буй нөхцөл.

들려주다 (Үйл Үг) : 소리나 말을 듣게 해 주다.
сонсгох, дуулгах
дуу чимээ буюу Үг яриаг сонсгох.

-었던 : 과거의 사건이나 상태를 다시 떠올리거나 그 사건이나 상태가 완료되지 않고 중단되었다는 의미를 나타내는 표현.
Тохирох Үг хэллэг байхгҮй байна
өнгөрсөн явдал ба байдлыг дахин санах буюу уг явдал ба байдал бҮрэн төгсөөгҮй тҮр зогссон гэсэн утгыг илэрхийлдэг Үг хэллэг.

말 (нэр Үг) : 생각이나 느낌을 표현하고 전달하는 사람의 소리.
яриа, Үг
бодол санаа, сэтгэлээ илэрхийлэх хҮний дуу хоолой.

이 곡조+에+는 둘+이+만 알(아)+는 짜릿하+ㅁ
곡조엔 아는 짜릿함

이 (тодотгол Үг) : 말하는 사람에게 가까이 있거나 말하는 사람이 생각하고 있는 대상을 가리킬 때 쓰는 말.
энэ
өгҮҮлэгч этгээдэд ойр байгаа зҮйл ба өгҮҮлэгч этгээдийн бодож байгаа зҮйлийг заасан Үг.

곡조 (нэр Үг) : 음악이나 노래의 흐름.
ая, аялгуу
дуу хөгжмийн айзамт эгшиг аялгуу.

에 : 앞말이 어떤 장소나 자리임을 나타내는 조사.
-д/-т
өмнөх Үг ямар нэгэн газар буюу байр болохыг илэрхийлж буй нөхцөл.

는 : 문장 속에서 어떤 대상이 화제임을 나타내는 조사.
Тохирох Үг хэллэг байхгҮй байна
өгҮҮлбэрт ярианы сэдэв болж буйг илэрхийлдэг нөхцөл.

둘 (тооны нэр) : 하나에 하나를 더한 수.
хоёр
нэг дээр нэгийг нэмсэн тоо.

이 : 어떤 상태나 상황의 대상이나 동작의 주체를 나타내는 조사.
Тохирох Үг хэллэг байхгҮй байна
ямар нэгэн төлөв, байдлын субьект, мөн Үйл хөдлөлийн эзэн болохыг илэрхийлэх нөхцөл.

만 : 다른 것은 제외하고 어느 것을 한정함을 나타내는 조사.
л, зөвхөн
өөр бусад зҮйлийг эс тооцон тогтсон нэг зҮйлийг л илэрхийлж буй нөхцөл.

알다 (Үйл Үг) : 교육이나 경험, 생각 등을 통해 사물이나 상황에 대한 정보 또는 지식을 갖추다.
мэдэх
боловсрол, туршлага, бодол зэргээр дамжуулан юмс Үзэгдэл, нөхцөл байдлын талаарх м эдээлэл болон мэдлэгийг олж авах.

-는 : 앞의 말이 관형어의 기능을 하게 만들고 사건이나 동작이 현재 일어남을 나타내는 어미.
Тохирох Үг хэллэг байхгҮй байна
өмнөх Үгийг тодотгол гишҮҮний ҮҮрэгтэй болгож, хэрэг явдал буюу Үйлдэл нь одоо өр нөж байгааг илэрхийлдэг нөхцөл.

짜릿하다 (тэмдэг нэр) : 심리적 자극을 받아 마음이 순간적으로 조금 흥분되고 떨리는 듯하다.
сэтгэл хөдлөх, цочирдох, гайхах, шоконд орох
сэтгэл санааны цочролд орж сэтгэл санаа хормын төдийд хөөрөн догдлож байгаа мэт б айх.

-ㅁ : 앞의 말이 명사의 기능을 하게 하는 어미.
Тохирох Үг хэллэг байхгҮй байна
өмнөх Үгийг нэр Үгийн ҮҮрэгтэй болгож хувиргадаг нөхцөл.

내+가 부르+는 이 노래

내 (төлөөний Үг) : '나'에 조사 '가'가 붙을 때의 형태.
би
төлөөний Үг "나" дээр нэрлэхийн тийн ялгалын нөхцөл "가" залгахад хувирсан хэлбэр.

가 : 어떤 상태나 상황에 놓인 대상이나 동작의 주체를 나타내는 조사.
Тохирох Үг хэллэг байхгҮй байна
ямар нэгэн төлөв, байдлын субьект, мөн Үйл хөдлөлийн эзэн болохыг илэрхийлэх нөхцө л.

부르다 (Үйл Үг) : 곡조에 따라 노래하다.
дуулах
нотны дагуу дуу дуулах.

-는 : 앞의 말이 관형어의 기능을 하게 만들고 사건이나 동작이 현재 일어남을 나타내는 어미.
Тохирох Үг хэллэг байхгҮй байна
өмнөх Үгийг тодотгол гишҮҮний ҮҮрэгтэй болгож, хэрэг явдал буюу Үйлдэл нь одоо өр нөж байгааг илэрхийлдэг нөхцөл.

이 (тодотгол Үг) : 말하는 사람에게 가까이 있거나 말하는 사람이 생각하고 있는 대상을 가리킬 때 쓰는 말.
энэ
өгҮҮлэгч этгээдэд ойр байгаа зҮйл ба өгҮҮлэгч этгээдийн бодож байгаа зҮйлийг заасан Үг.

노래 (нэр Үг) : 운율에 맞게 지은 가사에 곡을 붙인 음악. 또는 그런 음악을 소리 내어 부름.
дуу
аялан дуулахад зориулсан шҮлгэнд аяыг тааруулсан хөгжим. мөн тэр хөгжмийг дуу гар гаж дуулах.

너+에게+만 속삭이+었던 말
속삭였던

너 (төлөөний Үг) : 듣는 사람이 친구나 아랫사람일 때, 그 사람을 가리키는 말.
чи
сонсогч нь найз буюу дҮҮ байх тохиолдолд, тухайн хҮнийг заадаг Үг.

에게 : 어떤 행동이 미치는 대상임을 나타내는 조사.
-д, -т
ямар нэгэн Үйлдлийн нөлөөг авч буй зҮйлийг илэрхийлдэг нөхцөл.

만 : 다른 것은 제외하고 어느 것을 한정함을 나타내는 조사.
л, зөвхөн
өөр бусад зҮйлийг эс тооцон тогтсон нэг зҮйлийг л илэрхийлж буй нөхцөл.

속삭이다 (Үйл Үг) : 남이 알아듣지 못하게 작은 목소리로 가만가만 이야기하다.
шивнэх, шивэгнэх
бусад хҮмҮҮс сонсох боломжгҮй нам дуугаар аяархан ярих.

-었던 : 과거의 사건이나 상태를 다시 떠올리거나 그 사건이나 상태가 완료되지 않고 중단되었다는 의미를 나타내는 표현.
Тохирох Үг хэллэг байхгҮй байна
өнгөрсөн явдал ба байдлыг дахин санах буюу уг явдал ба байдал бҮрэн төгсөөгҮй тҮр зогссон гэсэн утгыг илэрхийлдэг Үг хэллэг.

말 (нэр Үг) : 생각이나 느낌을 표현하고 전달하는 사람의 소리.
яриа, Үг
бодол санаа, сэтгэлээ илэрхийлэх хҮний дуу хоолой.

이 선율+에+ㄴ 둘+이+만 알(아)+는 아찔하+ㅁ
선율엔 아는 아찔함

이 (тодотгол Үг) : 말하는 사람에게 가까이 있거나 말하는 사람이 생각하고 있는 대상을 가리킬 때 쓰는 말.

энэ

өгҮҮлэгч этгээдэд ойр байгаа зҮйл ба өгҮҮлэгч этгээдийн бодож байгаа зҮйлийг заасан Үг.

선율 (нэр Үг) : 길고 짧거나 높고 낮은 소리가 어우러진 음의 흐름.

аялгуу, эгшиг, уянга

урт богино, өндөр нам дуу авиа холилдон нийлсэн аялга чимээний хөг.

에 : 앞말이 어떤 장소나 자리임을 나타내는 조사.

-д/-т

өмнөх Үг ямар нэгэн газар буюу байр болохыг илэрхийлж буй нөхцөл.

는 : 문장 속에서 어떤 대상이 화제임을 나타내는 조사.

Тохирох Үг хэллэг байхгҮй байна

өгҮҮлбэрт ярианы сэдэв болж буйг илэрхийлдэг нөхцөл.

둘 (тооны нэр) : 하나에 하나를 더한 수.

хоёр

нэг дээр нэгийг нэмсэн тоо.

이 : 어떤 상태나 상황의 대상이나 동작의 주체를 나타내는 조사.

Тохирох Үг хэллэг байхгҮй байна

ямар нэгэн төлөв, байдлын субьект, мөн Үйл хөдлөлийн эзэн болохыг илэрхийлэх нөхцөл.

만 : 다른 것은 제외하고 어느 것을 한정함을 나타내는 조사.

л, зөвхөн

өөр бусад зҮйлийг эс тооцон тогтсон нэг зҮйлийг л илэрхийлж буй нөхцөл.

알다 (Үйл Үг) : 교육이나 경험, 생각 등을 통해 사물이나 상황에 대한 정보 또는 지식을 갖추다.

мэдэх

боловсрол, туршлага, бодол зэргээр дамжуулан юмс Үзэгдэл, нөхцөл байдлын талаарх мэдээлэл болон мэдлэгийг олж авах.

-는 : 앞의 말이 관형어의 기능을 하게 만들고 사건이나 동작이 현재 일어남을 나타내는 어미.

Тохирох Үг хэллэг байхгҮй байна

өмнөх Үгийг тодотгол гишҮҮний ҮҮрэгтэй болгож, хэрэг явдал буюу Үйлдэл нь одоо өрнөж байгааг илэрхийлдэг нөхцөл.

아찔하다 (тэмдэг нэр) : 놀라거나 해서 갑자기 정신이 흐려지고 어지럽다.
толгой эргэх, ухаан алдах шахах
айж цочисноос гэнэт ухаан санаа манаран эрээлжлэх.

-ㅁ : 앞의 말이 명사의 기능을 하게 하는 어미.
Тохирох Үг хэллэг байхгҮй байна
өмнөх Үгийг нэр Үгийн ҮҮрэгтэй болгож хувиргадаг нөхцөл.

아무리 토라지+어도 삐지+[어 있]+어도
토라져도 삐져 있어도

아무리 (дайвар Үг) : 비록 그렇다 하더라도.
хичнээн
хэдийгээр тийм байлаа ч гэсэн.

토라지다 (Үйл Үг) : 마음에 들지 않아 불만스러워 싹 돌아서다.
тунирхах
сэтгэлд нийцээгҮй учир гомдол төрөх.

-어도 : 앞에 오는 말을 가정하거나 인정하지만 뒤에 오는 말에는 관계가 없거나 영향을 끼치지 않음을 나타내는 연결 어미.
Тохирох Үг хэллэг байхгҮй байна
өмнөх агуулгыг тооцоолох буюу хҮлээн зөвшөөрч байгаа ч ардах агуулгад нь хамааралгҮй буюу нөлөө ҮзҮҮлэхгҮй болохыг илэрхийлдэг холбох нөхцөл.

삐지다 (Үйл Үг) : 화가 나거나 서운해서 마음이 뒤틀리다.
туних
уурлам гоморхон туних.

-어 있다 : 앞의 말이 나타내는 상태가 계속됨을 나타내는 표현.
Тохирох Үг хэллэг байхгҮй байна
өмнөх Үгийн илэрхийлж буй байдал Үргэлжлэх явдлыг илэрхийлдэг Үг хэллэг.

-어도 : 앞에 오는 말을 가정하거나 인정하지만 뒤에 오는 말에는 관계가 없거나 영향을 끼치지 않음을 나타내는 연결 어미.
Тохирох Үг хэллэг байхгҮй байна
өмнөх агуулгыг тооцоолох буюу хҮлээн зөвшөөрч байгаа ч ардах агуулгад нь хамааралгҮй буюу нөлөө ҮзҮҮлэхгҮй болохыг илэрхийлдэг холбох нөхцөл.

이 노랫말+에 잠기+어
잠겨

이 (тодотгол Yг) : 말하는 사람에게 가까이 있거나 말하는 사람이 생각하고 있는 대상을 가리킬 때 쓰는 말.

энэ

өгYYлэгч этгээдэд ойр байгаа зYйл ба өгYYлэгч этгээдийн бодож байгаа зYйлийг заасан Yг.

노랫말 (нэр Yг) : 노래의 가락에 따라 부를 수 있게 만든 글이나 말.

дууны Yг

дууны аяыг даган дуулж болохоор зохиосон шYлэг буюу Yг.

에 : 앞말이 어떤 행위나 감정 등의 대상임을 나타내는 조사.

-д/-т

өмнөх Yг ямар нэгэн Yйлдэл буюу сэтгэл хөдлөлийн тусагдахуун болохыг илэрхийлж буй Yг.

잠기다 (Yйл Yг) : 생각이나 느낌 속에 빠지다.

автах

бодол, мэдрэмжинд автах.

-어 : 앞의 말이 뒤의 말보다 먼저 일어났거나 뒤의 말에 대한 방법이나 수단이 됨을 나타내는 연결 어미.

Тохирох Yг хэллэг байхгYй байна

өмнө ирэх Yг ард ирэх Yгээс тYрYYлж бий болсон буюу ардах Yгийн талаарх арга барил болохыг илэрхийлдэг холбох нөхцөл.

우리+는 서로 남몰래 [눈을 맞추]+어요.

우린 눈을 맞춰요

우리 (төлөөний Yг) : 말하는 사람이 자기보다 높지 않은 사람에게 자기를 포함한 여러 사람들을 가리키는 말.

бид, манай

ярьж байгаа хYн өөрөөсөө дYYмэд хYнд, өөрийгөө болон өөрийг нь оруулсан хэд хэдэн хYнийг заан хэлэх Yг.

는 : 문장 속에서 어떤 대상이 화제임을 나타내는 조사.

Тохирох Yг хэллэг байхгYй байна

өгYYлбэрт ярианы сэдэв болж буйг илэрхийлдэг нөхцөл.

서로 (дайвар Yг) : 관계를 맺고 있는 둘 이상의 대상이 함께. 또는 같이.

бие биедээ, бие биенийгээ, харилцан, нэг нэгнээ, хоорондоо

харилцаа холбоотой хоёроос дээш объект хамт. мөн цуг.

남몰래 (дайвар Үг) : 다른 사람이 모르게.
бусдад мэдэгдэлгҮй, нҮднээс далд
бусдад мэдэгдэхгҮйгээр.

눈을 맞추다 (хэлц Үг) : 서로 눈을 마주 보다.
харц тулгарах
бие биенийхээ нҮдийг харах.

-어요 : (두루높임으로) 어떤 사실을 서술하거나 질문, 명령, 권유함을 나타내는 종결 어미.
Тохирох Үг хэллэг байхгҮй байна
(хҮндэтгэлийн энгийн Үг хэллэг) ямар нэгэн зҮйлийг хҮҮрнэх, асуух, тушаах, уриалах явдлыг илэрхийлдэг төгсгөх нөхцөл.

내+가 즐기+어 부르+는 이 노래
즐겨

내 (төлөөний Үг) : '나'에 조사 '가'가 붙을 때의 형태.
би
төлөөний Үг "나" дээр нэрлэхийн тийн ялгалын нөхцөл "가" залгахад хувирсан хэлбэр.

가 : 어떤 상태나 상황에 놓인 대상이나 동작의 주체를 나타내는 조사.
Тохирох Үг хэллэг байхгҮй байна
ямар нэгэн төлөв, байдлын субьект, мөн Үйл хөдлөлийн эзэн болохыг илэрхийлэх нөхцөл.

즐기다 (Үйл Үг) : 어떤 것을 좋아하여 자주 하다.
дурлах, дуртай байх
ямар нэгэн зҮйлд дурлаж байнга хийх.

-어 : 앞의 말이 뒤의 말보다 먼저 일어났거나 뒤의 말에 대한 방법이나 수단이 됨을 나타내는 연결 어미.
Тохирох Үг хэллэг байхгҮй байна
өмнө ирэх Үг ард ирэх Үгээс тҮрҮҮлж бий болсон буюу ардах Үгийн талаарх арга барил болохыг илэрхийлдэг холбох нөхцөл.

부르다 (Үйл Үг) : 곡조에 따라 노래하다.
дуулах
нотны дагуу дуу дуулах.

-는 : 앞의 말이 관형어의 기능을 하게 만들고 사건이나 동작이 현재 일어남을 나타내는 어미.
Тохирох Үг хэллэг байхгҮй байна
өмнөх Үгийг тодотгол гишҮҮний ҮҮрэгтэй болгож, хэрэг явдал буюу Үйлдэл нь одоо өрнөж байгааг илэрхийлдэг нөхцөл.

이 (тодотгол Үг) : 말하는 사람에게 가까이 있거나 말하는 사람이 생각하고 있는 대상을 가리킬 때 쓰는 말.
энэ
өгҮҮлэгч этгээдэд ойр байгаа зҮйл ба өгҮҮлэгч этгээдийн бодож байгаа зҮйлийг заасан Үг.

노래 (нэр Үг) : 운율에 맞게 지은 가사에 곡을 붙인 음악. 또는 그런 음악을 소리 내어 부름.
дуу
аялан дуулахад зориулсан шҮлгэнд аяыг тааруулсан хөгжим. мөн тэр хөгжмийг дуу гаргаж дуулах.

이 음악+이 흐르+면

이 (тодотгол Үг) : 말하는 사람에게 가까이 있거나 말하는 사람이 생각하고 있는 대상을 가리킬 때 쓰는 말.
энэ
өгҮҮлэгч этгээдэд ойр байгаа зҮйл ба өгҮҮлэгч этгээдийн бодож байгаа зҮйлийг заасан Үг.

음악 (нэр Үг) : 목소리나 악기로 박자와 가락이 있게 소리 내어 생각이나 감정을 표현하는 예술.
дуу хөгжим, ая
дуу хоолой, хөгжмийн зэмсгээр хэмнэл болон аялгуутайгаар дуу гаргаж, бодол санаа, сэтгэл хөдлөлийг илэрхийлдэг урлаг.

이 : 어떤 상태나 상황의 대상이나 동작의 주체를 나타내는 조사.
Тохирох Үг хэллэг байхгҮй байна
ямар нэгэн төлөв, байдлын субьект, мөн Үйл хөдлөлийн эзэн болохыг илэрхийлэх нөхцөл.

흐르다 (Үйл Үг) : 빛, 소리, 향기 등이 부드럽게 퍼지다.
урсах, тархах, гийх
гэрэл, Үнэр, чимээ алгуурхнаар тархах.

-면 : 뒤에 오는 말에 대한 근거나 조건이 됨을 나타내는 연결 어미.
Тохирох Үг хэллэг байхгҮй байна
ард ирэх агуулгын талаарх учир шалтгаан буюу болзол болохыг илэрхийлдэг холбох нөхцөл.

너+의 눈빛, 너+의 표정

너 (төлөөний Yг) : 듣는 사람이 친구나 아랫사람일 때, 그 사람을 가리키는 말.
чи
сонсогч нь найз буюу дYY байх тохиолдолд, тухайн хYнийг заадаг Yг.

의 : 앞의 말이 뒤의 말에 대하여 소유, 소속, 소재, 관계, 기원, 주체의 관계를 가짐을 나타내는 조사.
-н/-ийн/-ын/-ий/-ы
өмнөх Yг хойдох Yгтэй эзэмшил, харьяа, хэрэглэгдэхYYн, сэдвийн хамааралтай болохыг илэрхийлсэн нөхцөл.

눈빛 (нэр Yг) : 눈에 나타나는 감정.
нYдний өнгө, харц
нYдэнд илрэх сэтгэл хөдлөл.

너 (төлөөний Yг) : 듣는 사람이 친구나 아랫사람일 때, 그 사람을 가리키는 말.
чи
сонсогч нь найз буюу дYY байх тохиолдолд, тухайн хYнийг заадаг Yг.

의 : 앞의 말이 뒤의 말에 대하여 소유, 소속, 소재, 관계, 기원, 주체의 관계를 가짐을 나타내는 조사.
-н/-ийн/-ын/-ий/-ы
өмнөх Yг хойдох Yгтэй эзэмшил, харьяа, хэрэглэгдэхYYн, сэдвийн хамааралтай болохыг илэрхийлсэн нөхцөл.

표정 (нэр Yг) : 마음속에 품은 감정이나 생각 등이 얼굴에 드러남. 또는 그런 모습.
нYYрний хувирал
сэтгэлдээ тээж буй сэтгэл хөдлөл, бодол санаа зэрэг нYYрэнд тодрох явдал. мөн тийм дYр төрх.

나+의 가슴+이 살살 녹+아요.
내

나 (төлөөний Yг) : 말하는 사람이 친구나 아랫사람에게 자기를 가리키는 말.
би
өгYYлэгч этгээд найз буюу өөрөөсөө дYY хYнтэй ярихад өөрийг заасан Yг.

의 : 앞의 말이 뒤의 말에 대하여 소유, 소속, 소재, 관계, 기원, 주체의 관계를 가짐을 나타내는 조사.
-н/-ийн/-ын/-ий/-ы
өмнөх Yг хойдох Yгтэй эзэмшил, харьяа, хэрэглэгдэхYYн, сэдвийн хамааралтай болохыг илэрхийлсэн нөхцөл.

가슴 (нэр Yг) : 마음이나 느낌.
зYрх сэтгэл
сэтгэл ба мэдрэмж.

이 : 어떤 상태나 상황의 대상이나 동작의 주체를 나타내는 조사.
Тохирох Үг хэллэг байхгҮй байна
ямар нэгэн төлөв, байдлын субьект, мөн Үйл хөдлөлийн эзэн болохыг илэрхийлэх нөхцөл.

살살 (дайвар Үг) : 눈이나 설탕 등이 모르는 사이에 저절로 녹는 모양.
аятай
цас, элсэн чихэр зэрэг нэг мэдэхэд аяндаа хайлах байдал.

녹다 (Үйл Үг) : 어떤 대상에게 몹시 반하거나 빠지다.
дурлах, сэтгэл алдрах
ямар нэгэн зҮйлд ихэд сэтгэл алдрах.

-아요 : (두루높임으로) 어떤 사실을 서술하거나 질문, 명령, 권유함을 나타내는 종결 어미.
Тохирох Үг хэллэг байхгҮй байна
(хҮндэтгэлийн энгийн Үг хэллэг) ямар нэгэн зҮйлийг хҮҮрнэх, асуух, тушаах, уриалах явдлыг илэрхийлдэг төгсгөх нөхцөл.

< 3 절(бадаг) >

우리 둘+이 부르+는 이 노래

우리 (төлөөний Үг) : 말하는 사람이 자기보다 높지 않은 사람에게 자기를 포함한 여러 사람들을 가리키는 말.
бид, манай
ярьж байгаа хҮн өөрөөсөө дҮҮмэд хҮнд, өөрийгөө болон өөрийг нь оруулсан хэд хэдэн хҮнийг заан хэлэх Үг.

둘 (тооны нэр) : 하나에 하나를 더한 수.
хоёр
нэг дээр нэгийг нэмсэн тоо.

이 : 어떤 상태나 상황의 대상이나 동작의 주체를 나타내는 조사.
Тохирох Үг хэллэг байхгҮй байна
ямар нэгэн төлөв, байдлын субьект, мөн Үйл хөдлөлийн эзэн болохыг илэрхийлэх нөхцөл.

부르다 (Үйл Үг) : 곡조에 따라 노래하다.
дуулах
нотны дагуу дуу дуулах.

-는 : 앞의 말이 관형어의 기능을 하게 만들고 사건이나 동작이 현재 일어남을 나타내는 어미.
Тохирох Үг хэллэг байхгҮй байна
өмнөх Үгийг тодотгол гишҮҮний ҮҮрэгтэй болгож, хэрэг явдал буюу Үйлдэл нь одоо өрнөж байгааг илэрхийлдэг нөхцөл.

이 (тодотгол Үг) : 말하는 사람에게 가까이 있거나 말하는 사람이 생각하고 있는 대상을 가리킬 때 쓰는 말.
энэ
өгҮҮлэгч этгээдэд ойр байгаа зҮйл ба өгҮҮлэгч этгээдийн бодож байгаа зҮйлийг заасан Үг.

노래 (нэр Үг) : 운율에 맞게 지은 가사에 곡을 붙인 음악. 또는 그런 음악을 소리 내어 부름.
дуу
аялан дуулахад зориулсан шҮлгэнд аяыг тааруулсан хөгжим. мөн тэр хөгжмийг дуу гаргаж дуулах.

우리 둘+만 <u>알(아)+는</u> 이 노래
아는

우리 (төлөөний Үг) : 말하는 사람이 자기보다 높지 않은 사람에게 자기를 포함한 여러 사람들을 가리키는 말.
бид, манай
ярьж байгаа хҮн өөрөөсөө дҮҮмэд хҮнд, өөрийгөө болон өөрийг нь оруулсан хэд хэдэн хҮнийг заан хэлэх Үг.

둘 (тооны нэр) : 하나에 하나를 더한 수.
хоёр
нэг дээр нэгийг нэмсэн тоо.

만 : 다른 것은 제외하고 어느 것을 한정함을 나타내는 조사.
л, зөвхөн
өөр бусад зҮйлийг эс тооцон тогтсон нэг зҮйлийг л илэрхийлж буй нөхцөл.

알다 (Үйл Үг) : 교육이나 경험, 생각 등을 통해 사물이나 상황에 대한 정보 또는 지식을 갖추다.
мэдэх
боловсрол, туршлага, бодол зэргээр дамжуулан юмс Үзэгдэл, нөхцөл байдлын талаарх мэдээлэл болон мэдлэгийг олж авах.

-는 : 앞의 말이 관형어의 기능을 하게 만들고 사건이나 동작이 현재 일어남을 나타내는 어미.
Тохирох Үг хэллэг байхгҮй байна
өмнөх Үгийг тодотгол гишҮҮний ҮҮрэгтэй болгож, хэрэг явдал буюу Үйлдэл нь одоо өрнөж байгааг илэрхийлдэг нөхцөл.

이 (тодотгол Үг) : 말하는 사람에게 가까이 있거나 말하는 사람이 생각하고 있는 대상을 가리킬 때 쓰는 말.

энэ

өгҮҮлэгч этгээдэд ойр байгаа зҮйл ба өгҮҮлэгч этгээдийн бодож байгаа зҮйлийг заасан Үг.

노래 (нэр Үг) : 운율에 맞게 지은 가사에 곡을 붙인 음악. 또는 그런 음악을 소리 내어 부름.

дуу

аялан дуулахад зориулсан шҮлгэнд аяыг тааруулсан хөгжим. мөн тэр хөгжмийг дуу гарган дуулах.

우리 둘+이 영원히 함께 부르(불ㄹ)+어요.

불러요

우리 (төлөөний Үг) : 말하는 사람이 자기보다 높지 않은 사람에게 자기를 포함한 여러 사람들을 가리키는 말.

бид, манай

ярьж байгаа хҮн өөрөөсөө дҮҮмэд хҮнд, өөрийгөө болон өөрийг нь оруулсан хэд хэдэн хҮнийг заан хэлэх Үг.

둘 (тооны нэр) : 하나에 하나를 더한 수.

хоёр

нэг дээр нэгийг нэмсэн тоо.

이 : 어떤 상태나 상황의 대상이나 동작의 주체를 나타내는 조사.

Тохирох Үг хэллэг байхгҮй байна

ямар нэгэн төлөв, байдлын субьект, мөн Үйл хөдлөлийн эзэн болохыг илэрхийлэх нөхцөл.

영원히 (дайвар Үг) : 끝없이 이어지는 상태로. 또는 언제까지나 변하지 않는 상태로.

ҮҮрд, мөнхөд, хэзээ ч

тасралтгҮй Үргэлжлэх байдлаар, мөн хэзээ ч хувирахгҮй байдлаар.

함께 (дайвар Үг) : 여럿이서 한꺼번에 같이.

хамт

олуулаа нэгэн зэрэг хамт.

부르다 (Үйл Үг) : 곡조에 따라 노래하다.

дуулах

нотны дагуу дуу дуулах.

-어요 : (두루높임으로) 어떤 사실을 서술하거나 질문, 명령, 권유함을 나타내는 종결 어미.
Тохирох Үг хэллэг байхгҮй байна
(хҮндэтгэлийн энгийн Үг хэллэг) ямар нэгэн зҮйлийг хҮҮрнэх, асуух, тушаах, уриалах явдлыг илэрхийлдэг төгсгөх нөхцөл.

이 음표+에 우리 사랑 싣+고

이 (тодотгол Үг) : 말하는 사람에게 가까이 있거나 말하는 사람이 생각하고 있는 대상을 가리킬 때 쓰는 말.
энэ
өгҮҮлэгч этгээдэд ойр байгаа зҮйл ба өгҮҮлэгч этгээдийн бодож байгаа зҮйлийг заасан Үг.

음표 (нэр Үг) : 악보에서 음의 길이와 높낮이를 나타내는 기호.
нот
хөгжмийн нотонд аяны урт болон өндөр, намыг илэрхийлдэг тэмдэг.

에 : 앞말이 어떤 행위나 작용이 미치는 대상임을 나타내는 조사.
-д/-т
өмнөх Үг ямар нэгэн Үйлдэл буюу сэтгэл хөдлөлийн тусагдахуун болохыг илэрхийлж буй Үг.

우리 (төлөөний Үг) : 말하는 사람이 자기보다 높지 않은 사람에게 자기를 포함한 여러 사람들을 가리키는 말.
бид, манай
ярьж байгаа хҮн өөрөөсөө дҮҮмэд хҮнд, өөрийгөө болон өөрийг нь оруулсан хэд хэдэн хҮнийг заан хэлэх Үг.

사랑 (нэр Үг) : 상대에게 성적으로 매력을 느껴 열렬히 좋아하는 마음.
хайр, дурлал
эсрэг хҮйстэндээ татагдан хҮчтэй дурлан хайрлах сэтгэл.

싣다 (Үйл Үг) : 어떤 현상이나 뜻을 나타내거나 담다.
агуулах, багтаах, шингээх, авч байх
ямар нэг Үзэгдэл юмуу утга агуулгыг илэрхийлэх болон агуулах.

-고 : 앞의 말이 나타내는 행동이나 그 결과가 뒤에 오는 행동이 일어나는 동안에 그대로 지속됨을 나타내는 연결 어미.
Тохирох Үг хэллэг байхгҮй байна
өмнөх Үгийн илэрхийлж буй Үйлдэл буюу тухайн Үр дҮн нь арын Үйлдэл бий болох хугацаанд тэр хэвээрээ Үргэлжлэх явдлыг илэрхийлдэг холбох нөхцөл.

높+고 낮+게 길+고 짧+은 리듬

높다 (тэмдэг нэр) : 소리가 음의 차례에서 위쪽이거나 진동수가 크다.
өндөр
дуу чимээ зэрэг дээгҮҮр өнгөтэй байх.

-고 : 두 가지 이상의 대등한 사실을 나열할 때 쓰는 연결 어미.
Тохирох Үг хэллэг байхгҮй байна
хоёроос дээш тооны хэрэг явдлыг зэрэгцҮҮлэн холбоход хэрэглэдэг холбох нөхцөл.

낮다 (тэмдэг нэр) : 소리가 음의 차례에서 아래쪽이거나 진동수가 작다.
сул, нам, бага, зөөлөн
дуу чимээ, авиа хамгийн нам дор байх болон доргилтын давтамж бага байх.

-게 : 앞의 말이 뒤에서 가리키는 일의 목적이나 결과, 방식, 정도 등이 됨을 나타내는 연결 어미.
Тохирох Үг хэллэг байхгҮй байна
өмнөх агуулга ард нь зааж буй байдал, зорилго, Үр дҮн, арга барил, хэмжээ зэрэг боло хыг илэрхийлдэг холбох нөхцөл.

길다 (тэмдэг нэр) : 한 때에서 다음의 한 때까지 이어지는 시간이 오래다.
урт, удаан
нэг цаг Үеэс нөгөө цаг Үе хҮртэл Үргэлжлэх цаг хугацаа удаан байх.

-고 : 두 가지 이상의 대등한 사실을 나열할 때 쓰는 연결 어미.
Тохирох Үг хэллэг байхгҮй байна
хоёроос дээш тооны хэрэг явдлыг зэрэгцҮҮлэн холбоход хэрэглэдэг холбох нөхцөл.

짧다 (тэмдэг нэр) : 한 때에서 다른 때까지의 동안이 오래지 않다.
ахар, богино
нэг Үеэс нөгөө Үе хҮртэл хугацаа урт биш байх.

-은 : 앞의 말이 관형어의 기능을 하게 만들고 현재의 상태를 나타내는 어미.
Тохирох Үг хэллэг байхгҮй байна
өмнөх Үгийг тодотгол гишҮҮний ҮҮрэгтэй болгож одоогийн нөхцөл байдлыг илэрхийлж буй нөхцөл.

리듬 (нэр Үг) : 소리의 높낮이, 길이, 세기 등이 일정하게 반복되는 것.
хэмнэл, айзам, ритм
дууны өндөр нам, урт, хҮч зэрэг нэг хэвийн хэмжээнд давтагдах байдал.

이 가락+에 밤새+도록 취하+[여 보]+아요.

취해 봐요

이 (тодотгол Үг) : 말하는 사람에게 가까이 있거나 말하는 사람이 생각하고 있는 대상을 가리킬 때 쓰는 말.
энэ
өгҮҮлэгч этгээдэд ойр байгаа зҮйл ба өгҮҮлэгч этгээдийн бодож байгаа зҮйлийг заасан Үг.

가락 (нэр Үг) : 음악에서 음의 높낮이의 흐름.
ая, айзам
дуу хөгжмийн авианы өндөр нам хэмнэл.

에 : 앞말이 어떤 행위나 감정 등의 대상임을 나타내는 조사.
-д/-т
өмнөх Үг ямар нэгэн Үйлдэл буюу сэтгэл хөдлөлийн тусагдахуун болохыг илэрхийлж буй Үг.

밤새다 (Үйл Үг) : 밤이 지나 아침이 오다.
ҮҮр цайх
шөнө өнгөрч өглөө болох.

-도록 : 앞에 오는 말이 뒤에 오는 말에 대한 목적이나 결과, 방식, 정도임을 나타내는 연결 어미.
Тохирох Үг хэллэг байхгҮй байна
өмнө ирэх Үг, ард ирэх Үгийн талаарх зорилго, Үр дҮн, арга барил, хэмжээ зэргийг илэрхийлдэг холбох нөхцөл.

취하다 (Үйл Үг) : 무엇에 매우 깊이 빠져 마음을 빼앗기다.
автах, мансуурах
ямар нэгэн юманд маш гҮнзгий автан сэтгэлээ булаалгах.

-여 보다 : 앞의 말이 나타내는 행동을 시험 삼아 함을 나타내는 표현.
Тохирох Үг хэллэг байхгҮй байна
өмнөх Үгийн илэрхийлж буй Үйлдлийг туршиж Үзэх явдлыг илэрхийлдэг Үг хэллэг.

-아요 : (두루높임으로) 어떤 사실을 서술하거나 질문, 명령, 권유함을 나타내는 종결 어미.
Тохирох Үг хэллэг байхгҮй байна
(хҮндэтгэлийн энгийн Үг хэллэг) ямар нэгэн зҮйлийг хҮҮрнэх, асуух, тушаах, уриалах явдлыг илэрхийлдэг төгсгөх нөхцөл.

< 8 >

최고야

너는 최고야.

(чи хамгийн шилдэг нь.)

[발음(дуудлага)]

< 1 절(бадаг) >

엄마, 치킨 먹고 싶어.
엄마, 치킨 먹꼬 시퍼.
eomma, chikin meokgo sipeo.

아빠, 피자 먹고 싶어.
아빠, 피자 먹꼬 시퍼.
appa, pija meokgo sipeo.

치킨 먹고 싶어.
치킨 먹꼬 시퍼.
chikin meokgo sipeo.

피자 먹고 싶어.
피자 먹꼬 시퍼.
pija meokgo sipeo.

시켜 줘, 시켜 줘.
시켜 줘, 시켜 줘.
sikyeo jwo, sikyeo jwo.

전부 시켜 줘.
전부 시켜 줘.
jeonbu sikyeo jwo.

시켜, 뭐든지 시켜.
시켜, 뭐든지 시켜.
sikyeo, mwodeunji sikyeo.

시켜, 전부 다 시켜.
시켜, 전부 다 시켜.
sikyeo, jeonbu da sikyeo.

먹고 싶은 거, 맛보고 싶은 거 전부 다 시켜.
먹꼬 시픈 거, 맏뽀고 시픈 거 전부 다 시켜.
meokgo sipeun geo, matbogo sipeun geo jeonbu da sikyeo.

엄만 언제나 최고야.
엄만 언제나 최고야.
eomman eonjena choegoya.

최고, 최고, 최고
최고, 최고, 최고
choego, choego, choego

아빤 언제나 최고야.
아빤 언제나 최고야.
appan eonjena choegoya.

최고, 최고, 아빠 최고.
최고, 최고, 아빠 최고.
choego, choego, appa choego.

엄마 최고, 아빠 최고, 엄마 최고, 아빠 최고.
엄마 최고, 아빠 최고, 엄마 최고, 아빠 최고.
eomma choego, appa choego, eomma choego, appa choego.

< 2 절(бадаг) >

언니, 햄버거 먹고 싶어.
언니, 햄버거 먹꼬 시퍼.
eonni, haembeogeo meokgo sipeo.

오빠, 돈가스 먹고 싶어.
오빠, 돈가스 먹꼬 시퍼.
oppa, dongaseu meokgo sipeo.

햄버거 먹고 싶어.
햄버거 먹꼬 시퍼.
haembeogeo meokgo sipeo.

돈가스 먹고 싶어.
돈가스 먹꼬 시퍼.
dongaseu meokgo sipeo.

시켜 줘, 시켜 줘.
시켜 줘, 시켜 줘.
sikyeo jwo, sikyeo jwo.

전부 시켜 줘.
전부 시켜 줘.
jeonbu sikyeo jwo.

시켜, 뭐든지 시켜.
시켜, 뭐든지 시켜.
sikyeo, mwodeunji sikyeo.

시켜, 전부 다 시켜.
시켜, 전부 다 시켜.
sikyeo, jeonbu da sikyeo.

먹고 싶은 거, 맛보고 싶은 거 전부 다 시켜.
먹꼬 시픈 거, 맏뽀고 시픈 거 전부 다 시켜.
meokgo sipeun geo, matbogo sipeun geo jeonbu da sikyeo.

초밥도, 짜장면도, 짬뽕도, 탕수육도, 떡볶이도, 순대도, 김밥도, 냉면도.
초밥또, 짜장면도, 짬뽕도, 탕수육또, 떡뽀끼도, 순대도, 김밥또, 냉면도.
chobapdo, jjajangmyeondo, jjamppongdo, tangsuyukdo, tteokbokkido, sundaedo, gimbapdo, naengmyeondo.

시켜, 시켜, 뭐든지 시켜.
시켜, 시켜, 뭐든지 시켜.
sikyeo, sikyeo, mwodeunji sikyeo.

먹고 싶은 거 다 시켜.
먹꼬 시픈 거 다 시켜.
meokgo sipeun geo da sikyeo.

뭐든지 다 시켜 줄게.
뭐든지 다 시켜 줄께.
mwodeunji da sikyeo julge.

전부 다 시켜 줄게.
전부 다 시켜 줄께.
jeonbu da sikyeo julge.

언닌 언제나 최고야.
언닌 언제나 최고야.
eonnin eonjena choegoya.

최고, 최고, 최고.
최고, 최고, 최고.
choego, choego, choego.

오빤 언제나 최고야.
오빤 언제나 최고야.
oppan eonjena choegoya.

최고, 최고, 오빠 최고.
최고, 최고, 오빠 최고.
choego, choego, oppa choego.

엄마가 최고야, 엄마 최고.
엄마가 최고야, 엄마 최고.
eommaga choegoya, eomma choego.

아빠가 최고야, 아빠 최고.
아빠가 최고야, 아빠 최고.
appaga choegoya, appa choego.

최고, 최고, 언니 최고.
최고, 최고, 언니 최고.
choego, choego, eonni choego.

오빠가 최고야, 오빠 최고.
오빠가 최고야, 오빠 최고.
oppaga choegoya, oppa choego.

< 1 절(бадаг) >

엄마, 치킨 먹+[고 싶]+어.

엄마 (нэр Үг) : 격식을 갖추지 않아도 되는 상황에서 어머니를 이르거나 부르는 말.
ээж
ёс жаяг баримтлах шаардлаггҮй тохиолдолд ээжийгээ нэрлэх болон дуудах Үг.

치킨 (нэр Үг) : 토막을 낸 닭에 밀가루 등을 묻혀 기름에 튀기거나 구운 음식.
шарсан тахиа
хэрчсэн тахиан дээр гурил зэргийг тҮрхэн тосонд шарсан хоол.

먹다 (Үйл Үг) : 음식 등을 입을 통하여 배 속에 들여보내다.
идэх
хоол хҮнс зэргийг амаар дамжуулан гэдсэндээ хийх.

-고 싶다 : 앞의 말이 나타내는 행동을 하기를 원함을 나타내는 표현.
Тохирох Үг хэллэг байхгҮй байна
өмнөх Үгийн илэрхийлж буй Үйлдлийг хийхийг хҮсэх явдлыг илэрхийлдэг Үг хэллэг.

-어 : (두루낮춤으로) 어떤 사실을 서술하거나 물음, 명령, 권유를 나타내는 종결 어미.
Тохирох Үг хэллэг байхгҮй байна
(хҮндэтгэлийн бус энгийн Үг хэллэг) ямар нэгэн зҮйлийг дҮрслэх буюу асуулт, тушаал, зөвлөмж зэргийг илэрхийлдэг төгсгөх нөхцөл. <дҮрслэл>

아빠, 피자 먹+[고 싶]+어.

아빠 (нэр Үг) : 격식을 갖추지 않아도 되는 상황에서 아버지를 이르거나 부르는 말.
аав
ёс жаяг баримтлах шаардлаггҮй нөхцөлд аавыгаа нэрлэх болон дуудах Үг.

피자 (нэр Үг) : 이탈리아에서 유래한 것으로 둥글고 납작한 밀가루 반죽 위에 토마토, 고기, 치즈 등을 얹어 구운 음식.
пицца
италиас гаралтай дугуй нимгэн гурилан зуурмаг дээр улаан лооль, мах, бяслаг зэргийг тараан тавьж шарж болгосон хоол.

먹다 (Үйл Үг) : 음식 등을 입을 통하여 배 속에 들여보내다.
идэх
хоол хҮнс зэргийг амаар дамжуулан гэдсэндээ хийх.

-고 싶다 : 앞의 말이 나타내는 행동을 하기를 원함을 나타내는 표현.
Тохирох Үг хэллэг байхгҮй байна
өмнөх Үгийн илэрхийлж буй Үйлдлийг хийхийг хҮсэх явдлыг илэрхийлдэг Үг хэллэг.

-어 : (두루낮춤으로) 어떤 사실을 서술하거나 물음, 명령, 권유를 나타내는 종결 어미.
Тохирох Үг хэллэг байхгҮй байна
(хҮндэтгэлийн бус энгийн Үг хэллэг) ямар нэгэн зҮйлийг дҮрслэх буюу асуулт, тушаал, зөвлөмж зэргийг илэрхийлдэг төгсгөх нөхцөл. <дҮрслэл>

치킨 먹+[고 싶]+어.

치킨 (нэр Үг) : 토막을 낸 닭에 밀가루 등을 묻혀 기름에 튀기거나 구운 음식.
шарсан тахиа
хэрчсэн тахиан дээр гурил зэргийг тҮрхэн тосонд шарсан хоол.

먹다 (Үйл Үг) : 음식 등을 입을 통하여 배 속에 들여보내다.
идэх
хоол хҮнс зэргийг амаар дамжуулан гэдсэндээ хийх.

-고 싶다 : 앞의 말이 나타내는 행동을 하기를 원함을 나타내는 표현.
Тохирох Үг хэллэг байхгҮй байна
өмнөх Үгийн илэрхийлж буй Үйлдлийг хийхийг хҮсэх явдлыг илэрхийлдэг Үг хэллэг.

-어 : (두루낮춤으로) 어떤 사실을 서술하거나 물음, 명령, 권유를 나타내는 종결 어미.
Тохирох Үг хэллэг байхгҮй байна
(хҮндэтгэлийн бус энгийн Үг хэллэг) ямар нэгэн зҮйлийг дҮрслэх буюу асуулт, тушаал, зөвлөмж зэргийг илэрхийлдэг төгсгөх нөхцөл. <дҮрслэл>

피자 먹+[고 싶]+어.

피자 (нэр Үг) : 이탈리아에서 유래한 것으로 둥글고 납작한 밀가루 반죽 위에 토마토, 고기, 치즈 등을 얹어 구운 음식.
пицца
италиас гаралтай дугуй нимгэн гурилан зуурмаг дээр улаан лооль, мах, бяслаг зэргийг тараан тавьж шарж болгосон хоол.

먹다 (Үйл Үг) : 음식 등을 입을 통하여 배 속에 들여보내다.
идэх
хоол хүнс зэргийг амаар дамжуулан гэдсэндээ хийх.

-고 싶다 : 앞의 말이 나타내는 행동을 하기를 원함을 나타내는 표현.
Тохирох Үг хэллэг байхгүй байна
өмнөх үгийн илэрхийлж буй үйлдлийг хийхийг хүсэх явдлыг илэрхийлдэг үг хэллэг.

-어 : (두루낮춤으로) 어떤 사실을 서술하거나 물음, 명령, 권유를 나타내는 종결 어미.
Тохирох Үг хэллэг байхгүй байна
(хүндэтгэлийн бус энгийн үг хэллэг) ямар нэгэн зүйлийг дүрслэх буюу асуулт, тушаал, зөвлөмж зэргийг илэрхийлдэг төгсгөх нөхцөл. <дүрслэл>

시키+[어 주]+어, 시키+[어 주]+어.
시켜 줘 시켜 줘

시키다 (Үйл Үг) : 음식이나 술, 음료 등을 주문하다.
захиалах
хоол, архи, жүүс зэрэг зүйлийг захиалах.

-어 주다 : 남을 위해 앞의 말이 나타내는 행동을 함을 나타내는 표현.
Тохирох Үг хэллэг байхгүй байна
бусдад зориулж өмнөх үгийн илэрхийлж буй үйлдлийг хийх явдлыг илэрхийлдэг үг хэллэг.

-어 : (두루낮춤으로) 어떤 사실을 서술하거나 물음, 명령, 권유를 나타내는 종결 어미.
Тохирох Үг хэллэг байхгүй байна
(хүндэтгэлийн бус энгийн үг хэллэг) ямар нэгэн зүйлийг дүрслэх буюу асуулт, тушаал, зөвлөмж зэргийг илэрхийлдэг төгсгөх нөхцөл. <тушаал>

전부 시키+[어 주]+어.
시켜 줘

전부 (дайвар Үг) : 빠짐없이 다.
бүхий л, бүгд, нийт
нэгийг ч үлдээгээгүй бүгд.

시키다 (Үйл Үг) : 음식이나 술, 음료 등을 주문하다.
захиалах
хоол, архи, жүүс зэрэг зүйлийг захиалах.

-어 주다 : 남을 위해 앞의 말이 나타내는 행동을 함을 나타내는 표현.
Тохирох Үг хэллэг байхгҮй байна
бусдад зориулж өмнөх Үгийн илэрхийлж буй Үйлдлийг хийх явдлыг илэрхийлдэг Үг хэллэг.

-어 : (두루낮춤으로) 어떤 사실을 서술하거나 물음, 명령, 권유를 나타내는 종결 어미.
Тохирох Үг хэллэг байхгҮй байна
(хҮндэтгэлийн бус энгийн Үг хэллэг) ямар нэгэн зҮйлийг дҮрслэх буюу асуулт, тушаал, зөвлөмж зэргийг илэрхийлдэг төгсгөх нөхцөл. <тушаал>

시키+어, 뭐+든지 시키+어.
시켜 시켜

시키다 (Үйл Үг) : 음식이나 술, 음료 등을 주문하다.
захиалах
хоол, архи, жҮҮс зэрэг зҮйлийг захиалах.

-어 : (두루낮춤으로) 어떤 사실을 서술하거나 물음, 명령, 권유를 나타내는 종결 어미.
Тохирох Үг хэллэг байхгҮй байна
(хҮндэтгэлийн бус энгийн Үг хэллэг) ямар нэгэн зҮйлийг дҮрслэх буюу асуулт, тушаал, зөвлөмж зэргийг илэрхийлдэг төгсгөх нөхцөл. <тушаал>

뭐 (төлөөний Үг) : 정해지지 않은 대상이나 굳이 이름을 밝힐 필요가 없는 대상을 가리키는 말.
юу, ямар нэг
оноож тогтоогҮй зҮйл болон заавал нэрийг нь илчлэх шаардлагагҮй зҮйлийг заах Үг.

든지 : 어느 것이 선택되어도 차이가 없음을 나타내는 조사.
ч юмуу ... ч юмуу, ч байсан ч ... байсан
аль нь ч байсан ялгаагҮй болохыг илэрхийлдэг нөхцөл.

시키다 (Үйл Үг) : 음식이나 술, 음료 등을 주문하다.
захиалах
хоол, архи, жҮҮс зэрэг зҮйлийг захиалах.

-어 : (두루낮춤으로) 어떤 사실을 서술하거나 물음, 명령, 권유를 나타내는 종결 어미.
Тохирох Үг хэллэг байхгҮй байна
(хҮндэтгэлийн бус энгийн Үг хэллэг) ямар нэгэн зҮйлийг дҮрслэх буюу асуулт, тушаал, зөвлөмж зэргийг илэрхийлдэг төгсгөх нөхцөл. <тушаал>

시키+어, 전부 다 시키+어.
시켜 시켜

시키다 (Үйл Үг) : 음식이나 술, 음료 등을 주문하다.
захиалах
хоол, архи, жҮҮс зэрэг зҮйлийг захиалах.

-어 : (두루낮춤으로) 어떤 사실을 서술하거나 물음, 명령, 권유를 나타내는 종결 어미.
Тохирох Үг хэллэг байхгҮй байна
(хҮндэтгэлийн бус энгийн Үг хэллэг) ямар нэгэн зҮйлийг дҮрслэх буюу асуулт, тушаал, зөвлөмж зэргийг илэрхийлдэг төгсгөх нөхцөл. <тушаал>

전부 (дайвар Үг) : 빠짐없이 다.
бҮхий л, бҮгд, нийт
нэгийг ч ҮлдээгээгҮй бҮгд.

다 (дайвар Үг) : 남거나 빠진 것이 없이 모두.
бҮгд, цөм, бҮх, булт
Үлдэж гээгдсэн зҮйлгҮй бҮгд.

시키다 (Үйл Үг) : 음식이나 술, 음료 등을 주문하다.
захиалах
хоол, архи, жҮҮс зэрэг зҮйлийг захиалах.

-어 : (두루낮춤으로) 어떤 사실을 서술하거나 물음, 명령, 권유를 나타내는 종결 어미.
Тохирох Үг хэллэг байхгҮй байна
(хҮндэтгэлийн бус энгийн Үг хэллэг) ямар нэгэн зҮйлийг дҮрслэх буюу асуулт, тушаал, зөвлөмж зэргийг илэрхийлдэг төгсгөх нөхцөл. <тушаал>

먹+[고 싶]+[은 거], 맛보+[고 싶]+[은 거] 전부 다 시키+어.
시켜

먹다 (Үйл Үг) : 음식 등을 입을 통하여 배 속에 들여보내다.
идэх
хоол хҮнс зэргийг амаар дамжуулан гэдсэндээ хийх.

-고 싶다 : 앞의 말이 나타내는 행동을 하기를 원함을 나타내는 표현.
Тохирох Үг хэллэг байхгҮй байна
өмнөх Үгийн илэрхийлж буй Үйлдлийг хийхийг хҮсэх явдлыг илэрхийлдэг Үг хэллэг.

-은 거 : 명사가 아닌 것을 문장에서 명사처럼 쓰이게 하거나 '이다' 앞에 쓰일 수 있게 할 때 쓰는 표현.
Тохирох Үг хэллэг байхгҮй байна
өгҮҮлбэрт нэр Үгийн ҮҮргээр орж өгҮҮлэгдэхҮҮн буюу тусагдахуун гишҮҮний ҮҮрэг гҮйцэтгэх буюу '이다'-н өмнө ирэх боломжтой болгодог Үг хэллэг.

맛보다 (Үйл Үг) : 음식의 맛을 알기 위해 먹어 보다.
амсах, амталж Үзэх
идээ ундааны амтыг Үзэхийн тулд идэж Үзэх.

-고 싶다 : 앞의 말이 나타내는 행동을 하기를 원함을 나타내는 표현.
Тохирох Үг хэллэг байхгҮй байна
өмнөх Үгийн илэрхийлж буй Үйлдлийг хийхийг хҮсэх явдлыг илэрхийлдэг Үг хэллэг.

-은 거 : 명사가 아닌 것을 문장에서 명사처럼 쓰이게 하거나 '이다' 앞에 쓰일 수 있게 할 때 쓰는 표현.
Тохирох Үг хэллэг байхгҮй байна
өгҮҮлбэрт нэр Үгийн ҮҮргээр орж өгҮҮлэгдэхҮҮн буюу тусагдахуун гишҮҮний ҮҮрэг гҮйцэтгэх буюу '이다'-н өмнө ирэх боломжтой болгодог Үг хэллэг.

전부 (дайвар Үг) : 빠짐없이 다.
бҮхий л, бҮгд, нийт
нэгийг ч ҮлдээгээгҮй бҮгд.

다 (дайвар Үг) : 남거나 빠진 것이 없이 모두.
бҮгд, цөм, бҮх, булт
Үлдэж гээгдсэн зҮйлгҮй бҮгд.

시키다 (Үйл Үг) : 음식이나 술, 음료 등을 주문하다.
захиалах
хоол, архи, жҮҮс зэрэг зҮйлийг захиалах.

-어 : (두루낮춤으로) 어떤 사실을 서술하거나 물음, 명령, 권유를 나타내는 종결 어미.
Тохирох Үг хэллэг байхгҮй байна
(хҮндэтгэлийн бус энгийн Үг хэллэг) ямар нэгэн зҮйлийг дҮрслэх буюу асуулт, тушаал, зөвлөмж зэргийг илэрхийлдэг төгсгөх нөхцөл. <тушаал>

엄마+는 언제나 최고+(이)+야.
엄만 최고야

엄마 (нэр Үг) : 격식을 갖추지 않아도 되는 상황에서 어머니를 이르거나 부르는 말.
ээж
ёс жаяг баримтлах шаардлаггҮй тохиолдолд ээжийгээ нэрлэх болон дуудах Үг.

는 : 문장 속에서 어떤 대상이 화제임을 나타내는 조사.
Тохирох Үг хэллэг байхгҮй байна
өгҮҮлбэрт ярианы сэдэв болж буйг илэрхийлдэг нөхцөл.

언제나 (дайвар Yг) : 어느 때에나. 또는 때에 따라 달라지지 않고 변함없이.
Yргэлж, хэзээд, ямагт
аль ч Yед. мөн цаг Yеэс хамааран өөрчлөгдөж хувирахгYй.

최고 (нэр Yг) : 가장 좋거나 뛰어난 것.
хамгийн мундаг, хамгийн гоё, хамгийн
хамгийн сайн сайхан зYйл.

이다 : 주어가 지시하는 대상의 속성이나 부류를 지정하는 뜻을 나타내는 서술격 조사.
Тохирох Yг хэллэг байхгYй байна
эзэн биеийн зааж буй обьектын шинж чанар, төрөл зYйлийг тодорхойлох утгыг илэрхийлэх өгYYлэхYYний тийн ялгалын нөхцөл.

-야 : (두루낮춤으로) 어떤 사실에 대하여 서술하거나 물음을 나타내는 종결 어미.
Тохирох Yг хэллэг байхгYй байна
(хYндэтгэлийн бус энгийн Yг хэллэг) ямар нэгэн зYйлийн талаар хYYрнэх буюу асуух явдлыг илэрхийлдэг төгсгөх нөхцөл. <дYрслэл>

최고, 최고, 최고.

최고 (нэр Yг) : 가장 좋거나 뛰어난 것.
хамгийн мундаг, хамгийн гоё, хамгийн
хамгийн сайн сайхан зYйл.

아빠+는 언제나 최고+(이)+야.
아빤 최고야

아빠 (нэр Yг) : 격식을 갖추지 않아도 되는 상황에서 아버지를 이르거나 부르는 말.
аав
ёс жаяг баримтлах шаардлаггYй нөхцөлд аавыгаа нэрлэх болон дуудах Yг.

는 : 문장 속에서 어떤 대상이 화제임을 나타내는 조사.
Тохирох Yг хэллэг байхгYй байна
өгYYлбэрт ярианы сэдэв болж буйг илэрхийлдэг нөхцөл.

언제나 (дайвар Yг) : 어느 때에나. 또는 때에 따라 달라지지 않고 변함없이.
Yргэлж, хэзээд, ямагт
аль ч Yед. мөн цаг Yеэс хамааран өөрчлөгдөж хувирахгYй.

최고 (нэр Yг) : 가장 좋거나 뛰어난 것.
хамгийн мундаг, хамгийн гоё, хамгийн
хамгийн сайн сайхан зYйл.

이다 : 주어가 지시하는 대상의 속성이나 부류를 지정하는 뜻을 나타내는 서술격 조사.
Тохирох Yг хэллэг байхгYй байна
эзэн биеийн зааж буй обьектын шинж чанар, төрөл зYйлийг тодорхойлох утгыг илэрхийлэх өгYYлэхYYний тийн ялгалын нөхцөл.

-야 : (두루낮춤으로) 어떤 사실에 대하여 서술하거나 물음을 나타내는 종결 어미.
Тохирох Yг хэллэг байхгYй байна
(хYндэтгэлийн бус энгийн Yг хэллэг) ямар нэгэн зYйлийн талаар хYYрнэх буюу асуух явдлыг илэрхийлдэг төгсгөх нөхцөл. <дYрслэл>

최고, 최고, 아빠 최고.

최고 (нэр Yг) : 가장 좋거나 뛰어난 것.
хамгийн мундаг, хамгийн гоё, хамгийн
хамгийн сайн сайхан зYйл.

아빠 (нэр Yг) : 격식을 갖추지 않아도 되는 상황에서 아버지를 이르거나 부르는 말.
аав
ёс жаяг баримтлах шаардлаггYй нөхцөлд аавыгаа нэрлэх болон дуудах Yг.

최고 (нэр Yг) : 가장 좋거나 뛰어난 것.
хамгийн мундаг, хамгийн гоё, хамгийн
хамгийн сайн сайхан зYйл.

엄마 최고, 아빠 최고, 엄마 최고, 아빠 최고.

엄마 (нэр Yг) : 격식을 갖추지 않아도 되는 상황에서 어머니를 이르거나 부르는 말.
ээж
ёс жаяг баримтлах шаардлаггYй тохиолдолд ээжийгээ нэрлэх болон дуудах Yг.

최고 (нэр Yг) : 가장 좋거나 뛰어난 것.
хамгийн мундаг, хамгийн гоё, хамгийн
хамгийн сайн сайхан зYйл.

아빠 (нэр Yг) : 격식을 갖추지 않아도 되는 상황에서 아버지를 이르거나 부르는 말.
аав
ёс жаяг баримтлах шаардлаггYй нөхцөлд аавыгаа нэрлэх болон дуудах Yг.

최고 (нэр Үг) : 가장 좋거나 뛰어난 것.
хамгийн мундаг, хамгийн гоё, хамгийн
хамгийн сайн сайхан зҮйл.

< 2 절(бадаг) >

언니, 햄버거 먹+[고 싶]+어.

언니 (нэр Үг) : 여자가 형제나 친척 형제들 중에서 자기보다 나이가 많은 여자를 이르거나 부르는 말.
эгч
эгч дҮҮсийн хооронд өөрөөс ахмад хҮнийг нэрлэх юмуу дуудах Үг.

햄버거 (нэр Үг) : 둥근 빵 사이에 고기와 채소와 치즈 등을 끼운 음식.
гамбургер, хачиртай талх
дугуй талхны дунд мах, ногоо, бяслаг зэргийг хавчуулсан иддэг зҮйл.

먹다 (Үйл Үг) : 음식 등을 입을 통하여 배 속에 들여보내다.
идэх
хоол хҮнс зэргийг амаар дамжуулан гэдсэндээ хийх.

-고 싶다 : 앞의 말이 나타내는 행동을 하기를 원함을 나타내는 표현.
Тохирох Үг хэллэг байхгҮй байна
өмнөх Үгийн илэрхийлж буй Үйлдлийг хийхийг хҮсэх явдлыг илэрхийлдэг Үг хэллэг.

-어 : (두루낮춤으로) 어떤 사실을 서술하거나 물음, 명령, 권유를 나타내는 종결 어미.
Тохирох Үг хэллэг байхгҮй байна
(хҮндэтгэлийн бус энгийн Үг хэллэг) ямар нэгэн зҮйлийг дҮрслэх буюу асуулт, тушаал, зөвлөмж зэргийг илэрхийлдэг төгсгөх нөхцөл. <дҮрслэл>

오빠, 돈가스 먹+[고 싶]+어.

오빠 (нэр Үг) : 여자가 형제나 친척 형제들 중에서 자기보다 나이가 많은 남자를 이르거나 부르는 말.
ах
эцэг эх нэгтэй ах дҮҮс ба хамаатан садан дотроос эмэгтэй дҮҮ нь өөрөөсөө насаар ах эрэгтэй хҮнийг нэрлэх болон дуудах Үг.

돈가스 (нэр Үг) : 도톰하게 썬 돼지고기를 양념하여 빵가루를 묻히고 기름에 튀긴 음식.
гахайн махан котлет
зузаавтар зҮссэн гахайн махыг амтлан, талхны Үйрмэг тҮрхэн, тосонд чанасан хоол.

먹다 (Үйл Үг) : 음식 등을 입을 통하여 배 속에 들여보내다.
идэх
хоол хҮнс зэргийг амаар дамжуулан гэдсэндээ хийх.

-고 싶다 : 앞의 말이 나타내는 행동을 하기를 원함을 나타내는 표현.
Тохирох Үг хэллэг байхгҮй байна
өмнөх Үгийн илэрхийлж буй Үйлдлийг хийхийг хҮсэх явдлыг илэрхийлдэг Үг хэллэг.

-어 : (두루낮춤으로) 어떤 사실을 서술하거나 물음, 명령, 권유를 나타내는 종결 어미.
Тохирох Үг хэллэг байхгҮй байна
(хҮндэтгэлийн бус энгийн Үг хэллэг) ямар нэгэн зҮйлийг дҮрслэх буюу асуулт, тушаал, зөвлөмж зэргийг илэрхийлдэг төгсгөх нөхцөл. <дҮрслэл>

햄버거 먹+[고 싶]+어.

햄버거 (нэр Үг) : 둥근 빵 사이에 고기와 채소와 치즈 등을 끼운 음식.
гамбургер, хачиртай талх
дугуй талхны дунд мах, ногоо, бяслаг зэргийг хавчуулсан иддэг зҮйл.

먹다 (Үйл Үг) : 음식 등을 입을 통하여 배 속에 들여보내다.
идэх
хоол хҮнс зэргийг амаар дамжуулан гэдсэндээ хийх.

-고 싶다 : 앞의 말이 나타내는 행동을 하기를 원함을 나타내는 표현.
Тохирох Үг хэллэг байхгҮй байна
өмнөх Үгийн илэрхийлж буй Үйлдлийг хийхийг хҮсэх явдлыг илэрхийлдэг Үг хэллэг.

-어 : (두루낮춤으로) 어떤 사실을 서술하거나 물음, 명령, 권유를 나타내는 종결 어미.
Тохирох Үг хэллэг байхгҮй байна
(хҮндэтгэлийн бус энгийн Үг хэллэг) ямар нэгэн зҮйлийг дҮрслэх буюу асуулт, тушаал, зөвлөмж зэргийг илэрхийлдэг төгсгөх нөхцөл. <дҮрслэл>

돈가스 먹+[고 싶]+어.

돈가스 (нэр Үг) : 도톰하게 썬 돼지고기를 양념하여 빵가루를 묻히고 기름에 튀긴 음식.
гахайн махан котлет
зузаавтар зҮссэн гахайн махыг амтлан, талхны Үйрмэг тҮрхэн, тосонд чанасан хоол.

먹다 (Үйл Үг) : 음식 등을 입을 통하여 배 속에 들여보내다.
идэх
хоол хҮнс зэргийг амаар дамжуулан гэдсэндээ хийх.

-고 싶다 : 앞의 말이 나타내는 행동을 하기를 원함을 나타내는 표현.
Тохирох Үг хэллэг байхгҮй байна
өмнөх Үгийн илэрхийлж буй Үйлдлийг хийхийг хҮсэх явдлыг илэрхийлдэг Үг хэллэг.

-어 : (두루낮춤으로) 어떤 사실을 서술하거나 물음, 명령, 권유를 나타내는 종결 어미.
Тохирох Үг хэллэг байхгҮй байна
(хҮндэтгэлийн бус энгийн Үг хэллэг) ямар нэгэн зҮйлийг дҮрслэх буюу асуулт, тушаал, зөвлөмж зэргийг илэрхийлдэг төгсгөх нөхцөл. <дҮрслэл>

시키+[어 주]+어, 시키+[어 주]+어.
시켜 줘 시켜 줘

시키다 (Үйл Үг) : 음식이나 술, 음료 등을 주문하다.
захиалах
хоол, архи, жҮҮс зэрэг зҮйлийг захиалах.

-어 주다 : 남을 위해 앞의 말이 나타내는 행동을 함을 나타내는 표현.
Тохирох Үг хэллэг байхгҮй байна
бусдад зориулж өмнөх Үгийн илэрхийлж буй Үйлдлийг хийх явдлыг илэрхийлдэг Үг хэллэг.

-어 : (두루낮춤으로) 어떤 사실을 서술하거나 물음, 명령, 권유를 나타내는 종결 어미.
Тохирох Үг хэллэг байхгҮй байна
(хҮндэтгэлийн бус энгийн Үг хэллэг) ямар нэгэн зҮйлийг дҮрслэх буюу асуулт, тушаал, зөвлөмж зэргийг илэрхийлдэг төгсгөх нөхцөл. <тушаал>

전부 시키+[어 주]+어.
시켜 줘

전부 (дайвар Үг) : 빠짐없이 다.
бҮхий л, бҮгд, нийт
нэгийг ч ҮлдээгээгҮй бҮгд.

시키다 (Үйл Үг) : 음식이나 술, 음료 등을 주문하다.
захиалах
хоол, архи, жҮҮс зэрэг зҮйлийг захиалах.

-어 주다 : 남을 위해 앞의 말이 나타내는 행동을 함을 나타내는 표현.
Тохирох Үг хэллэг байхгҮй байна
бусдад зориулж өмнөх Үгийн илэрхийлж буй Үйлдлийг хийх явдлыг илэрхийлдэг Үг хэллэг.

-어 : (두루낮춤으로) 어떤 사실을 서술하거나 물음, 명령, 권유를 나타내는 종결 어미.
Тохирох Үг хэллэг байхгҮй байна
(хҮндэтгэлийн бус энгийн Үг хэллэг) ямар нэгэн зҮйлийг дҮрслэх буюу асуулт, тушаал, зөвлөмж зэргийг илэрхийлдэг төгсгөх нөхцөл. <тушаал>

시키+어, 뭐+든지 시키+어.
시켜 시켜

시키다 (Үйл Үг) : 음식이나 술, 음료 등을 주문하다.
захиалах
хоол, архи, жҮҮс зэрэг зҮйлийг захиалах.

-어 : (두루낮춤으로) 어떤 사실을 서술하거나 물음, 명령, 권유를 나타내는 종결 어미.
Тохирох Үг хэллэг байхгҮй байна
(хҮндэтгэлийн бус энгийн Үг хэллэг) ямар нэгэн зҮйлийг дҮрслэх буюу асуулт, тушаал, зөвлөмж зэргийг илэрхийлдэг төгсгөх нөхцөл. <тушаал>

뭐 (төлөөний Үг) : 정해지지 않은 대상이나 굳이 이름을 밝힐 필요가 없는 대상을 가리키는 말.
юу, ямар нэг
онооЖ тогтоогҮй зҮйл болон заавал нэрийг нь илчлэх шаардлагагҮй зҮйлийг заах Үг.

든지 : 어느 것이 선택되어도 차이가 없음을 나타내는 조사.
ч юмуу ... ч юмуу, ч байсан ч ... байсан
аль нь ч байсан ялгаагҮй болохыг илэрхийлдэг нөхцөл.

시키다 (Үйл Үг) : 음식이나 술, 음료 등을 주문하다.
захиалах
хоол, архи, жҮҮс зэрэг зҮйлийг захиалах.

-어 : (두루낮춤으로) 어떤 사실을 서술하거나 물음, 명령, 권유를 나타내는 종결 어미.
Тохирох Үг хэллэг байхгҮй байна
(хҮндэтгэлийн бус энгийн Үг хэллэг) ямар нэгэн зҮйлийг дҮрслэх буюу асуулт, тушаал, зөвлөмж зэргийг илэрхийлдэг төгсгөх нөхцөл. <тушаал>

시키+어, 전부 다 시키+어.
시켜 시켜

시키다 (Үйл Үг) : 음식이나 술, 음료 등을 주문하다.
захиалах
хоол, архи, жҮҮс зэрэг зҮйлийг захиалах.

-어 : (두루낮춤으로) 어떤 사실을 서술하거나 물음, 명령, 권유를 나타내는 종결 어미.
Тохирох Үг хэллэг байхгҮй байна
(хҮндэтгэлийн бус энгийн Үг хэллэг) ямар нэгэн зҮйлийг дҮрслэх буюу асуулт, тушаал, зөвлөмж зэргийг илэрхийлдэг төгсгөх нөхцөл. <тушаал>

전부 (дайвар Үг) : 빠짐없이 다.
бҮхий л, бҮгд, нийт
нэгийг ч ҮлдээгээгҮй бҮгд.

다 (дайвар Үг) : 남거나 빠진 것이 없이 모두.
бҮгд, цөм, бҮх, булт
Үлдэж гээгдсэн зҮйлгҮй бҮгд.

시키다 (Үйл Үг) : 음식이나 술, 음료 등을 주문하다.
захиалах
хоол, архи, жҮҮс зэрэг зҮйлийг захиалах.

-어 : (두루낮춤으로) 어떤 사실을 서술하거나 물음, 명령, 권유를 나타내는 종결 어미.
Тохирох Үг хэллэг байхгҮй байна
(хҮндэтгэлийн бус энгийн Үг хэллэг) ямар нэгэн зҮйлийг дҮрслэх буюу асуулт, тушаал, зөвлөмж зэргийг илэрхийлдэг төгсгөх нөхцөл. <тушаал>

먹+[고 싶]+[은 거], 맛보+[고 싶]+[은 거] 전부 다 시키+어.

시켜

먹다 (Үйл Үг) : 음식 등을 입을 통하여 배 속에 들여보내다.
идэх
хоол хҮнс зэргийг амаар дамжуулан гэдсэндээ хийх.

-고 싶다 : 앞의 말이 나타내는 행동을 하기를 원함을 나타내는 표현.
Тохирох Үг хэллэг байхгҮй байна
өмнөх Үгийн илэрхийлж буй Үйлдлийг хийхийг хҮсэх явдлыг илэрхийлдэг Үг хэллэг.

-은 거 : 명사가 아닌 것을 문장에서 명사처럼 쓰이게 하거나 '이다' 앞에 쓰일 수 있게 할 때 쓰는 표현.
Тохирох Үг хэллэг байхгҮй байна
өгҮҮлбэрт нэр Үгийн ҮҮргээр орж өгҮҮлэгдэхҮҮн буюу тусагдахуун гишҮҮний ҮҮрэг гҮйцэтгэх буюу '이다'-н өмнө ирэх боломжтой болгодог Үг хэллэг.

맛보다 (Үйл Үг) : 음식의 맛을 알기 위해 먹어 보다.
амсах, амталж Үзэх
идээ ундааны амтыг Үзэхийн тулд идэж Үзэх.

-고 싶다 : 앞의 말이 나타내는 행동을 하기를 원함을 나타내는 표현.
Тохирох Үг хэллэг байхгҮй байна
өмнөх Үгийн илэрхийлж буй Үйлдлийг хийхийг хҮсэх явдлыг илэрхийлдэг Үг хэллэг.

-은 거 : 명사가 아닌 것을 문장에서 명사처럼 쓰이게 하거나 '이다' 앞에 쓰일 수 있게 할 때 쓰는 표현.
Тохирох Үг хэллэг байхгҮй байна
өгҮҮлбэрт нэр Үгийн ҮҮргээр орж өгҮҮлэгдэхҮҮн буюу тусагдахуун гишҮҮний ҮҮрэг гҮйцэтгэх буюу '이다'-н өмнө ирэх боломжтой болгодог Үг хэллэг.

전부 (дайвар Үг) : 빠짐없이 다.
бҮхий л, бҮгд, нийт
нэгийг ч ҮлдээгээгҮй бҮгд.

다 (дайвар Үг) : 남거나 빠진 것이 없이 모두.
бҮгд, цөм, бҮх, булт
Үлдэж гээгдсэн зҮйлгҮй бҮгд.

시키다 (Үйл Үг) : 음식이나 술, 음료 등을 주문하다.
захиалах
хоол, архи, жҮҮс зэрэг зҮйлийг захиалах.

-어 : (두루낮춤으로) 어떤 사실을 서술하거나 물음, 명령, 권유를 나타내는 종결 어미.
Тохирох Үг хэллэг байхгҮй байна
(хҮндэтгэлийн бус энгийн Үг хэллэг) ямар нэгэн зҮйлийг дҮрслэх буюу асуулт, тушаал, зөвлөмж зэргийг илэрхийлдэг төгсгөх нөхцөл. <тушаал>

초밥+도, 짜장면+도, 짬뽕+도, 탕수육+도.

초밥 (нэр Үг) : 식초와 소금으로 간을 하여 작게 뭉친 흰밥에 생선을 얹거나 김, 유부 등으로 싸서 만든 일본 음식.
суши
цагаан цуу, давсаар амталж, бага хэмжээний бөөн цагаан будаан дээр загас тавих юмуу хатаасан далайн замаг, шарсан дҮҮпҮҮ зэргээр ороож хийсэн япон хоол.

도 : 둘 이상의 것을 나열함을 나타내는 조사.
ч
хоёроос дээш зҮйлийг цувруулан хэлэхийг илэрхийлж буй нөхцөл.

짜장면 (нэр Үг) : 중국식 된장에 고기와 채소 등을 넣어 볶은 양념에 면을 비벼 먹는 음식.
жажанмёнь
хятад маягийн шар буурцагны жанд мах, ногоо хийн хуураад тҮҮн дээрээ гоймон хольж иддэг хоол.

도 : 둘 이상의 것을 나열함을 나타내는 조사.
ч
хоёроос дээш зҮйлийг цувруулан хэлэхийг илэрхийлж буй нөхцөл.

짬뽕 (нэр Үг) : 여러 가지 해물과 야채를 볶고 매콤한 국물을 부어 만든 중국식 국수.
жамбун, холимог шөл
олон янзын далайн бҮтээгдэхҮҮн болон хҮнсний ногоог хуураад, халуун ногоотой шөл нэмж хийдэг хятад маягийн гурилтай шөл.

도 : 둘 이상의 것을 나열함을 나타내는 조사.
ч
хоёроос дээш зҮйлийг цувруулан хэлэхийг илэрхийлж буй нөхцөл.

탕수육 (нэр Үг) : 튀김옷을 입혀 튀긴 고기에 식초, 간장, 설탕, 채소 등을 넣고 끓인 녹말 물을 부어 만든 중국요리.
тансҮюг, бҮрж шарсан гахайн мах
гурилаар бҮрж шарсан маханд цагаан цуу, цуу, элсэн чихэр, ногоо зэргийн нэмж, буцалгасан цардуултай жан хийж бэлтгэсэн хятад хоол.

도 : 둘 이상의 것을 나열함을 나타내는 조사.
ч
хоёроос дээш зҮйлийг цувруулан хэлэхийг илэрхийлж буй нөхцөл.

떡볶이+도, 순대+도, 김밥+도, 냉면+도.

떡볶이 (нэр Үг) : 적당히 자른 가래떡에 간장이나 고추장 등의 양념과 여러 가지 채소를 넣고 볶은 음식.
догбуги, халуун ногоотой хуурсан дог
ижил хэмжээтэй хэрчсэн дог-ийг цуу, чинжҮҮний жан зэргээр амтлан, олон төрлийн ногоотой хольж хуурсан хоол.

도 : 둘 이상의 것을 나열함을 나타내는 조사.
ч
хоёроос дээш зҮйлийг цувруулан хэлэхийг илэрхийлж буй нөхцөл.

순대 (нэр Үг) : 당면, 두부, 찹쌀 등을 양념하여 돼지의 창자 속에 넣고 찐 음식.
сҮньдэ, солонгос зайдас
пҮнтҮҮз, дҮҮпҮҮ, наанги будаа зэргийг амтлан гахайны зайдсанд хийж жигнэсэн хоол

도 : 둘 이상의 것을 나열함을 나타내는 조사.
ч
хоёроос дээш зҮйлийг цувруулан хэлэхийг илэрхийлж буй нөхцөл.

김밥 (нэр Үг) : 밥과 여러 가지 반찬을 김으로 말아 싸서 썰어 먹는 음식.
кимбаб, будааны ороомог
агшаасан будаа болон төрөл бҮрийн хачрыг далайн хинээр ороон хэрчиж иддэг хоол.

도 : 둘 이상의 것을 나열함을 나타내는 조사.
ч
хоёроос дээш зҮйлийг цувруулан хэлэхийг илэрхийлж буй нөхцөл.

냉면 (нэр Үг) : 국수를 냉국이나 김칫국 등에 말거나 고추장 양념에 비벼서 먹는 음식.
нэнмён, хҮйтэн гоймон
гоймонг хҮйтэн шөл болон кимчиний шөл зэрэгт хийх юмуу чинжҮҮний жантай хутгаж иддэг хоол.

도 : 둘 이상의 것을 나열함을 나타내는 조사.
ч
хоёроос дээш зҮйлийг цувруулан хэлэхийг илэрхийлж буй нөхцөл.

시키+어, 시키+어, 뭐+든지 시키+어.
시켜 시켜 시켜

시키다 (Үйл Үг) : 음식이나 술, 음료 등을 주문하다.
захиалах
хоол, архи, жҮҮс зэрэг зҮйлийг захиалах.

-어 : (두루낮춤으로) 어떤 사실을 서술하거나 물음, 명령, 권유를 나타내는 종결 어미.
Тохирох Үг хэллэг байхгҮй байна
(хҮндэтгэлийн бус энгийн Үг хэллэг) ямар нэгэн зҮйлийг дҮрслэх буюу асуулт, тушаал, зөвлөмж зэргийг илэрхийлдэг төгсгөх нөхцөл. <тушаал>

뭐 (төлөөний Үг) : 정해지지 않은 대상이나 굳이 이름을 밝힐 필요가 없는 대상을 가리키는 말.
юу, ямар нэг
оноож тогтоогҮй зҮйл болон заавал нэрийг нь илчлэх шаардлагагҮй зҮйлийг заах Үг.

든지 : 어느 것이 선택되어도 차이가 없음을 나타내는 조사.
ч юмуу … ч юмуу, ч байсан ч … байсан
аль нь ч байсан ялгаагҮй болохыг илэрхийлдэг нөхцөл.

시키다 (Үйл Үг) : 음식이나 술, 음료 등을 주문하다.
захиалах
хоол, архи, жҮҮс зэрэг зҮйлийг захиалах.

-어 : (두루낮춤으로) 어떤 사실을 서술하거나 물음, 명령, 권유를 나타내는 종결 어미.
Тохирох Үг хэллэг байхгҮй байна
(хҮндэтгэлийн бус энгийн Үг хэллэг) ямар нэгэн зҮйлийг дҮрслэх буюу асуулт, тушаал, зөвлөмж зэргийг илэрхийлдэг төгсгөх нөхцөл. <тушаал>

먹+[고 싶]+[은 거] 다 시키+어.
시켜

먹다 (Үйл Үг) : 음식 등을 입을 통하여 배 속에 들여보내다.
идэх
хоол хҮнс зэргийг амаар дамжуулан гэдсэндээ хийх.

-고 싶다 : 앞의 말이 나타내는 행동을 하기를 원함을 나타내는 표현.
Тохирох Үг хэллэг байхгҮй байна
өмнөх Үгийн илэрхийлж буй Үйлдлийг хийхийг хҮсэх явдлыг илэрхийлдэг Үг хэллэг.

-은 거 : 명사가 아닌 것을 문장에서 명사처럼 쓰이게 하거나 '이다' 앞에 쓰일 수 있게 할 때 쓰는 표현.
Тохирох Үг хэллэг байхгҮй байна
өгҮҮлбэрт нэр Үгийн ҮҮргээр орж өгҮҮлэгдэхҮҮн буюу тусагдахуун гишҮҮний ҮҮрэг гҮйцэтгэх буюу '이다'-н өмнө ирэх боломжтой болгодог Үг хэллэг.

다 (дайвар Үг) : 남거나 빠진 것이 없이 모두.
бҮгд, цөм, бҮх, булт
Үлдэж гээгдсэн зҮйлгҮй бҮгд.

시키다 (Үйл Үг) : 음식이나 술, 음료 등을 주문하다.
захиалах
хоол, архи, жҮҮс зэрэг зҮйлийг захиалах.

-어 : (두루낮춤으로) 어떤 사실을 서술하거나 물음, 명령, 권유를 나타내는 종결 어미.
Тохирох Үг хэллэг байхгҮй байна
(хҮндэтгэлийн бус энгийн Үг хэллэг) ямар нэгэн зҮйлийг дҮрслэх буюу асуулт, тушаал, зөвлөмж зэргийг илэрхийлдэг төгсгөх нөхцөл. <тушаал>

뭐+든지 다 시키+[어 주]+ㄹ게.
시켜 줄게

뭐 (төлөөний Үг) : 정해지지 않은 대상이나 굳이 이름을 밝힐 필요가 없는 대상을 가리키는 말.
юу, ямар нэг
оноож тогтоогҮй зҮйл болон заавал нэрийг нь илчлэх шаардлагагҮй зҮйлийг заах Үг.

든지 : 어느 것이 선택되어도 차이가 없음을 나타내는 조사.
ч юмуу ... ч юмуу, ч байсан ч ... байсан
аль нь ч байсан ялгаагҮй болохыг илэрхийлдэг нөхцөл.

다 (дайвар Үг) : 남거나 빠진 것이 없이 모두.
бҮгд, цөм, бҮх, булт
Үлдэж гээгдсэн зҮйлгҮй бҮгд.

시키다 (Үйл Үг) : 음식이나 술, 음료 등을 주문하다.
захиалах
хоол, архи, жҮҮс зэрэг зҮйлийг захиалах.

-어 주다 : 남을 위해 앞의 말이 나타내는 행동을 함을 나타내는 표현.
Тохирох Үг хэллэг байхгҮй байна
бусдад зориулж өмнөх Үгийн илэрхийлж буй Үйлдлийг хийх явдлыг илэрхийлдэг Үг хэллэг.

-ㄹ게 : (두루낮춤으로) 말하는 사람이 어떤 행동을 할 것을 듣는 사람에게 약속하거나 의지를 나타내는 종결 어미.
Тохирох Үг хэллэг байхгҮй байна
(хҮндэтгэлийн бус энгийн Үг хэллэг) өгҮҮлэгч нь ямар нэгэн Үйлдэл хийхээ сонсч буй хҮнд амлах буюу мэдҮҮлж буйг илэрхийлдэг төгсгөх нөхцөл.

전부 다 시키+[어 주]+ㄹ게.
시켜 줄게

전부 (дайвар Үг) : 빠짐없이 다.
бҮхий л, бҮгд, нийт
нэгийг ч ҮлдээгээгҮй бҮгд.

다 (дайвар Үг) : 남거나 빠진 것이 없이 모두.
бҮгд, цөм, бҮх, булт
Үлдэж гээгдсэн зҮйлгҮй бҮгд.

시키다 (Үйл Үг) : 음식이나 술, 음료 등을 주문하다.
захиалах
хоол, архи, жҮҮс зэрэг зҮйлийг захиалах.

-어 주다 : 남을 위해 앞의 말이 나타내는 행동을 함을 나타내는 표현.
Тохирох Үг хэллэг байхгҮй байна
бусдад зориулж өмнөх Үгийн илэрхийлж буй Үйлдлийг хийх явдлыг илэрхийлдэг Үг хэллэг.

-ㄹ게 : (두루낮춤으로) 말하는 사람이 어떤 행동을 할 것을 듣는 사람에게 약속하거나 의지를 나타내는 종결 어미.
Тохирох Үг хэллэг байхгҮй байна
(хҮндэтгэлийн бус энгийн Үг хэллэг) өгҮҮлэгч нь ямар нэгэн Үйлдэл хийхээ сонсч буй хҮнд амлах буюу мэдҮҮлж буйг илэрхийлдэг төгсгөх нөхцөл.

언니+는 언제나 최고+(이)+야.
언닌 최고야

언니 (нэр Үг) : 여자가 형제나 친척 형제들 중에서 자기보다 나이가 많은 여자를 이르거나 부르는 말.
эгч
эгч дҮҮсийн хооронд өөрөөс ахмад хҮнийг нэрлэх юмуу дуудах Үг.

는 : 문장 속에서 어떤 대상이 화제임을 나타내는 조사.
Тохирох Үг хэллэг байхгҮй байна
өгҮҮлбэрт ярианы сэдэв болж буйг илэрхийлдэг нөхцөл.

언제나 (дайвар Үг) : 어느 때에나. 또는 때에 따라 달라지지 않고 변함없이.
Үргэлж, хэзээд, ямагт
аль ч Үед. мөн цаг Үеэс хамааран өөрчлөгдөж хувирахгҮй.

최고 (нэр Үг) : 가장 좋거나 뛰어난 것.
хамгийн мундаг, хамгийн гоё, хамгийн
хамгийн сайн сайхан зҮйл.

이다 : 주어가 지시하는 대상의 속성이나 부류를 지정하는 뜻을 나타내는 서술격 조사.
Тохирох Үг хэллэг байхгҮй байна
эзэн биеийн зааж буй обьектын шинж чанар, төрөл зҮйлийг тодорхойлох утгыг илэрхийлэх өгҮҮлэхҮҮний тийн ялгалын нөхцөл.

-야 : (두루낮춤으로) 어떤 사실에 대하여 서술하거나 물음을 나타내는 종결 어미.
Тохирох Үг хэллэг байхгҮй байна
(хҮндэтгэлийн бус энгийн Үг хэллэг) ямар нэгэн зҮйлийн талаар хҮҮрнэх буюу асуух явдлыг илэрхийлдэг төгсгөх нөхцөл. <дҮрслэл>

최고, 최고, 최고.

최고 (нэр Үг) : 가장 좋거나 뛰어난 것.
хамгийн мундаг, хамгийн гоё, хамгийн
хамгийн сайн сайхан зҮйл.

오빠+는 언제나 최고+(이)+야.
오빤 최고야

오빠 (нэр Үг) : 여자가 형제나 친척 형제들 중에서 자기보다 나이가 많은 남자를 이르거나 부르는 말.
ах
эцэг эх нэгтэй ах дҮҮс ба хамаатан садан дотроос эмэгтэй дҮҮ нь өөрөөсөө насаар ах эрэгтэй хҮнийг нэрлэх болон дуудах Үг.

는 : 문장 속에서 어떤 대상이 화제임을 나타내는 조사.
Тохирох Үг хэллэг байхгҮй байна
өгҮҮлбэрт ярианы сэдэв болж буйг илэрхийлдэг нөхцөл.

언제나 (дайвар Үг) : 어느 때에나. 또는 때에 따라 달라지지 않고 변함없이.
Үргэлж, хэзээд, ямагт
аль ч Үед. мөн цаг Үеэс хамааран өөрчлөгдөж хувирахгҮй.

최고 (нэр Үг) : 가장 좋거나 뛰어난 것.
хамгийн мундаг, хамгийн гоё, хамгийн
хамгийн сайн сайхан зҮйл.

이다 : 주어가 지시하는 대상의 속성이나 부류를 지정하는 뜻을 나타내는 서술격 조사.
Тохирох Үг хэллэг байхгҮй байна
эзэн биеийн зааж буй обьектын шинж чанар, төрөл зҮйлийг тодорхойлох утгыг илэрхийлэх өгҮҮлэхҮҮний тийн ялгалын нөхцөл.

-야 : (두루낮춤으로) 어떤 사실에 대하여 서술하거나 물음을 나타내는 종결 어미.
Тохирох Үг хэллэг байхгҮй байна
(хҮндэтгэлийн бус энгийн Үг хэллэг) ямар нэгэн зҮйлийн талаар хҮҮрнэх буюу асуух явдлыг илэрхийлдэг төгсгөх нөхцөл. <дҮрслэл>

최고, 최고, 오빠 최고.

최고 (нэр Yг) : 가장 좋거나 뛰어난 것.
хамгийн мундаг, хамгийн гоё, хамгийн
хамгийн сайн сайхан зYйл.

오빠 (нэр Yг) : 여자가 형제나 친척 형제들 중에서 자기보다 나이가 많은 남자를 이르거나 부르는 말.
ах
эцэг эх нэгтэй ах дYYс ба хамаатан садан дотроос эмэгтэй дYY нь өөрөөсөө насаар ах эрэгтэй хYнийг нэрлэх болон дуудах Yг.

최고 (нэр Yг) : 가장 좋거나 뛰어난 것.
хамгийн мундаг, хамгийн гоё, хамгийн
хамгийн сайн сайхан зYйл.

엄마+가 최고+(이)+야, 엄마 최고.
최고야

엄마 (нэр Yг) : 격식을 갖추지 않아도 되는 상황에서 어머니를 이르거나 부르는 말.
ээж
ёс жаяг баримтлах шаардлаггYй тохиолдолд ээжийгээ нэрлэх болон дуудах Yг.

가 : 어떤 상태나 상황에 놓인 대상이나 동작의 주체를 나타내는 조사.
Тохирох Yг хэллэг байхгYй байна
ямар нэгэн төлөв, байдлын субьект, мөн Yйл хөдлөлийн эзэн болохыг илэрхийлэх нөхцөл.

최고 (нэр Yг) : 가장 좋거나 뛰어난 것.
хамгийн мундаг, хамгийн гоё, хамгийн
хамгийн сайн сайхан зYйл.

이다 : 주어가 지시하는 대상의 속성이나 부류를 지정하는 뜻을 나타내는 서술격 조사.
Тохирох Yг хэллэг байхгYй байна
эзэн биеийн зааж буй обьектын шинж чанар, төрөл зYйлийг тодорхойлох утгыг илэрхийлэх өгYYлэхYYний тийн ялгалын нөхцөл.

-야 : (두루낮춤으로) 어떤 사실에 대하여 서술하거나 물음을 나타내는 종결 어미.
Тохирох Yг хэллэг байхгYй байна
(хYндэтгэлийн бус энгийн Yг хэллэг) ямар нэгэн зYйлийн талаар хYYрнэх буюу асуух явдлыг илэрхийлдэг төгсгөх нөхцөл. <дYрслэл>

엄마 (нэр Yг) : 격식을 갖추지 않아도 되는 상황에서 어머니를 이르거나 부르는 말.
ээж
ёс жаяг баримтлах шаардлаггYй тохиолдолд ээжийгээ нэрлэх болон дуудах Yг.

최고 (нэр Yг) : 가장 좋거나 뛰어난 것.
хамгийн мундаг, хамгийн гоё, хамгийн
хамгийн сайн сайхан зYйл.

아빠+가 최고+(이)+야, 아빠 최고.
최고야

아빠 (нэр Yг) : 격식을 갖추지 않아도 되는 상황에서 아버지를 이르거나 부르는 말.
аав
ёс жаяг баримтлах шаардлаггYй нөхцөлд аавыгаа нэрлэх болон дуудах Yг.

가 : 어떤 상태나 상황에 놓인 대상이나 동작의 주체를 나타내는 조사.
Тохирох Yг хэллэг байхгYй байна
ямар нэгэн төлөв, байдлын субьект, мөн Yйл хөдлөлийн эзэн болохыг илэрхийлэх нөхцөл.

최고 (нэр Yг) : 가장 좋거나 뛰어난 것.
хамгийн мундаг, хамгийн гоё, хамгийн
хамгийн сайн сайхан зYйл.

이다 : 주어가 지시하는 대상의 속성이나 부류를 지정하는 뜻을 나타내는 서술격 조사.
Тохирох Yг хэллэг байхгYй байна
эзэн биеийн зааж буй обьектын шинж чанар, төрөл зYйлийг тодорхойлох утгыг илэрхийлэх өгYYлэхYYний тийн ялгалын нөхцөл.

-야 : (두루낮춤으로) 어떤 사실에 대하여 서술하거나 물음을 나타내는 종결 어미.
Тохирох Yг хэллэг байхгYй байна
(хYндэтгэлийн бус энгийн Yг хэллэг) ямар нэгэн зYйлийн талаар хYYрнэх буюу асуух явдлыг илэрхийлдэг төгсгөх нөхцөл. <дYрслэл>

아빠 (нэр Yг) : 격식을 갖추지 않아도 되는 상황에서 아버지를 이르거나 부르는 말.
аав
ёс жаяг баримтлах шаардлаггYй нөхцөлд аавыгаа нэрлэх болон дуудах Yг.

최고 (нэр Yг) : 가장 좋거나 뛰어난 것.
хамгийн мундаг, хамгийн гоё, хамгийн
хамгийн сайн сайхан зYйл.

최고, 최고, 언니 최고.

최고 (нэр Yг) : 가장 좋거나 뛰어난 것.
хамгийн мундаг, хамгийн гоё, хамгийн
хамгийн сайн сайхан зYйл.

언니 (нэр Yг) : 여자가 형제나 친척 형제들 중에서 자기보다 나이가 많은 여자를 이르거나 부르는 말.
эгч
эгч дYYсийн хооронд өөрөөс ахмад хYнийг нэрлэх юмуу дуудах Yг.

최고 (нэр Yг) : 가장 좋거나 뛰어난 것.
хамгийн мундаг, хамгийн гоё, хамгийн
хамгийн сайн сайхан зYйл.

오빠+가 최고+(이)+야, 오빠 최고.
최고야

오빠 (нэр Yг) : 여자가 형제나 친척 형제들 중에서 자기보다 나이가 많은 남자를 이르거나 부르는 말.
ах
эцэг эх нэгтэй ах дYYс ба хамаатан садан дотроос эмэгтэй дYY нь өөрөөсөө насаар ах эрэгтэй хYнийг нэрлэх болон дуудах Yг.

가 : 어떤 상태나 상황에 놓인 대상이나 동작의 주체를 나타내는 조사.
Тохирох Yг хэллэг байхгYй байна
ямар нэгэн төлөв, байдлын субьект, мөн Yйл хөдлөлийн эзэн болохыг илэрхийлэх нөхцөл.

최고 (нэр Yг) : 가장 좋거나 뛰어난 것.
хамгийн мундаг, хамгийн гоё, хамгийн
хамгийн сайн сайхан зYйл.

이다 : 주어가 지시하는 대상의 속성이나 부류를 지정하는 뜻을 나타내는 서술격 조사.
Тохирох Yг хэллэг байхгYй байна
эзэн биеийн зааж буй обьектын шинж чанар, төрөл зYйлийг тодорхойлох утгыг илэрхийлэх өгYYлэхYYний тийн ялгалын нөхцөл.

-야 : (두루낮춤으로) 어떤 사실에 대하여 서술하거나 물음을 나타내는 종결 어미.
Тохирох Yг хэллэг байхгYй байна
(хYндэтгэлийн бус энгийн Yг хэллэг) ямар нэгэн зYйлийн талаар хYYрнэх буюу асуух явдлыг илэрхийлдэг төгсгөх нөхцөл. <дYрслэл>

오빠 (нэр Yг) : 여자가 형제나 친척 형제들 중에서 자기보다 나이가 많은 남자를 이르거나 부르는 말.
ах
эцэг эх нэгтэй ах дYYс ба хамаатан садан дотроос эмэгтэй дYY нь өөрөөсөө насаар ах эрэгтэй хYнийг нэрлэх болон дуудах Yг.

최고 (нэр Yг) : 가장 좋거나 뛰어난 것.
хамгийн мундаг, хамгийн гоё, хамгийн
хамгийн сайн сайхан зYйл.

< 9 >

어쩌라고?

나한테 어떻게 하라고?

(Та намайг юу хийхийг хҮсч байна вэ?)

[발음(дуудлага)]

< 1 절(бадаг) >

가라고, 가라고, 가라고.
가라고, 가라고, 가라고.
garago, garago, garago.

보기 싫으니까 가라고, 가라고.
보기 시르니까 가라고, 가라고.
bogi sireunikka garago, garago.

알았어.
아라써.
arasseo.

나 갈게.
나 갈게.
na galge.

가란다고 진짜 가.
가란다고 진짜 가.
garandago jinjja ga.

알았어.
아라써.
arasseo.

안 갈게.
안 갈께.
an galge.

가라는데 왜 안 가?
가라는데 왜 안 가?
garaneunde wae an ga?

알았어.
아라써.
arasseo.

가면 되지.
가면 되지.
gamyeon doeji.

가라고 하면 안 가야지.
가라고 하면 안 가야지.
garago hamyeon an gayaji.

짜증 나, 짜증 나, 짜증 나.
짜증 나, 짜증 나, 짜증 나.
jjajeung na, jjajeung na, jjajeung na.

어쩌라고? 어쩌라고? 어쩌라고? 어쩌라고?
어쩌라고? 어쩌라고? 어쩌라고? 어쩌라고?
eojjeorago? eojjeorago? eojjeorago? eojjeorago?

도대체 나보고 어쩌라고?
도대체 나보고 어쩌라고?
dodaeche nabogo eojjeorago?

도대체 나보고 어쩌라고?
도대체 나보고 어쩌라고?
dodaeche nabogo eojjeorago?

도대체 나보고 어쩌라고?
도대체 나보고 어쩌라고?
dodaeche nabogo eojjeorago?

어쩌라고?
어쩌라고?
eojjeorago?

< 2 절(бадаг) >

왜 안 가?
왜 안 가?
wae an ga?

왜 안 가?
왜 안 가?
wae an ga?

왜 안 가?
왜 안 가?
wae an ga?

가라는데 왜 안 가?
가라는데 왜 안 가?
garaneunde wae an ga?

왜 안 가?
왜 안 가?
wae an ga?

알았어.
아라써.
arasseo.

가면 되지.
가면 되지.
gamyeon doeji.

가란다고 진짜 가.
가란다고 진짜 가.
garandago jinjja ga.

가라는데 왜 안 가?
가라는데 왜 안 가?
garaneunde wae an ga?

가도 화내.
가도 화내.
gado hwanae.

안 가도 화내.
안 가도 화내.
an gado hwanae.

짜증 나, 짜증 나, 짜증 나.
짜증 나, 짜증 나, 짜증 나.
jjajeung na, jjajeung na, jjajeung na.

어쩌라고? 어쩌라고? 어쩌라고? 어쩌라고?
어쩌라고? 어쩌라고? 어쩌라고? 어쩌라고?
eojjeorago? eojjeorago? eojjeorago? eojjeorago?

도대체 나보고 어쩌라고?
도대체 나보고 어쩌라고?
dodaeche nabogo eojjeorago?

도대체 나보고 어쩌라고?
도대체 나보고 어쩌라고?
dodaeche nabogo eojjeorago?

도대체 나보고 어쩌라고?
도대체 나보고 어쩌라고?
dodaeche nabogo eojjeorago?

어쩌라고?
어쩌라고?
eojjeorago?

가라고, 가라고, 가라고.
가라고, 가라고, 가라고.
garago, garago, garago.

보기 싫으니까 가라고, 가라고.
보기 시르니까 가라고, 가라고.
bogi sireunikka garago, garago.

알았어.
아라써
arasseo.

나 갈게.
나 갈께
na galge.

어쩌라고?
어쩌라고?
eojjeorago?

< 1 절(бадаг) >

가+라고, 가+라고, 가+라고.

가다 (Үйл Үг) : 한 곳에서 다른 곳으로 장소를 이동하다.
явах, очих
нэг газраас нөгөө газар руу шилжиж хөдлөх явах.

-라고 : (두루낮춤으로) 말하는 사람의 생각이나 주장을 듣는 사람에게 강조하여 말함을 나타내는 종결 어미.
Тохирох Үг хэллэг байхгҮй байна
(хҮндэтгэлийн бус энгийн Үг хэллэг) өөрийн бодол саналыг онцлох явдлыг илэрхийлдэг төгсгөх нөхцөл.

보+기 싫+으니까 가+라고, 가+라고.

보다 (Үйл Үг) : 눈으로 대상의 존재나 겉모습을 알다.
Үзэх, харах
нҮдээрээ ямар нэг зҮйлийн оршин байгааг нь болон гадаад төрхийг нь харж мэдэх.

-기 : 앞의 말이 명사의 기능을 하게 하는 어미.
Тохирох Үг хэллэг байхгҮй байна
өмнөх Үгийг нэр Үгийн ҮҮрэгтэй болгодог нөхцөл.

싫다 (тэмдэг нэр) : 어떤 일을 하고 싶지 않다.
хҮсэхгҮй, сонирхолгҮй байх, дургҮй
ямар нэг ажил Үйлийг хиймээргҮй байх.

-으니까 : 뒤에 오는 말에 대하여 앞에 오는 말이 원인이나 근거, 전제가 됨을 강조하여 나타내는 연결 어미.
Тохирох Үг хэллэг байхгҮй байна
ард ирэх Үгийн талаар өмнө ирэх Үг нь учир шалтгаан буюу болзол болохыг илэрхийлдэг холбох нөхцөл.

가다 (Үйл Үг) : 한 곳에서 다른 곳으로 장소를 이동하다.
явах, очих
нэг газраас нөгөө газар руу шилжиж хөдлөх явах.

-라고 : (두루낮춤으로) 말하는 사람의 생각이나 주장을 듣는 사람에게 강조하여 말함을 나타내는 종결 어미.
Тохирох Үг хэллэг байхгҮй байна
(хҮндэтгэлийн бус энгийн Үг хэллэг) өөрийн бодол саналыг онцлох явдлыг илэрхийлдэг төгсгөх нөхцөл.

알+았+어.

알다 (Үйл Үг) : 상대방의 어떤 명령이나 요청에 대해 그대로 하겠다는 동의의 뜻을 나타내는 말.
ойлгох, мэдэх
харилцаж буй хҮний тушаал, шаардлагын дагуу гҮйцэтгэхээ илэрхийлж буй Үг.

-았- : 어떤 사건이 과거에 완료되었거나 그 사건의 결과가 현재까지 지속되는 상황을 나타내는 어미.
Тохирох Үг хэллэг байхгҮй байна
ямар нэгэн Үйл явдал өнгөрсөн цагт болж дууссан буюу тухайн Үйл явдлын Үр дҮн өнөөг хҮртэл Үргэлжилж буй байдлыг илэрхийлдэг нөхцөл.

-어 : (두루낮춤으로) 어떤 사실을 서술하거나 물음, 명령, 권유를 나타내는 종결 어미.
Тохирох Үг хэллэг байхгҮй байна
(хҮндэтгэлийн бус энгийн Үг хэллэг) ямар нэгэн зҮйлийг дҮрслэх буюу асуулт, тушаал, зөвлөмж зэргийг илэрхийлдэг төгсгөх нөхцөл. <дҮрслэл>

나 가+ㄹ게.
갈게

나 (төлөөний Үг) : 말하는 사람이 친구나 아랫사람에게 자기를 가리키는 말.
би
өгҮҮлэгч этгээд найз буюу өөрөөсөө дҮҮ хҮнтэй ярихад өөрийг заасан Үг.

가다 (Үйл Үг) : 한 곳에서 다른 곳으로 장소를 이동하다.
явах, очих
нэг газраас нөгөө газар руу шилжиж хөдлөх явах.

-ㄹ게 : (두루낮춤으로) 말하는 사람이 어떤 행동을 할 것을 듣는 사람에게 약속하거나 의지를 나타내는 종결 어미.
Тохирох Үг хэллэг байхгҮй байна
(хҮндэтгэлийн бус энгийн Үг хэллэг) өгҮҮлэгч нь ямар нэгэн Үйлдэл хийхээ сонсч буй хҮнд амлах буюу мэдҮҮлж буйг илэрхийлдэг төгсгөх нөхцөл.

가+라고 하+ㄴ다고 진짜 가+(아).
가란다고 가

가다 (Үйл Үг) : 한 곳에서 다른 곳으로 장소를 이동하다.
явах, очих
нэг газраас нөгөө газар руу шилжиж хөдлөх явах.

-라고 : 다른 사람에게서 들은 내용을 간접적으로 전달하거나 주어의 생각, 의견 등을 나타내는 표현.
Тохирох Үг хэллэг байхгҮй байна
бусдаас сонссон зҮйлийг дам дамжуулах буюу эзэн биеийн бодол, санаа зэргийг илэрхийлдэг Үг хэллэг.

하다 (Үйл Үг) : 무엇에 대해 말하다.
гэх
ямар нэгэн юмны талаар ярих.

-ㄴ다고 : 어떤 행위의 목적, 의도를 나타내거나 어떤 상황의 이유, 원인을 나타내는 연결 어미.
Тохирох Үг хэллэг байхгҮй байна
ямар нэгэн Үйлдэл, санаа зорилгыг илэрхийлэх буюу ямар нэгэн нөхцөл байдлын учир шалтгаан, Үндэслэлийг илэрхийлдэг холбох нөхцөл.

진짜 (дайвар Үг) : 꾸밈이나 거짓이 없이 참으로.
Үнэхээр, нээрээ, жинхэнэ
нэмэр хачир, хуурамч зҮйлгҮй Үнэхээр.

가다 (Үйл Үг) : 한 곳에서 다른 곳으로 장소를 이동하다.
явах, очих
нэг газраас нөгөө газар руу шилжиж хөдлөх явах.

-아 : (두루낮춤으로) 어떤 사실을 서술하거나 물음, 명령, 권유를 나타내는 종결 어미.
Тохирох Үг хэллэг байхгҮй байна
(хҮндэтгэлийн бус энгийн Үг хэллэг) ямар нэгэн зҮйлийг дҮрслэх буюу асуулт, тушаал, зөвлөмж зэргийг илэрхийлдэг төгсгөх нөхцөл. <дҮрслэл>

알+았+어.

알다 (Үйл Үг) : 상대방의 어떤 명령이나 요청에 대해 그대로 하겠다는 동의의 뜻을 나타내는 말.
ойлгох, мэдэх
харилцаж буй хҮний тушаал, шаардлагын дагуу гҮйцэтгэхээ илэрхийлж буй Үг.

-았- : 어떤 사건이 과거에 완료되었거나 그 사건의 결과가 현재까지 지속되는 상황을 나타내는 어미.
Тохирох Үг хэллэг байхгҮй байна
ямар нэгэн Үйл явдал өнгөрсөн цагт болж дууссан буюу тухайн Үйл явдлын Үр дҮн өнөөг хҮртэл Үргэлжилж буй байдлыг илэрхийлдэг нөхцөл.

-어 : (두루낮춤으로) 어떤 사실을 서술하거나 물음, 명령, 권유를 나타내는 종결 어미.
Тохирох Үг хэллэг байхгҮй байна
(хҮндэтгэлийн бус энгийн Үг хэллэг) ямар нэгэн зҮйлийг дҮрслэх буюу асуулт, тушаал, зөвлөмж зэргийг илэрхийлдэг төгсгөх нөхцөл. <дҮрслэл>

안 가+ㄹ게.
갈게

안 (дайвар Үг) : 부정이나 반대의 뜻을 나타내는 말.
эс, Үл, ҮгҮй, -гҮй
сөрөг буюу эсрэг утгыг илэрхийлдэг Үг.

가다 (Үйл Үг) : 한 곳에서 다른 곳으로 장소를 이동하다.
явах, очих
нэг газраас нөгөө газар руу шилжиж хөдлөх явах.

-ㄹ게 : (두루낮춤으로) 말하는 사람이 어떤 행동을 할 것을 듣는 사람에게 약속하거나 의지를 나타내는 종결 어미.
Тохирох Үг хэллэг байхгҮй байна
(хҮндэтгэлийн бус энгийн Үг хэллэг) өгҮҮлэгч нь ямар нэгэн Үйлдэл хийхээ сонсч буй хҮнд амлах буюу мэдҮҮлж буйг илэрхийлдэг төгсгөх нөхцөл.

가+라는데 왜 안 가+(아)?
가

가다 (Үйл Үг) : 한 곳에서 다른 곳으로 장소를 이동하다.
явах, очих
нэг газраас нөгөө газар руу шилжиж хөдлөх явах.

-라는데 : 명령이나 요청 등의 말을 전달하며 자신의 말을 이어 나타내는 표현.
Тохирох Үг хэллэг байхгҮй байна
захирамж тушаал, хҮсэлт зэргийг дамжуулангаа өөрийн Үгийг залгаж илэрхийлэх хэлбэр.

왜 (дайвар Үг) : 무슨 이유로. 또는 어째서.
яагаад, ямар учраас
ямар шалтгаанаар. мөн яагаад.

안 (дайвар Үг) : 부정이나 반대의 뜻을 나타내는 말.
эс, Үл, ҮгҮй, -гҮй
сөрөг буюу эсрэг утгыг илэрхийлдэг Үг.

가다 (Үйл Үг) : 한 곳에서 다른 곳으로 장소를 이동하다.
явах, очих
нэг газраас нөгөө газар руу шилжиж хөдлөх явах.

-아 : (두루낮춤으로) 어떤 사실을 서술하거나 물음, 명령, 권유를 나타내는 종결 어미.
Тохирох Үг хэллэг байхгҮй байна
(хҮндэтгэлийн бус энгийн Үг хэллэг) ямар нэгэн зҮйлийг дҮрслэх буюу асуулт, тушаал, зөвлөмж зэргийг илэрхийлдэг төгсгөх нөхцөл. <асуулт>

알+았+어.

알다 (Үйл Үг) : 상대방의 어떤 명령이나 요청에 대해 그대로 하겠다는 동의의 뜻을 나타내는 말.
ойлгох, мэдэх
харилцаж буй хҮний тушаал, шаардлагын дагуу гҮйцэтгэхээ илэрхийлж буй Үг.

-았- : 어떤 사건이 과거에 완료되었거나 그 사건의 결과가 현재까지 지속되는 상황을 나타내는 어미.
Тохирох Үг хэллэг байхгҮй байна
ямар нэгэн Үйл явдал өнгөрсөн цагт болж дууссан буюу тухайн Үйл явдлын Үр дҮн өнөөг хҮртэл Үргэлжилж буй байдлыг илэрхийлдэг нөхцөл.

-어 : (두루낮춤으로) 어떤 사실을 서술하거나 물음, 명령, 권유를 나타내는 종결 어미.
Тохирох Үг хэллэг байхгҮй байна
(хҮндэтгэлийн бус энгийн Үг хэллэг) ямар нэгэн зҮйлийг дҮрслэх буюу асуулт, тушаал, зөвлөмж зэргийг илэрхийлдэг төгсгөх нөхцөл. <дҮрслэл>

가+[면 되]+지.

가다 (Үйл Үг) : 한 곳에서 다른 곳으로 장소를 이동하다.
явах, очих
нэг газраас нөгөө газар руу шилжиж хөдлөх явах.

-면 되다 : 조건이 되는 어떤 행동을 하거나 어떤 상태만 갖추어지면 문제가 없거나 충분함을 나타내는 표현.

Тохирох Үг хэллэг байхгүй байна

болзол шаардлага нь болж буй зүйлийг хийх болон ямар нэг нөхцөл байдал бүрдвэл асуудалгүй буюу хангалттай болохыг илэрхийлдэг Үг хэллэг.

-지 : (두루낮춤으로) 말하는 사람이 자신에 대한 이야기나 자신의 생각을 친근하게 말할 때 쓰는 종결 어미.

Тохирох Үг хэллэг байхгүй байна

(хүндэтгэлийн бус энгийн Үг хэллэг) өгүүлэгч өөрийнхөө тухай ярих буюу өөрийн бодлыг дотноор хэлэхэд хэрэглэхэд төгсгөх нөхцөл.

가+라고 하+면 안 가+(아)야지.

가야지

가다 (Үйл Үг) : 한 곳에서 다른 곳으로 장소를 이동하다.

явах, очих

нэг газраас нөгөө газар руу шилжиж хөдлөх явах.

-라고 : 다른 사람에게서 들은 내용을 간접적으로 전달하거나 주어의 생각, 의견 등을 나타내는 표현.

Тохирох Үг хэллэг байхгүй байна

бусдаас сонссон зүйлийг дам дамжуулах буюу эзэн биеийн бодол, санаа зэргийг илэрхийлдэг Үг хэллэг.

하다 (Үйл Үг) : 무엇에 대해 말하다.

гэх

ямар нэгэн юмны талаар ярих.

-면 : 뒤에 오는 말에 대한 근거나 조건이 됨을 나타내는 연결 어미.

Тохирох Үг хэллэг байхгүй байна

ард ирэх агуулгын талаарх учир шалтгаан буюу болзол болохыг илэрхийлдэг холбох нөхцөл.

안 (дайвар Үг) : 부정이나 반대의 뜻을 나타내는 말.

эс, Үл, Үгүй, -гүй

сөрөг буюу эсрэг утгыг илэрхийлдэг Үг.

가다 (Үйл Үг) : 한 곳에서 다른 곳으로 장소를 이동하다.

явах, очих

нэг газраас нөгөө газар руу шилжиж хөдлөх явах.

-아야지 : (두루낮춤으로) 듣는 사람이나 다른 사람이 어떤 일을 해야 하거나 어떤 상태여야 함을 나타내는 종결 어미.

Тохирох Үг хэллэг байхгҮй байна

(хҮндэтгэлийн бус энгийн Үг хэллэг) сонсогч этгээд буюу өөр хҮн ямар нэгэн ажлыг хийх хэрэгтэй буюу ямар нэгэн байдалтай байх шаардлагатай болохыг илэрхийлдэг төгсгөх нөхцөл.

짜증 나+(아), 짜증 나+(아), 짜증 나+(아).

나 나 나

짜증 (нэр Үг) : 마음에 들지 않아서 화를 내거나 싫은 느낌을 겉으로 드러내는 일. 또는 그런 성미.

уур уцаар

сэтгэлд нийцэхгҮй уур хҮрэх юмуу дургҮйцэх мэдрэмжээ гадагш ил гаргах явдал. мөн тийм зан байдал.

나다 (Үйл Үг) : 어떤 감정이나 느낌이 생기다.

төрөх, хҮрэх

ямар нэг сэтгэл хөдлөл мэдрэмж бий болох.

-아 : (두루낮춤으로) 어떤 사실을 서술하거나 물음, 명령, 권유를 나타내는 종결 어미.

Тохирох Үг хэллэг байхгҮй байна

(хҮндэтгэлийн бус энгийн Үг хэллэг) ямар нэгэн зҮйлийг дҮрслэх буюу асуулт, тушаал, зөвлөмж зэргийг илэрхийлдэг төгсгөх нөхцөл. <дҮрслэл>

어쩌+라고? 어쩌+라고? 어쩌+라고? 어쩌+라고?

어쩌다 (Үйл Үг) : 무엇을 어떻게 하다.

яах

юуг хэрхэн хийх.

-라고 : (두루낮춤으로) 들은 사실을 되물으면서 확인함을 나타내는 종결 어미.

Тохирох Үг хэллэг байхгҮй байна

(хҮндэтгэлийн бус энгийн Үг хэллэг) нөгөө хҮнээс сонссон зҮйлийг давтаж, лавлах явдлыг илэрхийлдэг төгсгөх нөхцөл.

도대체 나+보고 어쩌+라고?

도대체 (дайвар Үг) : 아주 궁금해서 묻는 말인데.
ингэхэд, ер нь
Үнэхээр мэдэхгҮй болоод асуух тохиолдолд хэлэх Үг.

나 (төлөөний Үг) : 말하는 사람이 친구나 아랫사람에게 자기를 가리키는 말.
би
өгҮҮлэгч этгээд найз буюу өөрөөсөө дҮҮ хҮнтэй ярихад өөрийг заасан Үг.

보고 : 어떤 행동이 미치는 대상임을 나타내는 조사.
-д, -т
ямар нэгэн Үйлдлийн захирагдагч болохыг илэрхийлдэг нөхцөл.

어쩌다 (Үйл Үг) : 무엇을 어떻게 하다.
яах
юуг хэрхэн хийх.

-라고 : (두루낮춤으로) 들은 사실을 되물으면서 확인함을 나타내는 종결 어미.
Тохирох Үг хэллэг байхгҮй байна
(хҮндэтгэлийн бус энгийн Үг хэллэг) нөгөө хҮнээс сонссон зҮйлийг давтаж, лавлах явдлыг илэрхийлдэг төгсгөх нөхцөл.

어쩌+라고?

어쩌다 (Үйл Үг) : 무엇을 어떻게 하다.
яах
юуг хэрхэн хийх.

-라고 : (두루낮춤으로) 들은 사실을 되물으면서 확인함을 나타내는 종결 어미.
Тохирох Үг хэллэг байхгҮй байна
(хҮндэтгэлийн бус энгийн Үг хэллэг) нөгөө хҮнээс сонссон зҮйлийг давтаж, лавлах явдлыг илэрхийлдэг төгсгөх нөхцөл.

< 2 절(бадаг) >

왜 안 가+(아)? 왜 안 가+(아)? 왜 안 가+(아)?
가 가 가

왜 (дайвар Үг) : 무슨 이유로. 또는 어째서.
яагаад, ямар учраас
ямар шалтгаанаар. мөн яагаад.

안 (дайвар Үг) : 부정이나 반대의 뜻을 나타내는 말.
эс, Үл, ҮгҮй, -гҮй
сөрөг буюу эсрэг утгыг илэрхийлдэг Үг.

가다 (Үйл Үг) : 한 곳에서 다른 곳으로 장소를 이동하다.
явах, очих
нэг газраас нөгөө газар руу шилжиж хөдлөх явах.

-아 : (두루낮춤으로) 어떤 사실을 서술하거나 물음, 명령, 권유를 나타내는 종결 어미.
Тохирох Үг хэллэг байхгҮй байна
(хҮндэтгэлийн бус энгийн Үг хэллэг) ямар нэгэн зҮйлийг дҮрслэх буюу асуулт, тушаал, зөвлөмж зэргийг илэрхийлдэг төгсгөх нөхцөл. <асуулт>

가+라는데 왜 안 가+(아)?

가

가다 (Үйл Үг) : 한 곳에서 다른 곳으로 장소를 이동하다.
явах, очих
нэг газраас нөгөө газар руу шилжиж хөдлөх явах.

-라는데 : 명령이나 요청 등의 말을 전달하며 자신의 말을 이어 나타내는 표현.
Тохирох Үг хэллэг байхгҮй байна
захирамж тушаал, хҮсэлт зэргийг дамжуулангаа өөрийн Үгийг залгаж илэрхийлэх хэлбэр.

왜 (дайвар Үг) : 무슨 이유로. 또는 어째서.
яагаад, ямар учраас
ямар шалтгаанаар. мөн яагаад.

안 (дайвар Үг) : 부정이나 반대의 뜻을 나타내는 말.
эс, Үл, ҮгҮй, -гҮй
сөрөг буюу эсрэг утгыг илэрхийлдэг Үг.

가다 (Үйл Үг) : 한 곳에서 다른 곳으로 장소를 이동하다.
явах, очих
нэг газраас нөгөө газар руу шилжиж хөдлөх явах.

-아 : (두루낮춤으로) 어떤 사실을 서술하거나 물음, 명령, 권유를 나타내는 종결 어미.
Тохирох Үг хэллэг байхгҮй байна
(хҮндэтгэлийн бус энгийн Үг хэллэг) ямар нэгэн зҮйлийг дҮрслэх буюу асуулт, тушаал, зөвлөмж зэргийг илэрхийлдэг төгсгөх нөхцөл. <асуулт>

왜 안 가+(아)?
가

왜 (дайвар Үг) : 무슨 이유로. 또는 어째서.
яагаад, ямар учраас
ямар шалтгаанаар. мөн яагаад.

안 (дайвар Үг) : 부정이나 반대의 뜻을 나타내는 말.
эс, Үл, ҮгҮй, -гҮй
сөрөг буюу эсрэг утгыг илэрхийлдэг Үг.

가다 (Үйл Үг) : 한 곳에서 다른 곳으로 장소를 이동하다.
явах, очих
нэг газраас нөгөө газар руу шилжиж хөдлөх явах.

-아 : (두루낮춤으로) 어떤 사실을 서술하거나 물음, 명령, 권유를 나타내는 종결 어미.
Тохирох Үг хэллэг байхгҮй байна
(хҮндэтгэлийн бус энгийн Үг хэллэг) ямар нэгэн зҮйлийг дҮрслэх буюу асуулт, тушаал, зөвлөмж зэргийг илэрхийлдэг төгсгөх нөхцөл. <асуулт>

알+았+어.

알다 (Үйл Үг) : 상대방의 어떤 명령이나 요청에 대해 그대로 하겠다는 동의의 뜻을 나타내는 말.
ойлгох, мэдэх
харилцаж буй хҮний тушаал, шаардлагын дагуу гҮйцэтгэхээ илэрхийлж буй Үг.

-았- : 어떤 사건이 과거에 완료되었거나 그 사건의 결과가 현재까지 지속되는 상황을 나타내는 어미.
Тохирох Үг хэллэг байхгҮй байна
ямар нэгэн Үйл явдал өнгөрсөн цагт болж дууссан буюу тухайн Үйл явдлын Үр дҮн өнөөг хҮртэл Үргэлжилж буй байдлыг илэрхийлдэг нөхцөл.

-어 : (두루낮춤으로) 어떤 사실을 서술하거나 물음, 명령, 권유를 나타내는 종결 어미.
Тохирох Үг хэллэг байхгҮй байна
(хҮндэтгэлийн бус энгийн Үг хэллэг) ямар нэгэн зҮйлийг дҮрслэх буюу асуулт, тушаал, зөвлөмж зэргийг илэрхийлдэг төгсгөх нөхцөл. <дҮрслэл>

가+[면 되]+지.

가다 (Үйл Үг) : 한 곳에서 다른 곳으로 장소를 이동하다.
явах, очих
нэг газраас нөгөө газар руу шилжиж хөдлөх явах.

-면 되다 : 조건이 되는 어떤 행동을 하거나 어떤 상태만 갖추어지면 문제가 없거나 충분함을 나타내는 표현.
Тохирох Үг хэллэг байхгҮй байна
болзол шаардлага нь болж буй зҮйлийг хийх болон ямар нэг нөхцөл байдал бҮрдвэл асуудалгҮй буюу хангалттай болохыг илэрхийлдэг Үг хэллэг.

-지 : (두루낮춤으로) 말하는 사람이 자신에 대한 이야기나 자신의 생각을 친근하게 말할 때 쓰는 종결 어미.
Тохирох Үг хэллэг байхгҮй байна
(хҮндэтгэлийн бус энгийн Үг хэллэг) өгҮҮлэгч өөрийнхөө тухай ярих буюу өөрийн бодлыг дотноор хэлэхэд хэрэглэхэд төгсгөх нөхцөл.

가+라고 하+ㄴ다고 진짜 가+(아).
가란다고 가

가다 (Үйл Үг) : 한 곳에서 다른 곳으로 장소를 이동하다.
явах, очих
нэг газраас нөгөө газар руу шилжиж хөдлөх явах.

-라고 : 다른 사람에게서 들은 내용을 간접적으로 전달하거나 주어의 생각, 의견 등을 나타내는 표현.
Тохирох Үг хэллэг байхгҮй байна
бусдаас сонссон зҮйлийг дам дамжуулах буюу эзэн биеийн бодол, санаа зэргийг илэрхийлдэг Үг хэллэг.

하다 (Үйл Үг) : 무엇에 대해 말하다.
гэх
ямар нэгэн юмны талаар ярих.

-ㄴ다고 : 어떤 행위의 목적, 의도를 나타내거나 어떤 상황의 이유, 원인을 나타내는 연결 어미.
Тохирох Үг хэллэг байхгҮй байна
ямар нэгэн Үйлдэл, санаа зорилгыг илэрхийлэх буюу ямар нэгэн нөхцөл байдлын учир шалтгаан, Үндэслэлийг илэрхийлдэг холбох нөхцөл.

진짜 (дайвар Үг) : 꾸밈이나 거짓이 없이 참으로.
Үнэхээр, нээрээ, жинхэнэ
нэмэр хачир, хуурамч зҮйлгҮй Үнэхээр.

가다 (Үйл Үг) : 한 곳에서 다른 곳으로 장소를 이동하다.
явах, очих
нэг газраас нөгөө газар руу шилжиж хөдлөх явах.

-아 : (두루낮춤으로) 어떤 사실을 서술하거나 물음, 명령, 권유를 나타내는 종결 어미.
Тохирох Үг хэллэг байхгҮй байна
(хҮндэтгэлийн бус энгийн Үг хэллэг) ямар нэгэн зҮйлийг дҮрслэх буюу асуулт, тушаал, зөвлөмж зэргийг илэрхийлдэг төгсгөх нөхцөл. <дҮрслэл>

가+라는데 왜 안 가+(아)?
가

가다 (Үйл Үг) : 한 곳에서 다른 곳으로 장소를 이동하다.
явах, очих
нэг газраас нөгөө газар руу шилжиж хөдлөх явах.

-라는데 : 명령이나 요청 등의 말을 전달하며 자신의 말을 이어 나타내는 표현.
Тохирох Үг хэллэг байхгҮй байна
захирамж тушаал, хҮсэлт зэргийг дамжуулангаа өөрийн Үгийг залгаж илэрхийлэх хэлбэр.

왜 (дайвар Үг) : 무슨 이유로. 또는 어째서.
яагаад, ямар учраас
ямар шалтгаанаар. мөн яагаад.

안 (дайвар Үг) : 부정이나 반대의 뜻을 나타내는 말.
эс, Үл, ҮгҮй, -гҮй
сөрөг буюу эсрэг утгыг илэрхийлдэг Үг.

가다 (Үйл Үг) : 한 곳에서 다른 곳으로 장소를 이동하다.
явах, очих
нэг газраас нөгөө газар руу шилжиж хөдлөх явах.

-아 : (두루낮춤으로) 어떤 사실을 서술하거나 물음, 명령, 권유를 나타내는 종결 어미.
Тохирох Үг хэллэг байхгҮй байна
(хҮндэтгэлийн бус энгийн Үг хэллэг) ямар нэгэн зҮйлийг дҮрслэх буюу асуулт, тушаал, зөвлөмж зэргийг илэрхийлдэг төгсгөх нөхцөл. <асуулт>

가+(아)도 화내+(어).

가도 화내

가다 (Үйл Үг) : 한 곳에서 다른 곳으로 장소를 이동하다.
явах, очих
нэг газраас нөгөө газар руу шилжиж хөдлөх явах.

-아도 : 앞에 오는 말을 가정하거나 인정하지만 뒤에 오는 말에는 관계가 없거나 영향을 끼치지 않음을 나타내는 연결 어미.
Тохирох Үг хэллэг байхгҮй байна
өмнөх агуулгыг тооцоолох буюу хҮлээн зөвшөөрч байгаа боловч, ардах агуулгад нь хамааралгҮй буюу нөлөө ҮзҮҮлэхгҮй болохыг илэрхийлдэг холбох нөхцөл.

화내다 (Үйл Үг) : 몹시 기분이 상해 노여워하는 감정을 드러내다.
уурлах, хилэгнэх, уур хҮрэх
маш их сэтгэл санаа тавгҮйтэн бачимдаж буй сэтгэлээ хөдлөлөө илэрхийлэх.

-어 : (두루낮춤으로) 어떤 사실을 서술하거나 물음, 명령, 권유를 나타내는 종결 어미.
Тохирох Үг хэллэг байхгҮй байна
(хҮндэтгэлийн бус энгийн Үг хэллэг) ямар нэгэн зҮйлийг дҮрслэх буюу асуулт, тушаал, зөвлөмж зэргийг илэрхийлдэг төгсгөх нөхцөл. <дҮрслэл>

안 가+(아)도 화내+(어).

가도 화내

안 (дайвар Үг) : 부정이나 반대의 뜻을 나타내는 말.
эс, Үл, ҮгҮй, -гҮй
сөрөг буюу эсрэг утгыг илэрхийлдэг Үг.

가다 (Үйл Үг) : 한 곳에서 다른 곳으로 장소를 이동하다.
явах, очих
нэг газраас нөгөө газар руу шилжиж хөдлөх явах.

-아도 : 앞에 오는 말을 가정하거나 인정하지만 뒤에 오는 말에는 관계가 없거나 영향을 끼치지 않음을 나타내는 연결 어미.
Тохирох Үг хэллэг байхгҮй байна
өмнөх агуулгыг тооцоолох буюу хҮлээн зөвшөөрч байгаа боловч, ардах агуулгад нь хамааралгҮй буюу нөлөө ҮзҮҮлэхгҮй болохыг илэрхийлдэг холбох нөхцөл.

화내다 (Үйл Үг) : 몹시 기분이 상해 노여워하는 감정을 드러내다.
уурлах, хилэгнэх, уур хүрэх
маш их сэтгэл санаа тавгүйтэн бачимдаж буй сэтгэлээ хөдлөлөө илэрхийлэх.

-어 : (두루낮춤으로) 어떤 사실을 서술하거나 물음, 명령, 권유를 나타내는 종결 어미.
Тохирох Үг хэллэг байхгүй байна
(хүндэтгэлийн бус энгийн Үг хэллэг) ямар нэгэн зүйлийг дүрслэх буюу асуулт, тушаал, зөвлөмж зэргийг илэрхийлдэг төгсгөх нөхцөл. <дүрслэл>

짜증 나+(아), 짜증 나+(아), 짜증 나+(아).
나 나 나

짜증 (нэр Үг) : 마음에 들지 않아서 화를 내거나 싫은 느낌을 겉으로 드러내는 일. 또는 그런 성미.
уур уцаар
сэтгэлд нийцэхгүй уур хүрэх юмуу дургүйцэх мэдрэмжээ гадагш ил гаргах явдал. мөн тийм зан байдал.

나다 (Үйл Үг) : 어떤 감정이나 느낌이 생기다.
төрөх, хүрэх
ямар нэг сэтгэл хөдлөл мэдрэмж бий болох.

-아 : (두루낮춤으로) 어떤 사실을 서술하거나 물음, 명령, 권유를 나타내는 종결 어미.
Тохирох Үг хэллэг байхгүй байна
(хүндэтгэлийн бус энгийн Үг хэллэг) ямар нэгэн зүйлийг дүрслэх буюу асуулт, тушаал, зөвлөмж зэргийг илэрхийлдэг төгсгөх нөхцөл. <дүрслэл>

어쩌+라고? 어쩌+라고? 어쩌+라고? 어쩌+라고?

어쩌다 (Үйл Үг) : 무엇을 어떻게 하다.
яах
юуг хэрхэн хийх.

-라고 : (두루낮춤으로) 들은 사실을 되물으면서 확인함을 나타내는 종결 어미.
Тохирох Үг хэллэг байхгүй байна
(хүндэтгэлийн бус энгийн Үг хэллэг) нөгөө хүнээс сонссон зүйлийг давтаж, лавлах явдлыг илэрхийлдэг төгсгөх нөхцөл.

도대체 나+보고 어쩌+라고?

도대체 (дайвар Үг) : 아주 궁금해서 묻는 말인데.
ингэхэд, ер нь
Үнэхээр мэдэхгҮй болоод асуух тохиолдолд хэлэх Үг.

나 (төлөөний Үг) : 말하는 사람이 친구나 아랫사람에게 자기를 가리키는 말.
би
өгҮҮлэгч этгээд найз буюу өөрөөсөө дҮҮ хҮнтэй ярихад өөрийг заасан Үг.

보고 : 어떤 행동이 미치는 대상임을 나타내는 조사.
-д, -т
ямар нэгэн Үйлдлийн захирагдагч болохыг илэрхийлдэг нөхцөл.

어쩌다 (Үйл Үг) : 무엇을 어떻게 하다.
яах
юуг хэрхэн хийх.

-라고 : (두루낮춤으로) 들은 사실을 되물으면서 확인함을 나타내는 종결 어미.
Тохирох Үг хэллэг байхгҮй байна
(хҮндэтгэлийн бус энгийн Үг хэллэг) нөгөө хҮнээс сонссон зҮйлийг давтаж, лавлах явдлыг илэрхийлдэг төгсгөх нөхцөл.

어쩌+라고?

어쩌다 (Үйл Үг) : 무엇을 어떻게 하다.
яах
юуг хэрхэн хийх.

-라고 : (두루낮춤으로) 들은 사실을 되물으면서 확인함을 나타내는 종결 어미.
Тохирох Үг хэллэг байхгҮй байна
(хҮндэтгэлийн бус энгийн Үг хэллэг) нөгөө хҮнээс сонссон зҮйлийг давтаж, лавлах явдлыг илэрхийлдэг төгсгөх нөхцөл.

가+라고, 가+라고, 가+라고.

가다 (Үйл Үг) : 한 곳에서 다른 곳으로 장소를 이동하다.
явах, очих
нэг газраас нөгөө газар руу шилжиж хөдлөх явах.

-라고 : (두루낮춤으로) 말하는 사람의 생각이나 주장을 듣는 사람에게 강조하여 말함을 나타내는 종결 어미.
Тохирох Үг хэллэг байхгҮй байна
(хҮндэтгэлийн бус энгийн Үг хэллэг) өөрийн бодол саналыг онцлох явдлыг илэрхийлдэг төгсгөх нөхцөл.

보+기 싫+으니까 가+라고, 가+라고.

보다 (Үйл Үг) : 눈으로 대상의 존재나 겉모습을 알다.
Үзэх, харах
нҮдээрээ ямар нэг зҮйлийн оршин байгааг нь болон гадаад төрхийг нь харж мэдэх.

-기 : 앞의 말이 명사의 기능을 하게 하는 어미.
Тохирох Үг хэллэг байхгҮй байна
өмнөх Үгийг нэр Үгийн ҮҮрэгтэй болгодог нөхцөл.

싫다 (тэмдэг нэр) : 어떤 일을 하고 싶지 않다.
хҮсэхгҮй, сонирхолгҮй байх, дургҮй
ямар нэг ажил Үйлийг хиймээргҮй байх.

-으니까 : 뒤에 오는 말에 대하여 앞에 오는 말이 원인이나 근거, 전제가 됨을 강조하여 나타내는 연결 어미.
Тохирох Үг хэллэг байхгҮй байна
ард ирэх Үгийн талаар өмнө ирэх Үг нь учир шалтгаан буюу болзол болохыг илэрхийлдэг холбох нөхцөл.

가다 (Үйл Үг) : 한 곳에서 다른 곳으로 장소를 이동하다.
явах, очих
нэг газраас нөгөө газар руу шилжиж хөдлөх явах.

-라고 : (두루낮춤으로) 말하는 사람의 생각이나 주장을 듣는 사람에게 강조하여 말함을 나타내는 종결 어미.
Тохирох Үг хэллэг байхгҮй байна
(хҮндэтгэлийн бус энгийн Үг хэллэг) өөрийн бодол саналыг онцлох явдлыг илэрхийлдэг төгсгөх нөхцөл.

알+았+어.

알다 (Үйл Үг) : 상대방의 어떤 명령이나 요청에 대해 그대로 하겠다는 동의의 뜻을 나타내는 말.
ойлгох, мэдэх
харилцаж буй хҮний тушаал, шаардлагын дагуу гҮйцэтгэхээ илэрхийлж буй Үг.

-았- : 어떤 사건이 과거에 완료되었거나 그 사건의 결과가 현재까지 지속되는 상황을 나타내는 어미.
Тохирох Үг хэллэг байхгҮй байна
ямар нэгэн Үйл явдал өнгөрсөн цагт болж дууссан буюу тухайн Үйл явдлын Үр дҮн өнөөг хҮртэл Үргэлжилж буй байдлыг илэрхийлдэг нөхцөл.

-어 : (두루낮춤으로) 어떤 사실을 서술하거나 물음, 명령, 권유를 나타내는 종결 어미.
Тохирох Үг хэллэг байхгҮй байна
(хҮндэтгэлийн бус энгийн Үг хэллэг) ямар нэгэн зҮйлийг дҮрслэх буюу асуулт, тушаал, зөвлөмж зэргийг илэрхийлдэг төгсгөх нөхцөл. <дҮрслэл>

나 가+ㄹ게.
갈게

나 (төлөөний Үг) : 말하는 사람이 친구나 아랫사람에게 자기를 가리키는 말.
би
өгҮҮлэгч этгээд найз буюу өөрөөсөө дҮҮ хҮнтэй ярихад өөрийг заасан Үг.

가다 (Үйл Үг) : 한 곳에서 다른 곳으로 장소를 이동하다.
явах, очих
нэг газраас нөгөө газар руу шилжиж хөдлөх явах.

-ㄹ게 : (두루낮춤으로) 말하는 사람이 어떤 행동을 할 것을 듣는 사람에게 약속하거나 의지를 나타내는 종결 어미.
Тохирох Үг хэллэг байхгҮй байна
(хҮндэтгэлийн бус энгийн Үг хэллэг) өгҮҮлэгч нь ямар нэгэн Үйлдэл хийхээ сонсч буй хҮнд амлах буюу мэдҮҮлж буйг илэрхийлдэг төгсгөх нөхцөл.

어쩌+라고?

어쩌다 (Үйл Үг) : 무엇을 어떻게 하다.
яах
юуг хэрхэн хийх.

-라고 : (두루낮춤으로) 들은 사실을 되물으면서 확인함을 나타내는 종결 어미.
Тохирох Үг хэллэг байхгҮй байна
(хҮндэтгэлийн бус энгийн Үг хэллэг) нөгөө хҮнээс сонссон зҮйлийг давтаж, лавлах явдлыг илэрхийлдэг төгсгөх нөхцөл.

< 10 >

궁금해

나는 궁금해.
(Би гайхаж байна.)

[발음(дуудлага)]

< 1 절(бадаг) >

파도처럼 내 맘속으로 밀려 오다 바람처럼 흔적 없이 사라져.
파도처럼 내 맘소그로 밀려 오다 바람처럼 흔적 업씨 사라저.
padocheoreom nae mamsogeuro millyeooda baramcheoreom heunjeok eopsi sarajeo.

파도는 멈출 수가 없는 거니?
파도는 멈출 쑤가 엄는 거니?
padoneun meomchul suga eomneun geoni?

바람은 머물 수가 없는 거니?
바라믄 머물 쑤가 엄는 거니?
barameun meomul suga eomneun geoni?

피어나는 내 맘이 시들지 않게 그치지 않는 세찬 비를 뿌려줘.
피어나는 내 마미 시들지 안케 그치지 안는 세찬 비를 뿌려줘.
pieonaneun nae mami sideulji anke geuchiji anneun sechan bireul ppuryeojwo.

어떤 사람인지 궁금해.
어떤 사라민지 궁금해.
eotteon saraminji gunggeumhae.

너의 그 향기가 궁금해.
너에 그 향기가 궁금해.
neoe geu hyanggiga gunggeumhae.

어떤 사랑일지 너의 그 느낌이.
어떤 사랑일찌 너에 그 느끼미.
eotteon sarangilji neoe geu neukkimi.

궁금해, 궁금해, 궁금해, 궁금해, 궁금해.
궁금해, 궁금해, 궁금해, 궁금해, 궁금해.
gunggeumhae, gunggeumhae, gunggeumhae, gunggeumhae, gunggeumhae.

< 2 절(бадаг) >

감미로운 미소로 눈을 맞추면서 고개만 끄덕이다 말없이 사라져.
감미로운 미소로 누늘 맏추면서 고개만 끄더기다 마럽씨 사라저.
gammiroun misoro nuneul matchumyeonseo gogaeman kkeudeogida mareopsi sarajeo.

파도처럼 밀려드는 사랑이 보여.
파도처럼 밀려드는 사랑이 보여.
padocheoreom millyeodeuneun sarangi boyeo.

바람처럼 스치는 사랑이 느껴져.
바람처럼 스치는 사랑이 느껴저.
baramcheoreom seuchineun sarangi neukkyeojeo.

타오르는 열정이 꺼지지 않게 폭풍이 되어 내게 다가와 줘.
타오르는 열쩡이 꺼지지 안케 폭풍이 되어 내게 다가와 줘.
taoreuneun yeoljeongi kkeojiji anke pokpungi doeeo naege dagawa jwo.

어떤 사람인지 궁금해.
어떤 사라민지 궁금해.
eotteon saraminji gunggeumhae.

너의 그 향기가 궁금해.
너에 그 향기가 궁금해.
neoe geu hyanggiga gunggeumhae.

어떤 사랑일지 너의 그 느낌이.
어떤 사랑일찌 너에 그 느끼미.
eotteon sarangilji neoe geu neukkimi.

궁금해, 궁금해, 궁금해, 궁금해, 궁금해.
궁금해, 궁금해, 궁금해, 궁금해, 궁금해.
gunggeumhae, gunggeumhae, gunggeumhae, gunggeumhae, gunggeumhae.

< 3 절(бадаг) >

바람을 붙잡을 수 없더라도.
바라믈 붇짜블 쑤 업떠라도.
barameul butjabeul su eopdeorado.

파도가 비에 젖지 않더라도.
파도가 비에 젇찌 안터라도.
padoga bie jeotji anteorado.

내일은 가슴이 아프더라도.
내이른 가스미 아프더라도.
naeireun gaseumi apeudeorado.

미련과 후회만 남더라도.
미련과 후회만 남더라도.
miryeongwa huhoeman namdeorado.

어떤 사람인지 궁금해.
어떤 사라민지 궁금해.
eotteon saraminji gunggeumhae.

너의 그 향기가 궁금해.
너에 그 향기가 궁금해.
neoe geu hyanggiga gunggeumhae.

어떤 사랑일지 너의 그 느낌이.
어떤 사랑일찌 너에 그 느끼미.
eotteon sarangilji neoe geu neukkimi.

궁금해, 궁금해, 궁금해, 궁금해, 궁금해.
궁금해, 궁금해, 궁금해, 궁금해, 궁금해.
gunggeumhae, gunggeumhae, gunggeumhae, gunggeumhae, gunggeumhae.

< 1 절(бадаг) >

파도+처럼 나+의 맘속+으로 밀리+[어 오]+다
내 밀려 오다

파도 (нэр Үг) : 바다에 이는 물결.
давалгаа
далайд ҮҮсдэг долгион.

처럼 : 모양이나 정도가 서로 비슷하거나 같음을 나타내는 조사.
шиг, мэт
хэлбэр дҮрс, хэмжээ нь хоорондоо төстэй болон адилхан болохыг илэрхийлдэг нөхцөл.

나 (төлөөний Үг) : 말하는 사람이 친구나 아랫사람에게 자기를 가리키는 말.
би
өгҮҮлэгч этгээд найз буюу өөрөөсөө дҮҮ хҮнтэй ярихад өөрийг заасан Үг.

의 : 앞의 말이 뒤의 말에 대하여 소유, 소속, 소재, 관계, 기원, 주체의 관계를 가짐을 나타내는 조사.
-н/-ийн/-ын/-ий/-ы
өмнөх Үг хойдох Үгтэй эзэмшил, харьяа, хэрэглэгдэхҮҮн, сэдвийн хамааралтай болохыг илэрхийлсэн нөхцөл.

맘속 (нэр Үг) : 마음의 깊은 곳.
сэтгэл дотор
сэтгэлийн гҮн газар.

으로 : 움직임의 방향을 나타내는 조사.
-руу/-рҮҮ
хөдөлгөөний зҮг чигийг илэрхийлдэг нөхцөл.

밀리다 (Үйл Үг) : 방향의 반대쪽에서 힘이 가해져서 움직여지다.
тҮлхэгдэх
эсрэг талын хҮчинд тҮрэгдэн хөдлөх.

-어 오다 : 앞의 말이 나타내는 행동이나 상태가 어떤 기준점으로 가까워지면서 계속 진행됨을 나타내는 표현.
Тохирох Үг хэллэг байхгҮй байна
өмнөх Үгийн илэрхийлж буй Үйлдэл буюу байдал нь ямар нэгэн жишигт ойртонгоо Үргэлжлэх явдлыг илэрхийлдэг Үг хэллэг.

-다 : 어떤 행동이나 상태 등이 중단되고 다른 행동이나 상태로 바뀜을 나타내는 연결 어미.
Тохирох Үг хэллэг байхгҮй байна
ямар нэгэн Үйл хөдлөл тҮр завсарлаж өөр Үйлдэл, байдлаар өөрчлөгдөж байгааг илэрхийлдэг холбох нөхцөл.

바람+처럼 흔적 없이 사라지+어.
사라져

바람 (нэр Үг) : 기압의 변화 또는 사람이나 기계에 의해 일어나는 공기의 움직임.
салхи
агаарын даралтын өөрчлөлт, мөн хҮн болон техникээс шалтгаалж ҮҮссэн агаарын хөдөлгөөн.

처럼 : 모양이나 정도가 서로 비슷하거나 같음을 나타내는 조사.
шиг, мэт
хэлбэр дҮрс, хэмжээ нь хоорондоо төстэй болон адилхан болохыг илэрхийлдэг нөхцөл.

흔적 (нэр Үг) : 사물이나 현상이 없어지거나 지나간 뒤에 남겨진 것.
ул мөр
эд зҮйл, Үзэгдэл алга болох болон өнгөрсний дараа Үлдсэн зҮйл.

없이 (дайвар Үг) : 사람, 사물, 현상 등이 어떤 곳에 자리나 공간을 차지하고 존재하지 않게.
байхгҮй, ҮгҮй
хҮн, эд зҮйл, Үзэгдэл зэрэг ямар нэгэн газар байр суурь юм уу орон зайг эзлэн оршихгҮй.

사라지다 (Үйл Үг) : 어떤 현상이나 물체의 자취 등이 없어지다.
алга болох, ҮгҮй болох
ямар нэг Үзэгдэл юмсын ул мөр алга болох.

-어 : (두루낮춤으로) 어떤 사실을 서술하거나 물음, 명령, 권유를 나타내는 종결 어미.
Тохирох Үг хэллэг байхгҮй байна
(хҮндэтгэлийн бус энгийн Үг хэллэг) ямар нэгэн зҮйлийг дҮрслэх буюу асуулт, тушаал, зөвлөмж зэргийг илэрхийлдэг төгсгөх нөхцөл. <дҮрслэл>

파도+는 멈추+[ㄹ 수가 없]+[는 거]+(이)+니?
멈출 수가 없는 거니

파도 (нэр Үг) : 바다에 이는 물결.
давалгаа
далайд ҮҮсдэг долгион.

는 : 문장 속에서 어떤 대상이 화제임을 나타내는 조사.
Тохирох Үг хэллэг байхгҮй байна
өгҮҮлбэрт ярианы сэдэв болж буйг илэрхийлдэг нөхцөл.

멈추다 (Үйл Үг) : 동작이나 상태가 계속되지 않다.
зогсох, болих
Үйл хөдлөл, байр байдал зэрэг ҮргэлжлэхгҮй байх.

-ㄹ 수가 없다 : 앞에 오는 말이 나타내는 일이 가능하지 않음을 나타내는 표현.
Тохирох Үг хэллэг байхгҮй байна
өмнөх Үгийн илэрхийлж буй Үйл боломжгҮй болохыг илэрхийлдэг Үг хэллэг.

-는 거 : 명사가 아닌 것을 문장에서 명사처럼 쓰이게 하거나 '이다' 앞에 쓰일 수 있게 할 때 쓰는 표현.
Тохирох Үг хэллэг байхгҮй байна
өгҮҮлбэрт нэр Үгийн ҮҮргээр орж өгҮҮлэгдэхҮҮн буюу тусагдахуун гишҮҮний ҮҮрэг гҮйцэтгэх буюу '이다'-н өмнө ирэх боломжтой болгодог Үг хэллэг.

이다 : 주어가 지시하는 대상의 속성이나 부류를 지정하는 뜻을 나타내는 서술격 조사.
Тохирох Үг хэллэг байхгҮй байна
эзэн биеийн зааж буй обьектын шинж чанар, төрөл зҮйлийг тодорхойлох утгыг илэрхийлэх өгҮҮлэхҮҮний тийн ялгалын нөхцөл.

-니 : (아주낮춤으로) 물음을 나타내는 종결 어미.
Тохирох Үг хэллэг байхгҮй байна
(огт хҮндэтгэлгҮй Үг хэллэг) асуултыг илэрхийлдэг төгсгөх нөхцөл.

바람+은 머물+[(ㄹ) 수가 없]+[는 거]+(이)+니?

머물 수가 없는 거니

바람 (нэр Үг) : 기압의 변화 또는 사람이나 기계에 의해 일어나는 공기의 움직임.
салхи
агаарын даралтын өөрчлөлт, мөн хҮн болон техникээс шалтгаалж ҮҮссэн агаарын хөдөлгөөн.

은 : 문장 속에서 어떤 대상이 화제임을 나타내는 조사.
Тохирох Үг хэллэг байхгҮй байна
өгҮҮлбэрт ямар зҮйл ярианы сэдэв болж буйг илэрхийлдэг нөхцөл.

머물다 (Үйл Үг) : 도중에 멈추거나 일시적으로 어떤 곳에 묵다.
буудаллах, байрлах, буух, хонох, хоноглох, суух
явдал дундаа зогсох буюу түр хугацаагаар хаа нэгтээ байрлах.

-ㄹ 수가 없다 : 앞에 오는 말이 나타내는 일이 가능하지 않음을 나타내는 표현.
Тохирох Үг хэллэг байхгүй байна
өмнөх Үгийн илэрхийлж буй Үйл боломжгүй болохыг илэрхийлдэг Үг хэллэг.

-는 거 : 명사가 아닌 것을 문장에서 명사처럼 쓰이게 하거나 '이다' 앞에 쓰일 수 있게 할 때 쓰는 표현.
Тохирох Үг хэллэг байхгүй байна
өгҮҮлбэрт нэр Үгийн ҮҮргээр орж өгҮҮлэгдэхҮҮн буюу тусагдахуун гишҮҮний ҮҮрэг гҮйцэтгэх буюу '이다'-н өмнө ирэх боломжтой болгодог Үг хэллэг.

이다 : 주어가 지시하는 대상의 속성이나 부류를 지정하는 뜻을 나타내는 서술격 조사.
Тохирох Үг хэллэг байхгүй байна
эзэн биеийн зааж буй обьектын шинж чанар, төрөл зҮйлийг тодорхойлох утгыг илэрхийлэх өгҮҮлэхҮҮний тийн ялгалын нөхцөл.

-니 : (아주낮춤으로) 물음을 나타내는 종결 어미.
Тохирох Үг хэллэг байхгүй байна
(огт хҮндэтгэлгҮй Үг хэллэг) асуултыг илэрхийлдэг төгсгөх нөхцөл.

피어나+는 나+의 맘+이 시들+[지 않]+게
내

피어나다 (Үйл Үг) : 어떤 느낌이나 생각 등이 일어나다.
төрөх, бий болох
ямар нэгэн мэдрэмж, бодол санаа зэрэг бий болох.

-는 : 앞의 말이 관형어의 기능을 하게 만들고 사건이나 동작이 현재 일어남을 나타내는 어미.
Тохирох Үг хэллэг байхгүй байна
өмнөх Үгийг тодотгол гишҮҮний ҮҮрэгтэй болгож, хэрэг явдал буюу Үйлдэл нь одоо өрнөж байгааг илэрхийлдэг нөхцөл.

나 (төлөөний Үг) : 말하는 사람이 친구나 아랫사람에게 자기를 가리키는 말.
би
өгҮҮлэгч этгээд найз буюу өөрөөсөө дҮҮ хҮнтэй ярихад өөрийг заасан Үг.

의 : 앞의 말이 뒤의 말에 대하여 소유, 소속, 소재, 관계, 기원, 주체의 관계를 가짐을 나타내는 조사.
-н/-ийн/-ын/-ий/-ы
өмнөх Үг хойдох Үгтэй эзэмшил, харьяа, хэрэглэгдэхҮҮн, сэдвийн хамааралтай болохыг илэрхийлсэн нөхцөл.

맘 (нэр Үг) : 좋아하는 마음이나 관심.
сэтгэл
дуртай сэтгэл буюу анхаарал.

이 : 어떤 상태나 상황의 대상이나 동작의 주체를 나타내는 조사.
Тохирох Үг хэллэг байхгҮй байна
ямар нэгэн төлөв, байдлын субьект, мөн Үйл хөдлөлийн эзэн болохыг илэрхийлэх нөхцөл.

시들다 (Үйл Үг) : 어떤 일에 대한 관심이나 기세가 이전보다 줄어들다.
буурах, доройтох, сонирхолгҮй болох
ямар нэг зҮйлийн талаарх анхаарал, сонирхол өмнөхөөсөө багасах.

-지 않다 : 앞의 말이 나타내는 행위나 상태를 부정하는 뜻을 나타내는 표현.
Тохирох Үг хэллэг байхгҮй байна
өмнөх Үгийн илэрхийлж буй Үйлдэл буюу байдлыг ҮгҮйсгэх утгыг илэрхийлдэг Үг хэллэг.

-게 : 앞의 말이 뒤에서 가리키는 일의 목적이나 결과, 방식, 정도 등이 됨을 나타내는 연결 어미.
Тохирох Үг хэллэг байхгҮй байна
өмнөх агуулга ард нь зааж буй байдал, зорилго, Үр дҮн, арга барил, хэмжээ зэрэг болохыг илэрхийлдэг холбох нөхцөл.

그치+[지 않]+는 세차+ㄴ 비+를 뿌리+[어 주]+어.
세찬 뿌려 줘

그치다 (Үйл Үг) : 계속되던 일, 움직임, 현상 등이 계속되지 않고 멈추다.
болих, зогсох, тогтох, намдах, аядах, татрах
Үргэлжилж байсан ажил, хөдөлгөөн, Үзэгдэл зэрэг ҮргэлжлэхгҮйгээр зогсох.

-지 않다 : 앞의 말이 나타내는 행위나 상태를 부정하는 뜻을 나타내는 표현.
Тохирох Үг хэллэг байхгҮй байна
өмнөх Үгийн илэрхийлж буй Үйлдэл буюу байдлыг ҮгҮйсгэх утгыг илэрхийлдэг Үг хэллэг.

-는 : 앞의 말이 관형어의 기능을 하게 만들고 사건이나 동작이 현재 일어남을 나타내는 어미.
Тохирох Үг хэллэг байхгҮй байна
өмнөх Үгийг тодотгол гишҮҮний ҮҮрэгтэй болгож, хэрэг явдал буюу Үйлдэл нь одоо өрнөж байгааг илэрхийлдэг нөхцөл.

세차다 (тэмдэг нэр) : 기운이나 일이 되어가는 형편 등이 힘 있고 거세다.
хҮчтэй, ширҮҮн
нөхцөл байдал, ажил ҮҮрэг хэрэгжиж байгаа байдал нь ширҮҮн хҮчтэй байх.

-ㄴ : 앞의 말이 관형어의 기능을 하게 만들고 현재의 상태를 나타내는 어미.
Тохирох Үг хэллэг байхгүй байна
өмнөх Үгийг тодотгол гишҮҮний ҮҮрэгтэй болгож, одоогийн байдлыг илэрхийлдэг нөхцөл.

비 (нэр Үг) : 높은 곳에서 구름을 이루고 있던 수증기가 식어서 뭉쳐 떨어지는 물방울.
бороо
өндөрт ҮҮл болж хуран байсан усны уур хөрч нягтраад доош унах усан дусал.

를 : 동작이 직접적으로 영향을 미치는 대상을 나타내는 조사.
-ыг/-ийг/-г
Үйл хөдлөл шууд нөлөөлж буй тусагдахууныг илэрхийлэх нөхцөл.

뿌리다 (Үйл Үг) : 눈이나 비 등이 날려 떨어지다. 또는 떨어지게 하다.
цацах, шҮрших, цацлах
цас, бороо зэрэг хийсч унах. мөн унагаах.

-어 주다 : 남을 위해 앞의 말이 나타내는 행동을 함을 나타내는 표현.
Тохирох Үг хэллэг байхгүй байна
бусдад зориулж өмнөх Үгийн илэрхийлж буй Үйлдлийг хийх явдлыг илэрхийлдэг Үг хэллэг.

-어 : (두루낮춤으로) 어떤 사실을 서술하거나 물음, 명령, 권유를 나타내는 종결 어미.
Тохирох Үг хэллэг байхгүй байна
(хҮндэтгэлийн бус энгийн Үг хэллэг) ямар нэгэн зҮйлийг дҮрслэх буюу асуулт, тушаал, зөвлөмж зэргийг илэрхийлдэг төгсгөх нөхцөл. <тушаал>

어떤 사람+이+ㄴ지 궁금하+여.
사람인지 궁금해

어떤 (тодотгол Үг) : 사람이나 사물의 특징, 내용, 성격, 성질, 모양 등이 무엇인지 물을 때 쓰는 말.
ямар
хҮн болон эд зҮйлийн онцлог, агуулга, хэлбэр дҮрс, өнгө төрх, ая зан зэрэг ямрыг тодруулан асуух Үг.

사람 (нэр Үг) : 생각할 수 있으며 언어와 도구를 만들어 사용하고 사회를 이루어 사는 존재.
хҮн
сэтгэх чадвартай хэл болон багаж хэрэгсэл зохион ашиглаж нийгмийг бҮтээн амьдардаг бие бодь.

이다 : 주어가 지시하는 대상의 속성이나 부류를 지정하는 뜻을 나타내는 서술격 조사.
Тохирох Үг хэллэг байхгүй байна
эзэн биеийн зааж буй обьектын шинж чанар, төрөл зүйлийг тодорхойлох утгыг илэрхийлэх өгүүлэхүүний тийн ялгалын нөхцөл.

-ㄴ지 : 뒤에 오는 말의 내용에 대한 막연한 이유나 판단을 나타내는 연결 어미.
Тохирох Үг хэллэг байхгүй байна
хойно орж байгаа агуулгын тодорхой бус учир шалтгаан буюу дүгнэлтийг илэрхийлдэг холбох нөхцөл.

궁금하다 (тэмдэг нэр) : 무엇이 무척 알고 싶다.
сониучирхах, сонирхох, мэдэхийг хүсэх
ямар нэг зүйлийг маш их мэдэхийг хүсэх.

-여 : (두루낮춤으로) 어떤 사실을 서술하거나 물음, 명령, 권유를 나타내는 종결 어미.
Тохирох Үг хэллэг байхгүй байна
(хүндэтгэлийн бус энгийн Үг хэллэг) ямар нэгэн зүйлийг хүүрнэх, асуух буюу тушаал, зөвлөмж зэргийг илэрхийлдэг төгсгөх нөхцөл.

너+의 그 향기+가 궁금하+여.
궁금해

너 (төлөөний Үг) : 듣는 사람이 친구나 아랫사람일 때, 그 사람을 가리키는 말.
чи
сонсогч нь найз буюу дүү байх тохиолдолд, тухайн хүнийг заадаг Үг.

의 : 앞의 말이 뒤의 말에 대하여 소유, 소속, 소재, 관계, 기원, 주체의 관계를 가짐을 나타내는 조사.
-н/-ийн/-ын/-ий/-ы
өмнөх Үг хойдох Үгтэй эзэмшил, харьяа, хэрэглэгдэхүүн, сэдвийн хамааралтай болохыг илэрхийлсэн нөхцөл.

그 (тодотгол Үг) : 듣는 사람에게 가까이 있거나 듣는 사람이 생각하고 있는 대상을 가리킬 때 쓰는 말.
тэр, тэр юм
сонсож буй хүнд ойр байх буюу сонсож буй хүний бодож буй зүйлийг заах Үед хэрэглэдэг Үг.

향기 (нэр Үг) : 좋은 냄새.
Үнэр, анхилга
гоё сайхан Үнэр.

가 : 어떤 상태나 상황에 놓인 대상이나 동작의 주체를 나타내는 조사.
Тохирох Үг хэллэг байхгҮй байна
ямар нэгэн төлөв, байдлын субьект, мөн Үйл хөдлөлийн эзэн болохыг илэрхийлэх нөхцөл.

궁금하다 (тэмдэг нэр) : 무엇이 무척 알고 싶다.
сониучирхах, сонирхох, мэдэхийг хҮсэх
ямар нэг зҮйлийг маш их мэдэхийг хҮсэх.

-여 : (두루낮춤으로) 어떤 사실을 서술하거나 물음, 명령, 권유를 나타내는 종결 어미.
Тохирох Үг хэллэг байхгҮй байна
(хҮндэтгэлийн бус энгийн Үг хэллэг) ямар нэгэн зҮйлийг хҮҮрнэх, асуух буюу тушаал, зөвлөмж зэргийг илэрхийлдэг төгсгөх нөхцөл.

어떤 사랑+이+ㄹ지 너+의 그 느낌+이.
사랑일지

어떤 (тодотгол Үг) : 사람이나 사물의 특징, 내용, 성격, 성질, 모양 등이 무엇인지 물을 때 쓰는 말.
ямар
хҮн болон эд зҮйлийн онцлог, агуулга, хэлбэр дҮрс, өнгө төрх, ая зан зэрэг ямрыг тодруулан асуух Үг.

사랑 (нэр Үг) : 상대에게 성적으로 매력을 느껴 열렬히 좋아하는 마음.
хайр, дурлал
эсрэг хҮйстэндээ татагдан хҮчтэй дурлан хайрлах сэтгэл.

이다 : 주어가 지시하는 대상의 속성이나 부류를 지정하는 뜻을 나타내는 서술격 조사.
Тохирох Үг хэллэг байхгҮй байна
эзэн биеийн зааж буй обьектын шинж чанар, төрөл зҮйлийг тодорхойлох утгыг илэрхийлэх өгҮҮлэхҮҮний тийн ялгалын нөхцөл.

-ㄹ지 : 어떠한 추측에 대한 막연한 의문을 갖고 그것을 뒤에 오는 말이 나타내는 사실이나 판단과 관련시킬 때 쓰는 연결 어미.
Тохирох Үг хэллэг байхгҮй байна
ямар нэгэн зҮйлийг таамаглаж битҮҮхэн асуулт тавьж тҮҮний ард ирэх Үгнээс тухайн зҮйлийн Үнэн байдал буюу дҮгнэлттэй холбох Үед хэрэглэдэг холбох нөхцөл.

너 (төлөөний Үг) : 듣는 사람이 친구나 아랫사람일 때, 그 사람을 가리키는 말.
чи
сонсогч нь найз буюу дҮҮ байх тохиолдолд, тухайн хҮнийг заадаг Үг.

의 : 앞의 말이 뒤의 말에 대하여 소유, 소속, 소재, 관계, 기원, 주체의 관계를 가짐을 나타내는 조사.
-н/-ийн/-ын/-ий/-ы
өмнөх Үг хойдох Үгтэй эзэмшил, харьяа, хэрэглэгдэхҮҮн, сэдвийн хамааралтай болохыг илэрхийлсэн нөхцөл.

그 (тодотгол Үг) : 듣는 사람에게 가까이 있거나 듣는 사람이 생각하고 있는 대상을 가리킬 때 쓰는 말.
тэр, тэр юм
сонсож буй хҮнд ойр байх буюу сонсож буй хҮний бодож буй зҮйлийг заах Үед хэрэглэдэг Үг.

느낌 (нэр Үг) : 몸이나 마음에서 일어나는 기분이나 감정.
мэдрэмж
бие, сэтгэлд ҮҮсч бий болох сэтгэгдэл, мэдрэмж.

이 : 어떤 상태나 상황의 대상이나 동작의 주체를 나타내는 조사.
Тохирох Үг хэллэг байхгҮй байна
ямар нэгэн төлөв, байдлын субьект, мөн Үйл хөдлөлийн эзэн болохыг илэрхийлэх нөхцөл.

궁금하+여, 궁금하+여, 궁금하+여, 궁금하+여, 궁금하+여.
궁금해 궁금해 궁금해 궁금해 궁금해

궁금하다 (тэмдэг нэр) : 무엇이 무척 알고 싶다.
сониучирхах, сонирхох, мэдэхийг хҮсэх
ямар нэг зҮйлийг маш их мэдэхийг хҮсэх.

-여 : (두루낮춤으로) 어떤 사실을 서술하거나 물음, 명령, 권유를 나타내는 종결 어미.
Тохирох Үг хэллэг байхгҮй байна
(хҮндэтгэлийн бус энгийн Үг хэллэг) ямар нэгэн зҮйлийг хҮҮрнэх, асуух буюу тушаал, зөвлөмж зэргийг илэрхийлдэг төгсгөх нөхцөл.

< 2 절(бадаг) >

감미롭(감미로우)+ㄴ 미소+로 [눈을 맞추]+면서
감미로운

감미롭다 (тэмдэг нэр) : 달콤한 느낌이 있다.
уянгалаг, намуун, зөөлөн
таатай мэдрэмж бҮхий.

-ㄴ : 앞의 말이 관형어의 기능을 하게 만들고 현재의 상태를 나타내는 어미.
Тохирох Үг хэллэг байхгҮй байна
өмнөх Үгийг тодотгол гишҮҮний ҮҮрэгтэй болгож, одоогийн байдлыг илэрхийлдэг нөхцөл.

미소 (нэр Үг) : 소리 없이 빙긋이 웃는 웃음.
мишээл, инээмсэглэл
дуугҮй, таатай инээх инээмсэглэл.

로 : 어떤 일의 방법이나 방식을 나타내는 조사.
-аар (-ээр, -оор, -өөр)
ямар нэгэн Үйл хэргийн арга барилыг илэрхийлж буй нөхцөл.

눈을 맞추다 (хэлц Үг) : 서로 눈을 마주 보다.
харц тулгарах
бие биенийхээ нҮдийг харах.

-면서 : 두 가지 이상의 동작이나 상태가 함께 일어남을 나타내는 연결 어미.
Тохирох Үг хэллэг байхгҮй байна
хоёр төрлөөс дээш Үйлдэл ба байдал хамт болох явдлыг илэрхийлэхэд хэрэглэдэг холбох нөхцөл.

고개+만 끄덕이+다 말없이 사라지+어.
사라져

고개 (нэр Үг) : 목을 포함한 머리 부분.
хҮзҮҮ толгой
хҮзҮҮний угаас толгойн орой.

만 : 다른 것은 제외하고 어느 것을 한정함을 나타내는 조사.
л, зөвхөн
өөр бусад зҮйлийг эс тооцон тогтсон нэг зҮйлийг л илэрхийлж буй нөхцөл.

끄덕이다 (Үйл Үг) : 머리를 가볍게 아래위로 움직이다.
дохих, тонголзох
толгойгоо дээш доош хөдөлгөх.

-다 : 어떤 행동이나 상태 등이 중단되고 다른 행동이나 상태로 바뀜을 나타내는 연결 어미.
Тохирох Үг хэллэг байхгҮй байна
ямар нэгэн Үйл хөдлөл тҮр завсарлаж өөр Үйлдэл, байдлаар өөрчлөгдөж байгааг илэрхийлдэг холбох нөхцөл.

말없이 (дайвар Үг) : 아무 말도 하지 않고.
чимээгҮй, дуугай, Үг хэлэлгҮй, Үг яриагҮй
юу ч ярихгҮй байх.

사라지다 (Үйл Үг) : 어떤 현상이나 물체의 자취 등이 없어지다.
алга болох, ҮгҮй болох
ямар нэг Үзэгдэл юмсын ул мөр алга болох.

-어 : (두루낮춤으로) 어떤 사실을 서술하거나 물음, 명령, 권유를 나타내는 종결 어미.
Тохирох Үг хэллэг байхгҮй байна
(хҮндэтгэлийн бус энгийн Үг хэллэг) ямар нэгэн зҮйлийг дҮрслэх буюу асуулт, тушаал, зөвлөмж зэргийг илэрхийлдэг төгсгөх нөхцөл. <дҮрслэл>

파도+처럼 밀려들(밀려드)+는 사랑+이 보이+어.
밀려드는 보여

파도 (нэр Үг) : 바다에 이는 물결.
давалгаа
далайд ҮҮсдэг долгион.

처럼 : 모양이나 정도가 서로 비슷하거나 같음을 나타내는 조사.
шиг, мэт
хэлбэр дҮрс, хэмжээ нь хоорондоо төстэй болон адилхан болохыг илэрхийлдэг нөхцөл.

밀려들다 (Үйл Үг) : 한꺼번에 많이 몰려 들어오다.
цутган орох, оволзох, нягтрах
нэг дор ихээр оволзон орж ирэх.

-는 : 앞의 말이 관형어의 기능을 하게 만들고 사건이나 동작이 현재 일어남을 나타내는 어미.
Тохирох Үг хэллэг байхгҮй байна
өмнөх Үгийг тодотгол гишҮҮний ҮҮрэгтэй болгож, хэрэг явдал буюу Үйлдэл нь одоо өрнөж байгааг илэрхийлдэг нөхцөл.

사랑 (нэр Үг) : 상대에게 성적으로 매력을 느껴 열렬히 좋아하는 마음.
хайр, дурлал
эсрэг хҮйстэндээ татагдан хҮчтэй дурлан хайрлах сэтгэл.

이 : 어떤 상태나 상황의 대상이나 동작의 주체를 나타내는 조사.
Тохирох Үг хэллэг байхгҮй байна
ямар нэгэн төлөв, байдлын субьект, мөн Үйл хөдлөлийн эзэн болохыг илэрхийлэх нөхцөл.

보이다 (Үйл Үг) : 눈으로 대상의 존재나 겉모습을 알게 되다.
харагдах
нҮдэнд ямар нэг зҮйлийн оршихуй буюу хэлбэр дҮрс харагдан мэдэгдэх.

-어 : (두루낮춤으로) 어떤 사실을 서술하거나 물음, 명령, 권유를 나타내는 종결 어미.
Тохирох Үг хэллэг байхгҮй байна
(хҮндэтгэлийн бус энгийн Үг хэллэг) ямар нэгэн зҮйлийг дҮрслэх буюу асуулт, тушаал, зөвлөмж зэргийг илэрхийлдэг төгсгөх нөхцөл. <дҮрслэл>

바람+처럼 스치+는 사랑+이 느끼+어지+어.

느껴져

바람 (нэр Үг) : 기압의 변화 또는 사람이나 기계에 의해 일어나는 공기의 움직임.
салхи
агаарын даралтын өөрчлөлт, мөн хҮн болон техникээс шалтгаалж ҮҮссэн агаарын хөдөлгөөн.

처럼 : 모양이나 정도가 서로 비슷하거나 같음을 나타내는 조사.
шиг, мэт
хэлбэр дҮрс, хэмжээ нь хоорондоо төстэй болон адилхан болохыг илэрхийлдэг нөхцөл.

스치다 (Үйл Үг) : 냄새, 바람, 소리 등이 약하게 잠시 느껴지다.
мэдрэгдэх. илбэх
Үнэр, салхи, чимээ зэрэг тҮр зуур сул, өнгөц мэдрэгдэх.

-는 : 앞의 말이 관형어의 기능을 하게 만들고 사건이나 동작이 현재 일어남을 나타내는 어미.
Тохирох Үг хэллэг байхгҮй байна
өмнөх Үгийг тодотгол гишҮҮний ҮҮрэгтэй болгож, хэрэг явдал буюу Үйлдэл нь одоо өрнөж байгааг илэрхийлдэг нөхцөл.

사랑 (нэр Үг) : 상대에게 성적으로 매력을 느껴 열렬히 좋아하는 마음.
хайр, дурлал
эсрэг хҮйстэндээ татагдан хҮчтэй дурлан хайрлах сэтгэл.

이 : 어떤 상태나 상황의 대상이나 동작의 주체를 나타내는 조사.
Тохирох Үг хэллэг байхгҮй байна
ямар нэгэн төлөв, байдлын субьект, мөн Үйл хөдлөлийн эзэн болохыг илэрхийлэх нөхцөл.

느끼다 (Үйл Үг) : 마음속에서 어떤 감정을 경험하다.
мэдрэх
зҮрх сэтгэлдээ ямар нэгэн сэтгэлийн хөдөлгөөнийг мэдрэх.

-어지다 : 앞에 오는 말이 나타내는 상태로 점점 되어 감을 나타내는 표현.
Тохирох Үг хэллэг байхгҮй байна
өмнөх Үгэнд илэрхийлэгдсэний дагуу бага багаар тийм болж буйг илэрхийлдэг Үг хэллэг.

-어 : (두루낮춤으로) 어떤 사실을 서술하거나 물음, 명령, 권유를 나타내는 종결 어미.
Тохирох Үг хэллэг байхгҮй байна
(хҮндэтгэлийн бус энгийн Үг хэллэг) ямар нэгэн зҮйлийг дҮрслэх буюу асуулт, тушаал, зөвлөмж зэргийг илэрхийлдэг төгсгөх нөхцөл. <дҮрслэл>

타오르+는 열정+이 꺼지+[지 않]+게

타오르다 (Үйл Үг) : 마음이 불같이 뜨거워지다.
дҮрэлзэх
сэтгэл зҮрх гал шиг халуун болох.

-는 : 앞의 말이 관형어의 기능을 하게 만들고 사건이나 동작이 현재 일어남을 나타내는 어미.
Тохирох Үг хэллэг байхгҮй байна
өмнөх Үгийг тодотгол гишҮҮний ҮҮрэгтэй болгож, хэрэг явдал буюу Үйлдэл нь одоо өрнөж байгааг илэрхийлдэг нөхцөл.

열정 (нэр Үг) : 어떤 일에 뜨거운 애정을 가지고 열심히 하는 마음.
хҮсэл тэмҮҮлэл
ямар нэгэн зҮйлд халуун сэтгэлээ зориулж, хичээж мэрийх сэтгэл.

이 : 어떤 상태나 상황의 대상이나 동작의 주체를 나타내는 조사.
Тохирох Үг хэллэг байхгҮй байна
ямар нэгэн төлөв, байдлын субьект, мөн Үйл хөдлөлийн эзэн болохыг илэрхийлэх нөхцөл.

꺼지다 (Үйл Үг) : 어떤 감정이 풀어지거나 사라지다.
арилах, сарних
ямар нэгэн сэтгэл хөдлөл тайвшрах буюу алга болох.

-지 않다 : 앞의 말이 나타내는 행위나 상태를 부정하는 뜻을 나타내는 표현.
Тохирох Үг хэллэг байхгҮй байна
өмнөх Үгийн илэрхийлж буй Үйлдэл буюу байдлыг ҮгҮйсгэх утгыг илэрхийлдэг Үг хэллэг.

-게 : 앞의 말이 뒤에서 가리키는 일의 목적이나 결과, 방식, 정도 등이 됨을 나타내는 연결 어미.
Тохирох Үг хэллэг байхгҮй байна
өмнөх агуулга ард нь зааж буй байдал, зорилго, Үр дҮн, арга барил, хэмжээ зэрэг болохыг илэрхийлдэг холбох нөхцөл.

폭풍+이 되+어 나+에게 다가오+[아 주]+어.
내게 다가와 줘

폭풍 (нэр Үг) : 매우 세차게 부는 바람.
шуурга
маш хҮчтэй Үлээх салхи.

이 : 바뀌게 되는 대상이나 부정하는 대상임을 나타내는 조사.
Тохирох Үг хэллэг байхгҮй байна
өөрчлөх ба ҮгҮйсгэж буй зҮйл болохыг илэрхийлдэг нөхцөл.

되다 (Үйл Үг) : 다른 것으로 바뀌거나 변하다.
болох, боловсрох
өөр зҮйл рҮҮ өөрчлөгдөх буюу хувирах.

-어 : 앞의 말이 뒤의 말보다 먼저 일어났거나 뒤의 말에 대한 방법이나 수단이 됨을 나타내는 연결 어미.
Тохирох Үг хэллэг байхгҮй байна
өмнө ирэх Үг ард ирэх Үгээс тҮрҮҮлж бий болсон буюу ардах Үгийн талаарх арга барил болохыг илэрхийлдэг холбох нөхцөл.

나 (төлөөний Үг) : 말하는 사람이 친구나 아랫사람에게 자기를 가리키는 말.
би
өгҮҮлэгч этгээд найз буюу өөрөөсөө дҮҮ хҮнтэй ярихад өөрийг заасан Үг.

에게 : 어떤 행동이 미치는 대상임을 나타내는 조사.
-д, -т
ямар нэгэн Үйлдлийн нөлөөг авч буй зҮйлийг илэрхийлдэг нөхцөл.

다가오다 (Үйл Үг) : 어떤 대상이 있는 쪽으로 가까이 옮기어 오다.
дөхөх, ойртох
ямар нэг зҮйлийн байгаа зҮг рҮҮ ойртон хөдөлж ирэх.

-아 주다 : 남을 위해 앞의 말이 나타내는 행동을 함을 나타내는 표현.
Тохирох Үг хэллэг байхгҮй байна
бусдад зориулж өмнөх Үгийн илэрхийлж буй Үйлдлийг хийх явдлыг илэрхийлдэг Үг хэллэг.

-어 : (두루낮춤으로) 어떤 사실을 서술하거나 물음, 명령, 권유를 나타내는 종결 어미.
Тохирох Үг хэллэг байхгҮй байна
(хҮндэтгэлийн бус энгийн Үг хэллэг) ямар нэгэн зҮйлийг дҮрслэх буюу асуулт, тушаал, зөвлөмж зэргийг илэрхийлдэг төгсгөх нөхцөл. <тушаал>

어떤 사람+이+ㄴ지 궁금하+여.
사람인지 궁금해

어떤 (тодотгол Үг) : 사람이나 사물의 특징, 내용, 성격, 성질, 모양 등이 무엇인지 물을 때 쓰는 말.
ямар
хҮн болон эд зҮйлийн онцлог, агуулга, хэлбэр дҮрс, өнгө төрх, ая зан зэрэг ямрыг тодруулан асуух Үг.

사람 (нэр Үг) : 생각할 수 있으며 언어와 도구를 만들어 사용하고 사회를 이루어 사는 존재.
хҮн
сэтгэх чадвартай хэл болон багаж хэрэгсэл зохион ашиглаж нийгмийг бҮтээн амьдардаг бие бодь.

이다 : 주어가 지시하는 대상의 속성이나 부류를 지정하는 뜻을 나타내는 서술격 조사.
Тохирох Үг хэллэг байхгҮй байна
эзэн биеийн зааж буй обьектын шинж чанар, төрөл зҮйлийг тодорхойлох утгыг илэрхийлэх өгҮҮлэхҮҮний тийн ялгалын нөхцөл.

-ㄴ지 : 뒤에 오는 말의 내용에 대한 막연한 이유나 판단을 나타내는 연결 어미.
Тохирох Үг хэллэг байхгҮй байна
хойно орж байгаа агуулгын тодорхой бус учир шалтгаан буюу дҮгнэлтийг илэрхийлдэг холбох нөхцөл.

궁금하다 (тэмдэг нэр) : 무엇이 무척 알고 싶다.
сониучирхах, сонирхох, мэдэхийг хҮсэх
ямар нэг зҮйлийг маш их мэдэхийг хҮсэх.

-여 : (두루낮춤으로) 어떤 사실을 서술하거나 물음, 명령, 권유를 나타내는 종결 어미.
Тохирох Үг хэллэг байхгҮй байна
(хҮндэтгэлийн бус энгийн Үг хэллэг) ямар нэгэн зҮйлийг хҮҮрнэх, асуух буюу тушаал, зөвлөмж зэргийг илэрхийлдэг төгсгөх нөхцөл.

너+의 그 향기+가 궁금하+여.
궁금해

너 (төлөөний Үг) : 듣는 사람이 친구나 아랫사람일 때, 그 사람을 가리키는 말.
чи
сонсогч нь найз буюу дҮҮ байх тохиолдолд, тухайн хҮнийг заадаг Үг.

의 : 앞의 말이 뒤의 말에 대하여 소유, 소속, 소재, 관계, 기원, 주체의 관계를 가짐을 나타내는 조사.
-н/-ийн/-ын/-ий/-ы
өмнөх Үг хойдох Үгтэй эзэмшил, харьяа, хэрэглэгдэхҮҮн, сэдвийн хамааралтай болохыг илэрхийлсэн нөхцөл.

그 (тодотгол Үг) : 듣는 사람에게 가까이 있거나 듣는 사람이 생각하고 있는 대상을 가리킬 때 쓰는 말.
тэр, тэр юм
сонсож буй хҮнд ойр байх буюу сонсож буй хҮний бодож буй зҮйлийг заах Үед хэрэглэдэг Үг.

향기 (нэр Үг) : 좋은 냄새.
Үнэр, анхилга
гоё сайхан Үнэр.

가 : 어떤 상태나 상황에 놓인 대상이나 동작의 주체를 나타내는 조사.
Тохирох Үг хэллэг байхгҮй байна
ямар нэгэн төлөв, байдлын субьект, мөн Үйл хөдлөлийн эзэн болохыг илэрхийлэх нөхцөл.

궁금하다 (тэмдэг нэр) : 무엇이 무척 알고 싶다.
сониучирхах, сонирхох, мэдэхийг хҮсэх
ямар нэг зҮйлийг маш их мэдэхийг хҮсэх.

-여 : (두루낮춤으로) 어떤 사실을 서술하거나 물음, 명령, 권유를 나타내는 종결 어미.
Тохирох Үг хэллэг байхгҮй байна
(хҮндэтгэлийн бус энгийн Үг хэллэг) ямар нэгэн зҮйлийг хҮҮрнэх, асуух буюу тушаал, зөвлөмж зэргийг илэрхийлдэг төгсгөх нөхцөл.

어떤 사랑+이+ㄹ지 너+의 그 느낌+이.
사랑일지

어떤 (тодотгол Үг) : 사람이나 사물의 특징, 내용, 성격, 성질, 모양 등이 무엇인지 물을 때 쓰는 말.
ямар
хҮн болон эд зҮйлийн онцлог, агуулга, хэлбэр дҮрс, өнгө төрх, ая зан зэрэг ямрыг тодруулан асуух Үг.

사랑 (нэр Үг) : 상대에게 성적으로 매력을 느껴 열렬히 좋아하는 마음.
хайр, дурлал
эсрэг хҮйстэндээ татагдан хҮчтэй дурлан хайрлах сэтгэл.

이다 : 주어가 지시하는 대상의 속성이나 부류를 지정하는 뜻을 나타내는 서술격 조사.
Тохирох Үг хэллэг байхгҮй байна
эзэн биеийн зааж буй обьектын шинж чанар, төрөл зҮйлийг тодорхойлох утгыг илэрхийлэх өгҮҮлэхҮҮний тийн ялгалын нөхцөл.

-ㄹ지 : 어떠한 추측에 대한 막연한 의문을 갖고 그것을 뒤에 오는 말이 나타내는 사실이나 판단과 관련시킬 때 쓰는 연결 어미.
Тохирох Үг хэллэг байхгҮй байна
ямар нэгэн зҮйлийг таамаглаж битҮҮхэн асуулт тавьж тҮҮний ард ирэх Үгнээс тухайн зҮйлийн Үнэн байдал буюу дҮгнэлттэй холбох Үед хэрэглэдэг холбох нөхцөл.

너 (төлөөний Үг) : 듣는 사람이 친구나 아랫사람일 때, 그 사람을 가리키는 말.
чи
сонсогч нь найз буюу дҮҮ байх тохиолдолд, тухайн хҮнийг заадаг Үг.

의 : 앞의 말이 뒤의 말에 대하여 소유, 소속, 소재, 관계, 기원, 주체의 관계를 가짐을 나타내는 조사.
-н/-ийн/-ын/-ий/-ы
өмнөх Үг хойдох Үгтэй эзэмшил, харьяа, хэрэглэгдэхҮҮн, сэдвийн хамааралтай болохыг илэрхийлсэн нөхцөл.

그 (тодотгол Үг) : 듣는 사람에게 가까이 있거나 듣는 사람이 생각하고 있는 대상을 가리킬 때 쓰는 말.
тэр, тэр юм
сонсож буй хҮнд ойр байх буюу сонсож буй хҮний бодож буй зҮйлийг заах Үед хэрэглэдэг Үг.

느낌 (нэр Үг) : 몸이나 마음에서 일어나는 기분이나 감정.
мэдрэмж
бие, сэтгэлд ҮҮсч бий болох сэтгэгдэл, мэдрэмж.

이 : 어떤 상태나 상황의 대상이나 동작의 주체를 나타내는 조사.
Тохирох Үг хэллэг байхгҮй байна
ямар нэгэн төлөв, байдлын субьект, мөн Үйл хөдлөлийн эзэн болохыг илэрхийлэх нөхцөл.

궁금하+여, 궁금하+여, 궁금하+여, 궁금하+여, 궁금하+여.
궁금해 궁금해 궁금해 궁금해 궁금해

궁금하다 (тэмдэг нэр) : 무엇이 무척 알고 싶다.
сониучирхах, сонирхох, мэдэхийг хҮсэх
ямар нэг зҮйлийг маш их мэдэхийг хҮсэх.

-여 : (두루낮춤으로) 어떤 사실을 서술하거나 물음, 명령, 권유를 나타내는 종결 어미.
Тохирох Үг хэллэг байхгҮй байна
(хҮндэтгэлийн бус энгийн Үг хэллэг) ямар нэгэн зҮйлийг хҮҮрнэх, асуух буюу тушаал, зөвлөмж зэргийг илэрхийлдэг төгсгөх нөхцөл.

< 3절 >

바람+을 붙잡+[을 수 없]+더라도.

바람 (нэр Үг) : 기압의 변화 또는 사람이나 기계에 의해 일어나는 공기의 움직임.
салхи
агаарын даралтын өөрчлөлт, мөн хҮн болон техникээс шалтгаалж ҮҮссэн агаарын хөдөлгөөн.

을 : 동작이 직접적으로 영향을 미치는 대상을 나타내는 조사.
-ыг/-ийг/-г
Үйл хөдлөл шууд нөлөөлж буй тусагдахууныг илэрхийлэх нөхцөл.

붙잡다 (Үйл Үг) : 무엇을 놓치지 않도록 단단히 잡다.
барих, зуурах
ямар нэг зҮйлийг тавилгҮй байдгаараа барьж байх.

-을 수 없다 : 앞에 오는 말이 나타내는 일이 가능하지 않음을 나타내는 표현.
Тохирох Үг хэллэг байхгҮй байна
өмнө нь хэлж байгаа Үгийн илэрхийлж буй зҮйл нь боломжгҮй гэдгийг илэрхийлдэг Үг хэллэг.

-더라도 : 앞에 오는 말을 가정하거나 인정하지만 뒤에 오는 말에는 관계가 없거나 영향을 끼치지 않음을 나타내는 연결 어미.
Тохирох Үг хэллэг байхгҮй байна
өмнөх агуулгыг тооцоолох буюу хҮлээн зөвшөөрч байгаа ч ардах агуулгад хамааралгҮй буюу нөлөө ҮзҮҮлэхгҮй болохыг илэрхийлдэг холбох нөхцөл.

파도+가 비+에 젖+[지 않]+더라도.

파도 (нэр Үг) : 바다에 이는 물결.
давалгаа
далайд ҮҮсдэг долгион.

가 : 어떤 상태나 상황에 놓인 대상이나 동작의 주체를 나타내는 조사.
Тохирох Үг хэллэг байхгҮй байна
ямар нэгэн төлөв, байдлын субьект, мөн Үйл хөдлөлийн эзэн болохыг илэрхийлэх нөхцөл.

비 (нэр Үг) : 높은 곳에서 구름을 이루고 있던 수증기가 식어서 뭉쳐 떨어지는 물방울.
бороо
өндөрт ҮҮл болж хуран байсан усны уур хөрч нягтраад доош унах усан дусал.

에 : 앞말이 어떤 일의 원인임을 나타내는 조사.
-д/-т
өмнөх Үг ямар нэгэн Үйл хэргийн учир шалтгаан болохыг илэрхийлж буй нөхцөл.

젖다 (Үйл Үг) : 액체가 스며들어 축축해지다.
норох, нойтон болох
шингэн бодис нэвчин чийгших.

-지 않다 : 앞의 말이 나타내는 행위나 상태를 부정하는 뜻을 나타내는 표현.
Тохирох Үг хэллэг байхгҮй байна
өмнөх Үгийн илэрхийлж буй Үйлдэл буюу байдлыг ҮгҮйсгэх утгыг илэрхийлдэг Үг хэллэг.

-더라도 : 앞에 오는 말을 가정하거나 인정하지만 뒤에 오는 말에는 관계가 없거나 영향을 끼치지 않음을 나타내는 연결 어미.
Тохирох Үг хэллэг байхгҮй байна
өмнөх агуулгыг тооцоолох буюу хҮлээн зөвшөөрч байгаа ч ардах агуулгад хамааралгҮй буюу нөлөө ҮзҮҮлэхгҮй болохыг илэрхийлдэг холбох нөхцөл.

내일+은 가슴+이 아프+더라도.

내일 (нэр Үг) : 오늘의 다음 날.
маргааш
өнөөдрийн дараах өдөр.

은 : 문장 속에서 어떤 대상이 화제임을 나타내는 조사.
Тохирох Үг хэллэг байхгҮй байна
өгҮҮлбэрт ямар зҮйл ярианы сэдэв болж буйг илэрхийлдэг нөхцөл.

가슴 (нэр Үг) : 마음이나 느낌.
зүрх сэтгэл
сэтгэл ба мэдрэмж.

이 : 어떤 상태나 상황의 대상이나 동작의 주체를 나타내는 조사.
Тохирох Үг хэллэг байхгүй байна
ямар нэгэн төлөв, байдлын субьект, мөн Үйл хөдлөлийн эзэн болохыг илэрхийлэх нөхцөл.

아프다 (тэмдэг нэр) : 슬픔이나 연민으로 마음에 괴로운 느낌이 있다.
өвдөх
уйтгар гуниг, харамслаас болж сэтгэл шаналах.

-더라도 : 앞에 오는 말을 가정하거나 인정하지만 뒤에 오는 말에는 관계가 없거나 영향을 끼치지 않음을 나타내는 연결 어미.
Тохирох Үг хэллэг байхгүй байна
өмнөх агуулгыг тооцоолох буюу хҮлээн зөвшөөрч байгаа ч ардах агуулгад хамааралгҮй буюу нөлөө ҮзҮҮлэхгҮй болохыг илэрхийлдэг холбох нөхцөл.

미련+과 후회+만 남+더라도.

미련 (нэр Үг) : 잊어버리거나 그만두어야 할 것을 깨끗이 잊거나 포기하지 못하고 여전히 끌리는 마음.
дассан сэтгэл, хоргодох сэтгэл
мартах юмуу зҮгээр орхих ёстой зҮйлийг ор мөргҮй мартаж, хаяж чадахгҮй урьдын адил татагдах сэтгэл.

과 : 앞과 뒤의 명사를 같은 자격으로 이어 줄 때 쓰는 조사.
ба, болон
өмнөх хойдох нэр Үгийг адилхан тҮвшинд холбож буй нэрийн нөхцөл.

후회 (нэр Үг) : 이전에 자신이 한 일이 잘못임을 깨닫고 스스로 자신의 잘못을 꾸짖음.
харамсал, гэмшил
өөрийн урьд өмнө хийсэн зҮйл буруу болохыг ухаарч өөрөө өөрийгөө буруушаах явдал.

만 : 다른 것은 제외하고 어느 것을 한정함을 나타내는 조사.
л, зөвхөн
өөр бусад зҮйлийг эс тооцон тогтсон нэг зҮйлийг л илэрхийлж буй нөхцөл.

남다 (Үйл Үг) : 잊히지 않다.
Үлдэх, хоцрох
мартагдахгҮй байх.

-더라도 : 앞에 오는 말을 가정하거나 인정하지만 뒤에 오는 말에는 관계가 없거나 영향을 끼치지 않음을 나타내는 연결 어미.
Тохирох Үг хэллэг байхгүй байна
өмнөх агуулгыг тооцоолох буюу хүлээн зөвшөөрч байгаа ч ардах агуулгад хамааралгүй буюу нөлөө үзүүлэхгүй болохыг илэрхийлдэг холбох нөхцөл.

어떤 사람+이+ㄴ지 궁금하+여.
사람인지 궁금해

어떤 (тодотгол Үг) : 사람이나 사물의 특징, 내용, 성격, 성질, 모양 등이 무엇인지 물을 때 쓰는 말.
ямар
хүн болон эд зүйлийн онцлог, агуулга, хэлбэр дүрс, өнгө төрх, ая зан зэрэг ямрыг тодруулан асуух Үг.

사람 (нэр Үг) : 생각할 수 있으며 언어와 도구를 만들어 사용하고 사회를 이루어 사는 존재.
хүн
сэтгэх чадвартай хэл болон багаж хэрэгсэл зохион ашиглаж нийгмийг бүтээн амьдардаг бие бодь.

이다 : 주어가 지시하는 대상의 속성이나 부류를 지정하는 뜻을 나타내는 서술격 조사.
Тохирох Үг хэллэг байхгүй байна
эзэн биеийн зааж буй обьектын шинж чанар, төрөл зүйлийг тодорхойлох утгыг илэрхийлэх өгүүлэхүүний тийн ялгалын нөхцөл.

-ㄴ지 : 뒤에 오는 말의 내용에 대한 막연한 이유나 판단을 나타내는 연결 어미.
Тохирох Үг хэллэг байхгүй байна
хойно орж байгаа агуулгын тодорхой бус учир шалтгаан буюу дүгнэлтийг илэрхийлдэг холбох нөхцөл.

궁금하다 (тэмдэг нэр) : 무엇이 무척 알고 싶다.
сониучирхах, сонирхох, мэдэхийг хүсэх
ямар нэг зүйлийг маш их мэдэхийг хүсэх.

-여 : (두루낮춤으로) 어떤 사실을 서술하거나 물음, 명령, 권유를 나타내는 종결 어미.
Тохирох Үг хэллэг байхгүй байна
(хүндэтгэлийн бус энгийн Үг хэллэг) ямар нэгэн зүйлийг хүүрнэх, асуух буюу тушаал, зөвлөмж зэргийг илэрхийлдэг төгсгөх нөхцөл.

너+의 그 향기+가 궁금하+여.
궁금해

너 (төлөөний Үг) : 듣는 사람이 친구나 아랫사람일 때, 그 사람을 가리키는 말.
чи
сонсогч нь найз буюу дҮҮ байх тохиолдолд, тухайн хҮнийг заадаг Үг.

의 : 앞의 말이 뒤의 말에 대하여 소유, 소속, 소재, 관계, 기원, 주체의 관계를 가짐을 나타내는 조사.
-н/-ийн/-ын/-ий/-ы
өмнөх Үг хойдох Үгтэй эзэмшил, харьяа, хэрэглэгдэхҮҮн, сэдвийн хамааралтай болохыг илэрхийлсэн нөхцөл.

그 (тодотгол Үг) : 듣는 사람에게 가까이 있거나 듣는 사람이 생각하고 있는 대상을 가리킬 때 쓰는 말.
тэр, тэр юм
сонсож буй хҮнд ойр байх буюу сонсож буй хҮний бодож буй зҮйлийг заах Үед хэрэглэдэг Үг.

향기 (нэр Үг) : 좋은 냄새.
Үнэр, анхилга
гоё сайхан Үнэр.

가 : 어떤 상태나 상황에 놓인 대상이나 동작의 주체를 나타내는 조사.
Тохирох Үг хэллэг байхгҮй байна
ямар нэгэн төлөв, байдлын субьект, мөн Үйл хөдлөлийн эзэн болохыг илэрхийлэх нөхцөл.

궁금하다 (тэмдэг нэр) : 무엇이 무척 알고 싶다.
сониучирхах, сонирхох, мэдэхийг хҮсэх
ямар нэг зҮйлийг маш их мэдэхийг хҮсэх.

-여 : (두루낮춤으로) 어떤 사실을 서술하거나 물음, 명령, 권유를 나타내는 종결 어미.
Тохирох Үг хэллэг байхгҮй байна
(хҮндэтгэлийн бус энгийн Үг хэллэг) ямар нэгэн зҮйлийг хҮҮрнэх, асуух буюу тушаал, зөвлөмж зэргийг илэрхийлдэг төгсгөх нөхцөл.

어떤 사랑+이+ㄹ지 너+의 그 느낌+이.
사랑일지

어떤 (тодотгол Үг) : 사람이나 사물의 특징, 내용, 성격, 성질, 모양 등이 무엇인지 물을 때 쓰는 말.
ямар
хҮн болон эд зҮйлийн онцлог, агуулга, хэлбэр дҮрс, өнгө төрх, аа зан зэрэг ямрыг тодруулан асуух Үг.

사랑 (нэр Үг) : 상대에게 성적으로 매력을 느껴 열렬히 좋아하는 마음.
хайр, дурлал
эсрэг хҮйстэндээ татагдан хҮчтэй дурлан хайрлах сэтгэл.

이다 : 주어가 지시하는 대상의 속성이나 부류를 지정하는 뜻을 나타내는 서술격 조사.
Тохирох Үг хэллэг байхгҮй байна
эзэн биеийн зааж буй обьектын шинж чанар, төрөл зҮйлийг тодорхойлох утгыг илэрхийлэх өгҮҮлэхҮҮний тийн ялгалын нөхцөл.

-ㄹ지 : 어떠한 추측에 대한 막연한 의문을 갖고 그것을 뒤에 오는 말이 나타내는 사실이나 판단과 관련시킬 때 쓰는 연결 어미.
Тохирох Үг хэллэг байхгҮй байна
ямар нэгэн зҮйлийг таамаглаж битҮҮхэн асуулт тавьж тҮҮний ард ирэх Үгнээс тухайн зҮйлийн Үнэн байдал буюу дҮгнэлттэй холбох Үед хэрэглэдэг холбох нөхцөл.

너 (төлөөний Үг) : 듣는 사람이 친구나 아랫사람일 때, 그 사람을 가리키는 말.
чи
сонсогч нь найз буюу дҮҮ байх тохиолдолд, тухайн хҮнийг заадаг Үг.

의 : 앞의 말이 뒤의 말에 대하여 소유, 소속, 소재, 관계, 기원, 주체의 관계를 가짐을 나타내는 조사.
-н/-ийн/-ын/-ий/-ы
өмнөх Үг хойдох Үгтэй эзэмшил, харьяа, хэрэглэгдэхҮҮн, сэдвийн хамааралтай болохыг илэрхийлсэн нөхцөл.

그 (тодотгол Үг) : 듣는 사람에게 가까이 있거나 듣는 사람이 생각하고 있는 대상을 가리킬 때 쓰는 말.
тэр, тэр юм
сонсож буй хҮнд ойр байх буюу сонсож буй хҮний бодож буй зҮйлийг заах Үед хэрэглэдэг Үг.

느낌 (нэр Үг) : 몸이나 마음에서 일어나는 기분이나 감정.
мэдрэмж
бие, сэтгэлд ҮҮсч бий болох сэтгэгдэл, мэдрэмж.

이 : 어떤 상태나 상황의 대상이나 동작의 주체를 나타내는 조사.
Тохирох Үг хэллэг байхгҮй байна
ямар нэгэн төлөв, байдлын субьект, мөн Үйл хөдлөлийн эзэн болохыг илэрхийлэх нөхцөл.

궁금하+여, 궁금하+여, 궁금하+여, 궁금하+여, 궁금하+여.
궁금해 궁금해 궁금해 궁금해 궁금해

궁금하다 (тэмдэг нэр) : 무엇이 무척 알고 싶다.
сониучирхах, сонирхох, мэдэхийг хYсэх
ямар нэг зYйлийг маш их мэдэхийг хYсэх.

-여 : (두루낮춤으로) 어떤 사실을 서술하거나 물음, 명령, 권유를 나타내는 종결 어미.
Тохирох Yг хэллэг байхгYй байна
(хYндэтгэлийн бус энгийн Yг хэллэг) ямар нэгэн зYйлийг хYYрнэх, асуух буюу тушаал, зөвлөмж зэргийг илэрхийлдэг төгсгөх нөхцөл.

< 참고(ашиглах) 문헌(ном зҮй) >

고려대학교 한국어대사전, 고려대학교 민족문화연구원, 2009
우리말샘, 국립국어원, 2016
표준국어대사전, 국립국어원, 1999
한국어교육 문법 자료편, 한글파크, 2016
한국어 교육학 사전, 하우, 2014
한국어기초사전, 국립국어원, 2016
한국어 문법 총론 Ⅰ, 집문당, 2015

HANPUK

노래로 배우는 한국어 1 Монгол хэл(орчуулга)

발 행 | 2024년 6월 12일
저 자 | 주식회사 한글2119연구소
펴낸이 | 한건희
펴낸곳 | 주식회사 부크크
출판사등록 | 2014.07.15.(제2014-16호)
주 소 | 서울특별시 금천구 가산디지털1로 119 SK트윈타워 A동 305호
전 화 | 1670-8316
이메일 | info@bookk.co.kr

ISBN | 979-11-410-8912-2

www.bookk.co.kr